Le road movie interculturel

numéro double

Ce numéro a été préparé sous la responsabilité de
Walter Moser

La revue **CiNéMAS** est membre de la Société de développement des périodiques culturels québécois (SODEP) et de l'Association canadienne des revues savantes. Elle est indexée dans REPÈRE, dans le Film Literature Index, dans l'International Index to Film Periodicals (publié par la Fédération internationale des archives du film — FIAF), dans les bases de données d'EBSCO et de Proquest ainsi que dans le Media Review Digest.

La revue **CiNéMAS** est diffusée sur Érudit, portail de revues savantes (www.erudit.org/revue/cine).

CiNéMAS publie trois numéros par année.

Prière d'adresser toute correspondance concernant la revue (manuscrits, abonnements, publicité, etc.) à l'adresse suivante :

Revue **CiNéMAS**
Université de Montréal
C.P. 6128, succursale Centre-ville
Montréal (Québec)
H3C 3J7
Canada
Tél. : (514) 343-6111, poste 3684
Téléc. : (514) 343-2393
Adresse électronique :
cinemas@histart.umontreal.ca
Site Web :
www.revue-cinemas.umontreal.ca

Cette publication a été rendue possible grâce à l'appui financier du Conseil de recherches en sciences humaines du Canada, du Fonds québécois de recherche sur la société et la culture et de la Faculté des arts et des sciences de l'Université de Montréal.

REVUE D'ÉTUDES CINÉMATOGRAPHIQUES

La revue bénéficie du soutien du Département d'histoire de l'art et d'études cinématographiques de l'Université de Montréal.

Directeur
André Gaudreault

COMITÉ DE DIRECTION

Denis Bellemare, *Université du Québec à Chicoutimi*
André Gaudreault, *Université de Montréal*
Germain Lacasse, *Université de Montréal*
Catherine Russell, *Concordia University*
Pierre Véronneau, *Cinémathèque québécoise*

COMITÉ DE RÉDACTION

François Albera, *Université de Lausanne (Suisse)*
Édouard Arnoldy, *Université de Lille 3 (France)*
Denis Bellemare, *Université du Québec à Chicoutimi (Canada)*
Francesco Casetti, *Università Cattolica del Sacro Cuore (Italie)*
Donald Crafton, *University of Notre Dame (États-Unis)*
François Jost, *Université Paris 3 (France)*
Laurent Jullier, *Université Paris 3 (France)*
Charlie Keil, *University of Toronto (Canada)*
Frank Kessler, *Universiteit Utrecht (Pays-Bas)*
Germain Lacasse, *Université de Montréal (Canada)*
André Loiselle, *Carleton University (Canada)*
Janine Marchessault, *York University (Canada)*
Philippe D. Mather, *University of Regina (Canada)*
Rosanna Maule, *Concordia University (Canada)*
Dana Polan, *New York University (États-Unis)*
Leonardo Quaresima, *Università degli Studi di Udine (Italie)*
Àngel Quintana, *Universitat de Girona (Espagne)*
Catherine Russell, *Concordia University (Canada)*
Pierre Véronneau, *Cinémathèque québécoise (Canada)*

Fondateurs
Michel Larouche, Denise Pérusse

Secrétaire de rédaction et administratrice
Lisa Pietrocatelli

Diffusion et promotion
Marnie Mariscalchi

Révision des textes français
Carole Mills-Affif

Traduction des résumés anglais
Nicolas Dulac

Correction des épreuves des textes français
Dominique Pellerin et Andrée Michaud

Révision des textes anglais et traduction des résumés français
Timothy Barnard

Correction des épreuves des textes anglais
Jane Jackel

Responsable du protocole de rédaction
Marco Bergeron

Mise en pages
Édiscript enr.

Conception de la couverture
Carl Plante et SoManyGerrys

COMITÉ DE LECTURE *

Fernando Andacht, *Université d'Ottawa (Canada)*
Denis Bachand, *Université d'Ottawa (Canada)*
James Cisneros, *Université de Montréal (Canada)*
Boulou Ebanda de B'Béri, *Université d'Ottawa (Canada)*
Célia Forget, *Université Laval (Canada)*
Marc Furstenau, *Carleton University (Canada)*
Michèle Garneau, *Université de Montréal (Canada)*
Annie Gérin, *Université du Québec à Montréal (Canada)*
Peter Hodgins, *Carleton University (Canada)*
Martin Lefebvre, *Concordia University (Canada)*
Gastón Lillo, *Université d'Ottawa (Canada)*
Angélica Madeira, *Universidade de Brasília (Brésil)*
Duarte Mimoso-Ruiz, *Université de Toulouse 2 (France)*
Alain-Patrice Nganang, *State University of New York, Stony Brook (États-Unis)*
Peter Rist, *Concordia University (Canada)*
Winfried Siemerling, *Université de Sherbrooke (Canada)*
Sherry Simon, *Concordia University (Canada)*
William Straw, *McGill University (Canada)*
Alejandro Zamora, *Cornell University (États-Unis)*

* *La composition du comité est déterminée en fonction des thèmes abordés dans la revue.*

Imprimé au Canada chez AGMV Marquis

Dépôt légal :
Bibliothèque et Archives nationales du Québec.
Bibliothèque et Archives Canada.
ISSN : 1181-6945

Le road movie interculturel

Présentation. Le road movie : un genre issu d'une constellation moderne de locomotion et de médiamotion

Walter Moser

RÉSUMÉ

Le genre cinématographique du road movie est présenté ici comme issu d'une constellation de modernité « solide » qui combine locomotion et médiamotion dans une mobilité culturelle spécifique. L'analyse générique identifie une matrice où se détachent, comme noyau central, la déprise par rapport aux forces sédentarisantes de la modernité et la production de contingence. On montre comment le genre, sur la base de cette matrice, fait preuve d'une grande productivité culturelle et d'une remarquable efficience historique, dans la mesure où il transforme sans cesse sa propre articulation interne tout en se laissant transférer de son américanité originaire vers d'autres aires culturelles.

For English abstract, see end of article

Comme tout genre, on peut définir le genre cinématographique du road movie à partir de critères formels, esthétiques, sociologiques et autres. Nous tenterons ici de l'aborder en premier lieu comme issu d'une constellation historique qui a vu un véhicule et un média produire un impact culturel synchronique qu'il s'agit de comprendre comme une condition de possibilité pour l'émergence et le développement de ce genre.

Locomotion : route et automobile

En fait, l'invention de l'automobile comme véhicule de locomotion individuelle et privée avec moteur à combustion et du cinéma comme nouveau média capable de représenter le mouvement se situe vers la fin du XIXe siècle. Cette invention proprement dite a lieu en Europe, mais le développement et de l'automobile et du cinéma en de véritables industries est un phénomène nord-américain qui se produit vers le milieu des années 1920. Développement industriel implique production en série et en grand nombre, accès démocratique aux produits et, partant, possibilité de consommation comme phénomène de masse. Dans ce sens, les deux nouveaux produits ont un impact majeur tant sur le comportement des gens que sur leur manière de se situer dans le monde, en particulier par rapport aux dimensions spatiales et temporelles. Ce qui, finalement, ne fut pas sans remodeler ce que nous appellerons ici, avec prudence, l'imaginaire collectif. Cette constellation historique confère au genre cinématographique du road movie ses conditions d'émergence.

Il va sans dire que cette constellation vient se situer à l'intérieur du paradigme historique de la modernité occidentale. En précisant cet argument historique, nous soutiendrons ici que l'automobile et le cinéma appartiennent plus spécifiquement à ce que Zygmunt Bauman (2000) a appelé la modernité solide. Il s'agit là d'une périodisation historique à désignation métaphorique qu'il oppose à une autre, subséquente, qu'il appelle — non moins métaphoriquement — « modernité liquide ». Ces deux types et époques consécutives de la modernité sont définis tout particulièrement par rapport à leur articulation et gestion de la relation entre espace et temps.

La modernité solide se définit par la priorité qui est accordée à l'espace sur le temps. L'espace est la chose précieuse à occuper et à posséder. La constitution territoriale des États-nations, ainsi que leur intégrité et protection s'inscrivent dans cette logique. Mais aussi, à partir et au-delà de ces territoires nationaux, la découverte, l'exploration, la conquête, l'occupation et l'aménagement de nouveaux territoires, bref le processus de colonisation. Un effort majeur est ainsi consacré à obtenir, à conquérir et à occuper de l'espace au sens le plus concret du terme. Dans cette logique spatio-temporelle, le temps est la mesure de cet effort. Dans le film *Bye Bye Brasil* (Carlos Diegues, 1979), le chauffeur de camion, professionnel de la locomotion, expliquera à Lorde Cigano, le protagoniste de ce road movie, que cela prend cinq jours pour se rendre à Altamira, une ville éloignée et difficile d'accès de l'Amazonie. L'espace est donc une réalité concrète qui résiste et qui doit être parcourue avant qu'on ne puisse, le cas échéant, l'occuper. Ce sont là autant d'opérations qui demandent le déplacement physique de personnes humaines. C'est dans cette logique spatio-temporelle que s'inscrit la conquête de l'Ouest étatsunien, avec sa figure du *frontier*, qui fournit le cadre historique pour le genre cinématographique du western.

Une caractéristique générale de la modernité est sa mobilité. Franco Moretti, dans *The Way of the World* (1987, p. 5), en fait « the essence of modernity ». Et cette mobilité peut se manifester phénoménalement de multiples manières, dans divers systèmes sociaux : d'abord, bien sûr, dans le système économique en tant que capitalisme aventurier et marchand, ensuite, dans son expansion coloniale, mais aussi dans le dynamisme de la configuration du sujet moderne — un sujet qui se forme, s'émancipe et qui est, à son tour, agent transformateur du monde. Finalement, nous allons nous concentrer ici sur deux types de mobilité en particulier, que nous appelons « locomotion » et « médiamotion ». La locomotion résume les différentes formes de mobilité dans lesquelles se trouvent engagés des êtres humains qui se déplacent physiquement. La médiamotion est une forme de mobilité que nous procurent les médias mais qui, dans un certain sens, remplace ou redouble le déplacement physique en offrant aux êtres humains une expérience presque paradoxale : le contact à distance. La médiamotion permet de se déplacer, de se trouver ailleurs sans bouger physiquement.

La modernité industrielle n'a cessé de développer des véhicules pour les déplacements humains : le bateau et le train propulsés par la machine à vapeur ; l'automobile, le bus et les premiers avions propulsés par le moteur à combustion ; l'avion à réaction propulsé par le moteur à réaction. Du charbon au pétrole, au gaz, au nucléaire et à l'électricité, les combustibles évoluent en augmentant les capacités et les vitesses de déplacement humain. Selon l'historien allemand René Koselleck (2000), ce serait l'apparition du train, parmi tous ces moyens mécaniques de locomotion, qui aurait provoqué historiquement le plus grand choc d'expérience quant à la perception des relations spatio-temporelles. L'apparition de l'automobile, à son

Présentation. Le road movie : un genre issu
d'une constellation moderne de locomotion et de médiamotion

9

tour, apporte une affirmation de deux tendances fortes de la modernité : la liberté de déplacement des individus et, par là, le renforcement de l'autonomie du sujet individuel. L'accès démocratique à l'automobile, y compris pour les ouvriers qui produisaient les voitures, faisait partie du programme fordiste des années 1920 [1].

La modernité, dans la mesure où elle se concrétise dans une société de discipline avec la « cage de fer » dont parle Max Weber, favorise la mobilité parce qu'elle en a besoin, mais en même temps elle contrôle cette mobilité. Voilà pourquoi le développement de la civilisation de l'automobile s'accompagne à la fois d'un discours euphorisant et d'un discours de peur et de mise en garde. L'État étatsunien commence tôt à réglementer tout ce qui a trait à l'usage de l'automobile, de l'enregistrement des voitures jusqu'au code de la route. Se développe alors une société dont le mode de vie est qualifié, par le sociologue Eduardo Bericat Alustuey (1994), de « sédentarisme nomade ». C'est dans ce contexte que le road movie fait son apparition au moment où l'usage de l'automobile, en principe moyen de mobilité, commençait à être grevé d'un contrôle et d'une discipline lourds. Le road movie marque alors le moment d'une réaffirmation de l'automobile comme pur moyen de mobilité. L'automobile, véhicule individuel d'usage privé, fut ainsi célébrée comme le moyen de déprise par rapport aux contraintes de la société de discipline. Dans les années 1960, c'est la figure de James Dean qui peut le mieux cristalliser l'imaginaire de liberté associé à l'automobile, par ailleurs déjà combiné avec le média film [2].

Et voici le premier paradoxe du road movie, paradoxe qui lui vient du moyen de locomotion qu'il a célébré : l'automobile appartient à la modernité solide. Elle est le produit d'une industrie lourde qui, du moins à ses débuts, transformait surtout du métal. Cette industrie produisait, littéralement, des « cages de fer » solides mais autopropulsées, des véhicules pesant le multiple du ou des corps humain(s) qu'ils déplaçaient. En plus de leur mode de production lourd, ces véhicules supposent un usage qui demande des infrastructures lourdes et stables, en premier lieu la route, *the road*. En fait, dans le développement du territoire étatsunien, et en particulier dans la conquête de l'Ouest, la route et l'automobile se sont substituées largement au rail et au train[3]. Dès 1916, le premier *Federal Highway Act* prévoit la construction d'autoroutes transétatiques. Les années 1920 ont vu le commencement des travaux de la célèbre Route 66 qui devait relier Chicago et Los Angeles et qui est à l'origine d'un grand nombre de programmes de télévision et fait donc partie de la préhistoire du road movie.

Le chemin, la route, *the road*, élément constitutif du road movie ainsi que du *road novel*, est à la fois une figure très ancienne et sa réalisation matérielle et technique dans le contexte de la civilisation de l'automobile. En tant que figure, la route représente un espace-temps très prégnant que toutes sortes de récits ont emprunté pour donner à penser un mouvement progressif le long d'une ligne qui s'inscrit dans l'espace : en tant que récit de vie, elle permet de structurer les aléas d'une existence humaine et de leur donner sens ; en tant que récit d'une action, d'une aventure ponctuelle, elle permet d'ordonner les événements dans la séquence d'un avant que, d'un pendant que et d'un après que. Rappelons à ce sujet la définition du roman de Saint-Réal que Stendhal reprend dans *Le rouge et le noir* : un roman, c'est un miroir qu'on promène le long d'un chemin. Que cela suffise pour donner une idée du vaste héritage narratif sur lequel se greffera notre genre cinématographique.

La nouveauté décisive qu'il apporte toutefois à la figure de la route, c'est qu'il littéralise sa figuralité. Et ceci à partir de la culture matérielle de l'automobile et des infrastructures nécessaires pour son fonctionnement. Dans le road movie, la route est concrète, elle est visualisée, elle fait partie d'un paysage tout à fait particulier, façonné par la modernité avancée, et située de préférence dans le Midwest et dans le Southwest étatsuniens. C'est la route construite pour la circulation rapide des voitures à travers un paysage de préférence vide, sauvage, aride et même désertique. Un paysage qui fait contraste avec la ville, et plus généralement avec des espaces aménagés pour l'habitation humaine. On y reconnaît l'opposition conceptuelle fondamentale entre nature et culture, de même que les récits de retour à la nature animés par le désir de tourner le dos aux effets négatifs de la civilisation (Rousseau). Cette opposition conceptuelle se trouve aujourd'hui réactualisée par divers discours écologistes, mais elle a une longue tradition à partir d'un certain romantisme[4]. La différence importante par rapport à cette tradition, c'est que, dans le road movie, l'accès à cette nature intacte s'obtient moyennant un des produits les plus lourds de la modernité avancée (l'automobile) et une des infrastructures les plus interventionnistes dans la nature (l'autoroute). Le geste du héros de ce genre est donc hautement ambivalent, puisque c'est à bord d'un produit industriel de haute technologie qu'il réalise sa déprise par rapport à la société dont émane ce produit et qu'il espère se libérer des contraintes de cette société.

Afin d'entrer dans l'espèce de *no man's land* naturel qu'est le paysage du Southwest, il faut qu'il suive la route tracée puis construite lors de la mise en pratique des politiques d'aménagement du territoire national des États-Unis. Se déplaçant sur cette route, l'automobiliste aura, lui, besoin d'infrastructures qui assurent son repos (les motels) et son approvisionnement (les *diners*), tandis que son automobile aura besoin de services et de ravitaillement en carburant (les *gas stations*). C'est dire que le beau geste de la déprise motorisée n'annule point la dépendance aux infrastructures lourdes de la modernité solide. C'est ainsi que, visuellement, les motels, les *diners* et les *gas stations* font intégralement partie, à l'origine, de l'iconographie nord-américaine du road movie.

Médiamotion : *moving pictures* et cinéma

Tournons-nous maintenant du côté de l'autre type de mobilité, la médiamotion, qu'apporte le cinéma en tant que média au road movie. Il s'agit là d'un média moderne, basé sur de la haute technologie. Devenu possible grâce aux avancements en optique et en mécanique, il a en quelque sorte réalisé la fiction de la caverne de Platon en captant et reproduisant l'image mouvante du monde. Il s'inscrit parfaitement dans la mobilité moderne, dans la mesure où il a apporté la mobilité à l'image. Il en résulte, comme on dit en anglais, des *moving pictures*. Plus exactement, le média cinéma a trouvé une solution technologique pour donner le change à notre appareil perceptoriel, puisqu'en réalité, il travaille à partir d'images fixes — des photogrammes — dont une séquence de 24 par seconde nous fait percevoir un mouvement continu[5]. Dans la phase de production, il s'agit d'enregistrer le mouvement en le décomposant en une séquence d'images instantanées qui, dans la phase de réception, sont projetées sur un écran à la vitesse minimale de 24 par seconde. Le spectateur perçoit du mouvement. Voilà pourquoi dans le road movie *Au fil du temps* (Wim Wenders, 1976) Bruno, le protagoniste qui est projectionniste, explique à son interlocuteur devant un vieux projecteur de cinéma, en identifiant le mécanisme mobile[6] qui permet de faire passer 24 images par seconde qu'il s'agit là du cœur du cinéma, et que, sans cette pièce de mécanique, il n'y aurait pas d'industrie du cinéma.

Dans ce sens, le cinéma est un média de captation et de reproduction de mouvement. C'est donc l'instrument médiatique parfait pour représenter la mobilité du monde moderne. Mais ce n'en est pas moins un média de la modernité solide. Pourquoi? D'abord, la production d'un film, surtout dans les premiers temps du cinéma, requiert un appareillage très lourd et qui se complexifie par la suite, que ce soit sur le plan technique, organisationnel ou encore économique. Une équipe de tournage réunit un groupe de personnes avec des fonctions précises mais hautement différenciées; les caméras sont des appareils peu mobiles et difficiles à manier, du moins dans les débuts du cinéma. Un certain type de cinéma se produit dans des studios qui sont des installations fixes équipées de systèmes techniques très complexes. Du côté de la réception, le cinéma — même dans les *drive-in theaters* qui combinent la locomotion de l'« auto-mobilité » avec la médiamotion — demande la construction de *movie theaters*, dérivés en fait de leurs prédécesseurs, les salles de théâtre. Les spectateurs se déplacent pour regarder collectivement des films montrés dans des salles qui ont un statut semi-public. Leur transformation en cinéplex n'a pas radicalement transformé ces pratiques spectatoriales[7]. Ces salles de cinéma se multiplient et se ressemblent dans le monde entier, c'est ainsi que le même film peut être vu simultanément par différents publics à différents endroits, ce qui en fait un média de masse. Tout cela converge à dire que le média capable à la

Présentation. Le road movie : un genre issu
d'une constellation moderne de locomotion et de médiamotion

13

fois d'enregistrer et de rendre la mobilité de la vie moderne et d'y participer par son propre mode de fonctionnement s'appuie lui-même sur des infrastructures peu mobiles dans ses pratiques tant de production que de réception[8].

Il est vrai que et l'automobile et le cinéma connaissent aujourd'hui des développements technologiques importants — de mécanique le cinéma est devenu de plus en plus électrique et électronique, l'automobile pourrait être obligée dans un proche avenir de changer de moteur et de carburant. On n'en peut pas moins affirmer que le road movie doit son existence à la constellation d'un véhicule et d'un média. Tous deux s'inscrivent dans la mobilité moderne en offrant l'expérience du mouvement, l'un sous la forme d'un déplacement physique, l'autre sous la forme d'une représentation symbolique du monde — réel ou possible. Toutefois, dans la dialectique constitutive de la modernité entre sédentarisation, installation et établissement, d'une part, et nomadisme, déplacement et mobilité, de l'autre, le road movie privilégie et exploite le moment de la déprise.

Le road movie en tant que forme symbolique

En tant que forme symbolique, le road movie valorise de la modernité surtout le moment de la mobilité, de l'arrachement à des espaces-temps fixes et donc d'une certaine forme de la renomadisation, du moins momentanée, le temps d'une fugue en dehors de la « cage de fer ». Il performe une ligne de fuite deleuzienne[9] par rapport aux forces sédentarisantes de la modernité avancée. Dans ce sens, avant même d'aborder l'histoire du road movie, avant même de le définir comme une structure narrative et avant même de lui assigner des significations sociales, nous tenons à en identifier le noyau générique, soit une intensité gestuelle.

Cette intensité réside dans le geste de ce que nous avons commencé à appeler la déprise : sortir d'un espace clos, rompre avec un dispositif contraignant, franchir, voire fracasser des barrières fermées. Dans un premier temps du moins, le genre vit de ce geste de libération qui dégage la voie vers l'espace ouvert. Il est pure inchoativité, élan de démarrage : *to hit the road*. Il partage ce premier geste avec le genre du roman de formation qui commence par le départ du jeune héros de la maison familiale-paternelle. Dans ce sens, le début de certains films de la route, comme *El Viaje* (Fernando Solanas, 1992) et *Diarios de motocicleta* (Walter Salles, 2004), ne fait que transposer le roman de formation au cinéma.

La deuxième composante constitutive du genre est de nature durative : *to be on the road*. Elle nous transmet l'expérience d'un protagoniste qui a posé ce premier geste décisif. Il se trouve maintenant dans l'espace ouvert, en mouvement dans son véhicule, avec le paysage qui défile. Il avale de l'espace, s'enivre de la vitesse, jouit de sa liberté. Mais cet état de « l'être-en-route » comporte son propre paradoxe, dans la mesure où le protagoniste est solidement installé dans le véhicule que lui a fourni la modernité même dont il vient de briser les contraintes. Cette modernité, il l'emporte avec lui ; elle l'accompagne au-delà des limites franchies. Le véhicule moderne est la condition matérielle pour dépasser le conditionnement moderne. De par la perfection technique du véhicule, la puissance de son moteur, l'agrément de son habitacle, et encore dans les infrastructures le long de la route, elle le porte dans le geste même qu'il tente de poser, à savoir la laisser derrière lui. On peut saisir ce paradoxe dans l'expression courante de *mobile home*, qui renvoie à une pratique très répandue de nomadisme temporaire dans la société nord-américaine. Le protagoniste se déplace tout en faisant de l'automobile une espèce de chez-soi [10].

Ce deuxième moment du road movie connaît sa propre iconographie et a développé ses propres codes. D'abord, c'est le moment de la conversation entre le protagoniste et son accompagnateur, puisque, dans sa forme originale et simple, ce sont deux personnages — deux copains — qui voyagent ensemble dans le même véhicule. Et c'est dans cette conversation que sont sémantisés leur geste et leur comportement, que leur déplacement reçoit du sens en s'insérant dans des schémas de production de sens : fuite, révolte, quête... Ensuite, c'est le moment d'une intermédialité très particulière, dans la mesure où intervient, à l'intérieur du média cinéma, un second média : la plupart du temps, il s'agit de la radio de bord, parfois d'un gramophone mobile (*Au fil du temps*, Wim Wenders, 1976) [11]. Les musiques qui sont ainsi diégétiquement insérées dans l'action sont très souvent d'origine nord-américaine et servent de marqueurs d'identité culturelle. Dans la mesure où l'on comprend les mots des chansons, ceux-ci surdéterminent les contenus véhiculés tant dans la conversation que dans les images du *to be on the road*. Et tout cela, évidemment, dans le confort du banc avant d'une automobile sur la route, en vitesse de croisière.

Comment le film peut-il enregistrer, rendre, représenter, voire produire cette vitesse de croisière? Il est évident que le cinéma, en tant que média, nous situe loin du « miroir qu'on promène le long d'un chemin », bien que cette formule puisse déjà résumer le principe du travelling. Il n'est pas possible ici de répondre en détail à notre propre question. Mais c'est dans l'usage du média cinéma que réside la possibilité, pour le cinéaste du road movie, de produire à partir des conditions de la modernité solide des effets de « liquidité », en développant une esthétique du mouvement et de la mobilité.

Technologie, technique et esthétique se sont développées parallèlement et en interaction. La technologie offrait aux spécialistes des caméras de plus en plus légères et performantes et les techniques de leur maniement, mais aussi du montage, se perfectionnaient. La « kinesthétique » du road movie évoluait ainsi sans cesse. Voici un extrait de John Orr (1993, p. 130) qui se concentre sur l'évolution du *travelling shot* :

> The studio perennial of talking heads framed against a process screen is dropped in favour of car mounts placed at any number of angles, high angle chopper shots and following shots from other mobiles. The camera moves with the moving object in its lens, as part of the process of movement in general.

Ce complexe travail de perfectionnement cinématographique du *to be on the road*, où se conjuguent locomotion et médiamotion de manière inextricable nous révèle une dimension intrinsèque de la médialité cinématographique.

En général, ce deuxième moment constitutif du road movie représente dans le vécu subjectif du protagoniste un moment de bonheur, voire de grâce, où il jouit de la liberté regagnée, si ce n'est du pur déplacement. Dans la plupart des cas, il nous transmet alors un affect euphorique qui peut, certes, être perturbé ou menacé par des angoisses liées au risque, à l'incertitude, aux dangers associés à cet état précaire et aux aléas des événements.

Ces deux moments peuvent alterner dans le road movie et leur séquence peut se répéter : on s'arrête au bord de la route pour prendre de l'essence, pour manger, pour dormir — et l'on reprend la route. C'est ici que l'iconographie nord-américaine « route-et-automobile » entre en jeu, offrant au cinéphile amateur de road movie des plaisirs de véritable *anagnoresis* culturelle. Ou bien, on sort de la route, prend un chemin de traverse (dans *The Adventures of Priscilla, Queen of the Desert* [Stephan Elliott, 1994], *Natural Born Killers* [Oliver Stone, 1994], entre autres) : c'est dans ces interruptions du déplacement qu'ont lieu les rencontres, qu'adviennent les choses les plus imprévisibles, ou que le road movie s'offre un temps de répit aux goûts d'idylle, de repos, d'exploration sur place, etc. Mais ce n'est qu'un temps de répit, une interruption d'un mouvement que le road movie, malgré ces moments calmes, met doublement en scène (locomotion et médiamotion) comme son élément fondamental.

C'est que, dans la version « pure » du road movie, s'ajoute un troisième élément : *to hit the road again*. C'est cette reprise du mouvement, qui est une réaffirmation du geste initial, qui marque la « véritable » fin du road movie. Du moins de sa version qu'on pourrait qualifier de radicale. La fin s'articule comme une reprise du mouvement, par une nouvelle déprise. Le road movie aurait donc en principe une fin ouverte qui, en répétant la déprise, réaffirme le mouvement libérateur. Il redonne à la mobilité un sens positif en soi, même si l'expérience subjective qu'en fait le protagoniste peut apparaître ambivalente : libération euphorisante, ivresse pure du mouvement mais aussi risque, contingence et précarité.

Voilà donc les trois moments d'intensité, composantes constitutives du road movie. En termes structuraux, on parlerait d'unités minimales. Peut-on les articuler en des séquences cohérentes et linéaires, les articuler en une syntagmatique narrative ? — prendre la route, puis être en route et, finalement, reprendre la route. En termes d'aspects verbaux : l'inchoativité du départ, la durativité du mouvement et le refus de la perfectivité : re-inchoativité, nouveau départ vers l'inconnu, ouverture radicale.

Avant de discuter cette articulation narrative minimale du road movie, considérons encore un instant ces trois moments, chacun dans sa propre intensité, avec sa propre iconographie et beauté. Ils peuvent en fait exister en dehors de tout enchaînement narratif. Ils peuvent surgir ici et là, au fil d'un film, et être parfaitement reconnaissables en tant que tels. Ils ont une configuration si prégnante qu'on peut les reconnaître dans des films qu'on ne désignerait pas nécessairement comme des films de la route. Cela nous permettrait de parler du road movie dans la forme grammaticale d'un partitif. Même si *Grapes of Wrath* (John Ford, 1940), par exemple, n'est pas rigoureusement parlant *un* road movie, il n'en comporte pas moins *du* road movie : le départ de la côte Est, les travellings sur les grandes routes des États-Unis, le franchissement des frontières entre les États américains, la reprise répétée de la route [12].

Cette distinction entre « un road movie » et « du road movie » nous permettrait peut-être aussi de reconsidérer la question de l'origine et de la périodisation du genre. Il serait alors possible de situer cette origine, comme cela semble acquis par un grand nombre de spécialistes, dans les années 1960 avec *Easy Rider* (Dennis Hopper, 1969) et *Bonnie and Clyde* (Arthur Penn, 1967), mais en même temps d'admettre que, dans bien des films antérieurs, il y a déjà « du road movie », en considérant, de ce fait, ces films comme des précurseurs du genre. En même temps, des films appartenant à un autre genre, par exemple des *taxi driver movies*, pourraient alors comporter du road movie, comme c'est le cas de *Taxi Driver* (Martin Scorsese, 1976) et *Kamikaze Taxi* (Masato Harado, 1995). Cela nous donnerait plus de souplesse et dans la périodisation du genre road movie [13], et dans la classification des genres.

Maintenant, il est possible aussi d'aborder le road movie de manière narratologique. Il suffit d'enchaîner les trois moments distingués plus haut dans un récit et d'en tirer une structure narrative. Cela crée la possibilité d'une comparaison avec des formes littéraires qui sont peut-être — du moins partiellement — des ancêtres narratifs du road movie et, du coup, nous permet de donner une profondeur historique à ce genre cinéma-tographique, profondeur qui remonte à une époque qui ne connaissait ni le média cinéma ni le véhicule automobile. Cela nous permet également de mieux identifier les spécificités du road movie dans les grandes traditions narratives de la moder-nité. Il nous semble évident que, narratologiquement parlant, le road movie est à placer sur le même socle de la modernité que le roman tel que l'a théorisé György Lukács (1963) dès les années 1920. Pour Lukács, le roman, en tant que forme narrative moderne, raconte l'histoire de l'individu problématique. Privé d'une intégration organique dans la communauté pré-moderne et, de ce fait, aliéné du tout social, il est en quête de sens pour redéfinir son lien au social, sa raison d'être dans la société mo-derne. La fin de cette quête est en principe incertaine, et diffé-rents sous-genres romanesques en offrent des variantes significa-tives. Le plus proche du road movie est le roman d'aventure, car il peut comporter la même radicalité de contingence dans le déroulement de l'action : une fois que le héros aventurier se déprend de ses assises stables, tout peut lui arriver et rien ne garantit une fin heureuse ni même rassurante. Le roman de formation, que nous avons déjà mentionné, peut servir de modèle au road movie : le jeune héros, souvent rebelle et poussé par des désirs ambitieux, commence par quitter la maison paternelle pour se trouver, pendant ses années de formation, balloté par les événements imprévisibles que lui réserve le grand monde ; mais il finit par se réinsérer dans la société, formé et prêt à assumer désormais son rôle de sujet capable d'action et responsable de ses actes. La fin de ce genre romanesque s'ouvre sur le début de la vie d'adulte à venir, exactement comme *Diarios de motocicleta* se termine au moment où Che Guevara s'envole pour assumer son rôle de révolutionnaire.

D'autres sous-genres narratifs peuvent résonner dans le road movie, mais il nous semble que, si celui-ci les prend comme modèle, il perd beaucoup de sa radicalité qui réside dans la condition contingente à laquelle s'expose le héros qui ose la déprise. En général, le road movie n'est pas qu'un récit de voyage, dans la mesure où la figure du voyage délimite les imprévus du déplacement entre un point de départ et un point d'arrivée stables. Une fois que le voyageur, contrairement au protagoniste du road movie, arrive à bon port, les risques et périls du *to be on the road* sont dépassés, la mobilité s'annule. *A fortiori* quand il s'agit d'un voyage aller-retour. Normalement, le protagoniste du road movie ne revient pas à son point de départ, puisque, à la fin du film, il reprend la route, souvent vers une destination inconnue. Dans la mesure où le protagoniste du road movie est mû par une agitation intérieure, son déplacement peut se doubler d'une quête, voire d'une recherche de soi, et en tant que telle, son récit peut relever du roman d'initiation ou d'un retour à l'origine, mais, du moment où l'initiation est réussie, ou que l'origine est retrouvée, on sort du paradigme du road movie. Ou alors on affaiblit tellement la radicalité du genre qu'il faudrait parler d'un *road movie soft*, décapité de son troisième moment qui réaffirme l'ouverture sur la contingence : *to hit the road again.* Un cas intéressant à cet égard est *Le grand voyage* (Ismaël Ferroukhi, 2004) : obligé de servir de chauffeur à son père pour le pèlerinage à La Mecque de ce dernier, le fils ne découvre pas seulement les pays que leur périple leur fait traverser entre la France et l'Arabie saoudite mais aussi son père lui-même. À la fin, le père meurt à La Mecque dans le bonheur d'avoir atteint l'objectif de sa vie de musulman tandis que le fils, dans la dernière scène du film, repart on ne sait où. Bilan : le même film est un véritable road movie pour le fils et un récit d'auto-réalisation pour le père.

C'est ainsi que le road movie, grâce à sa prégnance de forme symbolique, peut facilement être pris en charge par des scénarios herméneutiques et par des cadres idéologiques que nous qualifions de re-totalisants, tout comme le roman de formation glisse facilement vers le roman à thèse. Le genre est alors détourné de sa radicalité historique. Tant son intensité que son interpellation esthétiques peuvent ainsi être instrumentalisées par des causes qui vont à l'encontre de la déprise et prétendent apporter des réponses concluantes à la quête. Dans la mesure où l'on peut conceptualiser le road movie comme une subversion des forces sédentaires de la modernité avancée, ce détournement peut apparaître comme une subversion de la subversion, ou une récupération par ces forces. C'est certainement le cas des films de la route qui se mettent au service du *nation-building* — national (*Grapes of Wrath, Central do Brasil* [Walter Salles, 1998]) ou continental (*El Viaje, Diarios de motocicleta*) et de la construction identitaire. D'ailleurs, dans la logique de la territorialité qui est au cœur de la modernité solide, le déplacement filmique sur un territoire national peut difficilement éviter d'affirmer l'unité et l'intégrité de ce territoire, ne fût-ce que comme effet secondaire.

Vers une matrice générique…

En fait, quelle est la logique générique à appliquer ici ? Il nous semble qu'il y a deux stratégies d'approche : soit on définit un idéal-type du genre, une espèce de matrice minimale et nécessaire pour générer des films appartenant à ce genre, soit on procède de manière plus empirique en établissant le répertoire de tous les films qui ont été classés road movie. Dans le premier cas, si l'on restreint beaucoup le champ du véritable road movie — nous avons favorisé cette stratégie jusqu'ici —, on risque de devoir admettre que, empiriquement, le genre n'existe pas, puisque aucun film ne remplit tous les critères de définition. Dans le second cas, on risque d'être obligé de tracer le cercle d'inclusion si vaste que la configuration générique se dissout. Un regard rapide sur les monographies ou manuels [14] qui portent sur le road movie nous montre que leur répertoire est en fait extrêmement étendu. Les spécialistes ont donc tendance à suivre la seconde stratégie. Nous croyons, pour notre part, que la distinction entre « un road movie » et « du road movie » permet de combiner les deux stratégies de recherche : maintenir une rigueur pour la définition du genre, mais rester attentif à la productivité que ce genre a été capable de générer, à ce que nous appellerons plus tard son efficience historique [15].

Voici donc, en résumé, le noyau générique recherché. Pour faire un road movie, il faut :
— des images d'un véhicule en mouvement qui transporte des êtres humains et se déplace sur une route, de préférence une automobile servant au déplacement privé et individuel ;
— une iconographie relevant de ce véhicule et de l'infrastructure dont il a besoin pour fonctionner ;

— des paysages ouverts, portant peu de marques de civilisation, à dominante horizontale ;

— un protagoniste en rupture de ban (la déprise) qui est accompagné d'une deuxième personne avec qui il fait couple pendant au moins une bonne partie du chemin ;

— une séquence narrative de trois moments d'intensité : *to hit the road, to be on the road, to hit the road again* ;

— une modalité narrative de l'événement (« il arriva que »), non pas de l'action (« j'ai fait ceci »), qui exprime la condition contingente du protagoniste ;

— une intermédialité minimale qui met en scène, dans le film et en plus du film, un second média, le plus souvent la radio installée dans le véhicule.

… et ses variations

Tous ces éléments ont déjà trouvé mention dans notre présentation, mais il y en a deux qui méritent un développement additionnel.

Il s'agit d'abord de la constellation du couple-protagoniste. C'est par cet élément que nous touchons à la dimension de critique sociale et politique du road movie de même qu'à ses paramètres socio-historiques. Nous avons expliqué la « déprise » du protagoniste comme un geste de re-nomadisation à l'intérieur d'une modernité ayant développé une sédentarité contraignante. Cette déprise s'articule par rapport à un contexte spatio-temporel très précis dans chaque cas. En fait, on a eu tendance à identifier l'émergence du road movie dans les années 1960 aux États-Unis avec un geste de critique sociale et politique constitutivement liée à l'histoire de ce pays. Déjà, le road movie est souvent vu comme le successeur — motorisé — du western et de son esprit de *frontier*. Mais les années 1960, peu après la parution du roman fondateur de Jack Kerouac *On the Road* (1957), ont vu naître aux États-Unis une situation de « malaise dans la culture » de la part des jeunes, de protestations contre un ordre social de type patriarcal devenu rigide et contre un ordre commercial devenu incontournable, de troubles sociaux, bientôt exacerbés par la guerre du Vietnam. Dans ce climat, James Dean, figure de rebelle, jeune vedette de cinéma et fanatique de la vitesse motorisée a pu cristalliser des imaginaires et devenir modèle. Le road movie s'inscrit alors dans une vague de mouvements de rébellion, de résistance et de protestation : les hippies, la contre-culture. Il participe de ces mouvements et leur donne une puissante répercussion dans le mass média cinéma. *Easy Rider* et *Bonnie and Clyde* sont fortement marqués par ce contexte socio-politique auquel ils donnent expression.

Easy Rider, même si la voiture comme véhicule a cédé le pas à deux motocyclettes, reproduit la configuration jumelle de deux *road buddies* masculins dans la fonction de sujet d'action. Même si cette configuration garde sa gémellité, elle est cependant susceptible de transformation. *Bonnie and Clyde* introduit le couple hétérosexuel. Dans des développements ultérieurs, c'est justement dans la transformation de cette configuration qu'on peut lire la métamorphose des causes critiques que peut adopter le road movie : *Thelma and Louise* (Ridley Scott, 1991), mettant en scène deux hors-la-loi féminines, donne expression à une certaine forme de libération des femmes ; *My Own Private Idaho* (Gus Van Sant, 1991) propose la configuration d'un couple masculin homosexuel, repris et dépassé dans le film australien *Priscilla* par une configuration triangulaire qui réunit homosexuels et travestis ; *Smoke Signals* (Chris Eyre, 1998) déplace la configuration dans une communauté amérindienne, etc.

La motivation exacte pour la « déprise » varie beaucoup d'un film à l'autre, allant de la simple envie de quitter son chez-soi et de connaître l'expérience de la grande route jusqu'à l'obligation de fuir les autorités qui sont aux trousses d'un couple criminel. Selon la gravité ou le désespoir de la situation, la fin du parcours itinérant varie beaucoup aussi. Cela peut se terminer en catastrophe quand la quête de liberté aboutit à la mort des protagonistes. Les deux copains d'*Easy Rider* meurent, les deux copines de *Thelma and Louise* continuent leur route fantastiquement en l'air, ce que l'on peut interpréter comme un geste suicidaire. Les deux copains d'*Au fil du temps* se séparent, chacun continuant sa route de son côté. *Terra estrangeira* (Walter Salles et Daniela Thomas, 1996), finalement, offre une fin intéressante mais ambivalente dans la mesure où, du couple hétérosexuel à peine formé et déjà en fuite, Alex, la femme, conduit son ami Paco, qui est mourant, en liberté en fracassant la barrière des douanes entre le Portugal et l'Espagne.

Bien d'autres types de protagonistes-couples et bien d'autres variantes de fin de parcours pourraient être énumérés, mentionnés. L'important n'est pas la liste complète, mais l'argument que nous souhaitons tirer de cette variation presque illimitée : le road movie est adaptable et transférable et peut articuler des situations de déprise extrêmement variées et donner voix et image aux causes les plus diverses.

Observons encore les paramètres de variation d'un second élément constitutif : le véhicule dans lequel se déplace le couple-protagoniste. Sans aucun doute le road movie est né de la constellation nord-américaine d'un véhicule et d'un média, véhicule privé pour transport individuel et média de masse. Même en restant dans la catégorie des véhicules avec moteur à combustion et avec une cabine pour les passagers, on observe déjà des variations. De l'automobile au camion : dans *Grapes of Wrath*, toute une famille, et plus tard dans *Au fil du temps* la constellation de deux *road buddies*, et finalement dans *Bye Bye Brasil*, une troupe d'artistes forains se déplaçant en camion, dont chacun mériterait une description détaillée. De l'automobile au bus : les trois itinérants de *Priscilla* voyagent dans un grand bus aménagé en *mobile home*; le fait que le titre du film coïncide avec le nom de ce véhicule semble indiquer qu'il a presque acquis le statut d'un personnage. Dans *Bronco Billy* (Clint Eastwood, 1980), le véhicule se met au pluriel et se transforme en caravane, à la manière toute nord-américaine où un *mobile home* géant prend en remorque une voiture compacte. Renonçant à la cabine protectrice et aux quatre roues, on arrive à la motocyclette, rendue célèbre par *Easy Rider* et reprise dans *Diarios de motocicleta*. Et cela va jusqu'au tracteur-tondeuse dans *The Straight Story* (David Lynch, 1999). Si l'on renonce au moteur à combustion, et va donc en deçà de ce développement décisif dans la technologie du déplacement humain, on trouve à peu près tous les moyens de locomotion : de la bicyclette (*El Viaje*) au chariot tiré par un cheval (*Kandahar*, Moshen Makhmalbaf, 2001) jusqu'au déplacement à dos de chameau (*The Sheltering Sky*, Bernardo Bertolucci, 1990) et, bien sûr, à pied (*Lamerica* [Gianni Amelio,

1994], *Kandahar*). Et, dans le cas très particulier de *Schultze Gets the Blues* (Michael Schorr, 2003), le bateau qui se déplace dans les méandres aquatiques du delta du Mississippi ; ce dernier film s'inscrit en faux contre une certaine tradition générique en proposant une esthétique de la lenteur.

Dans chaque film, le choix du véhicule, surtout s'il diverge de l'automobile, est porteur de signification. Et plus encore le changement de véhicule à l'intérieur d'un même film. Citons à cet égard trois films particulièrement intéressants : *The Sheltering Sky*, *Lamerica* et *Kandahar*. Dans les trois cas, les véhicules sont de moins en moins de haute technologie — dans ce sens, c'est comme si le déplacement spatial marquait aussi un recul dans le temps et devenait de la sorte aussi déplacement dans le temps : vers une condition pré-moderne. Ensuite, changement très significatif, le véhicule à transport individuel et privé cède le pas au véhicule à transport collectif et parfois public, c'est comme si la déprise individuelle du départ finissait par ramener le protagoniste à la réinsertion — involontaire — dans un destin collectif. Et — voici un premier trait interculturel —, dans les trois films, le changement de véhicule va de pair avec un contact de plus en plus direct et incontournable avec une altérité culturelle. Dans *The Sheltering Sky*, trois voyageurs américains partent en bateau des États-Unis, pénètrent dans le continent africain d'abord en voiture, puis en train, puis en autobus, ensuite le protagoniste masculin, malade, est transporté par un camion et finalement, sa femme qui lui survit se laisse emmener à dos de chameau par des Touaregs. Dans *Lamerica*, le jeune Italien Gino, assistant d'un requin industriel qui veut frauduleusement faire fortune dans une Albanie postcommuniste et en ruine, commence par conduire une élégante voiture rutilante neuve, mais quand elle lui est volée, il se voit obligé de se déplacer en train, puis en autobus en pénétrant vers l'intérieur du pays. Finalement, avec des douzaines de jeunes Albanais fuyant le pays, il se trouve pris dans une charge humaine agrippée à un camion militaire qui redescend vers la côte ; le dernier bout, il le fera à pied, partageant désormais le dénuement total des gens qui l'entourent. En fin de parcours, on le trouve parmi les centaines de personnes réfugiées sur un bateau qui dérive

Présentation. Le road movie : un genre issu
d'une constellation moderne de locomotion et de médiamotion

25

dans la mer Adriatique. Dans *Kandahar*, le périple de la protagoniste, à la recherche de sa sœur, commence en hélicoptère à la frontière entre l'Iran et l'Afghanistan, continue en tricycle motorisé avec toute une famille afghane, puis en chariot tiré par un cheval pour, finalement, se poursuivre à pied à travers le désert, sans qu'on ne sache jamais si la protagoniste arrivera à Kandahar et réussira à sauver sa sœur.

Ces trois films reproduisent-ils encore fidèlement le noyau générique constitutif du road movie ? Certainement pas — et pourtant il nous paraît évident qu'ils sont dérivés de ce noyau qui, bien que transformé, reste parfaitement reconnaissable. De ce fait, ces trois films, et bien d'autres avec eux, témoignent de l'efficience historique de ce genre qui s'avère être hautement adaptable et transférable et développe donc une très grande productivité culturelle. Est-ce imputable à la relative simplicité de la structure de base ? Ou encore au fait que cette structure — récit d'un déplacement le long d'une route — trouve des équivalences dans la plupart des cultures ? Toujours est-il que, comme nous venons de le voir, les paramètres du genre sont extensibles et supportent des changements d'une grande amplitude.

Transférabilité et efficience historique d'un genre

Cela veut donc dire que, au-delà et en dehors de la constellation initiale située dans un espace-temps étatsunien, ce genre peut encore signifier, peut acquérir un nouveau potentiel de sens. Il est adaptable à de nouvelles situations et peut prendre en charge des causes changeantes. Il affirme de la sorte une grande puissance générative de sens qui peut s'affirmer loin de son lieu d'origine et de sa première articulation.

Ceci ne s'applique pas seulement aux paramètres internes du genre, mais aussi à ses contextes de production et de réception. Intrinsèquement lié à l'américanité de ses débuts, le genre est lui-même capable de mobilité, de se déprendre de ce premier chronotope. Ces dernières années, il a fait preuve d'une remarquable transférabilité. Le film *Au fil du temps* de Wim Wenders, produit en 1976, peu après l'apogée du road movie américain, est un cas d'espèce pour illustrer ce transfert générique. D'abord,

Wenders lui-même est un cinéaste qui travaille sur deux continents. Ensuite, il a soigneusement préparé le transfert du genre des États-Unis en Allemagne : il a maintenu la configuration initiale du couple-protagoniste de deux copains qui se rencontrent sur la route ; à partir d'un matériau photographique recueilli aux États-Unis, il a élaboré une iconographie des lieux devant être transférée en Allemagne ; il a choisi un paysage allemand équivalent au paysage vide du Sud-Ouest étatsunien : le *no man's land* entre les deux Allemagnes ; et il fait écouter à son protagoniste Bruno, sur un tourne-disque installé dans la cabine de son camion, de la musique américaine. Le résultat : on a affaire à un road movie bien reconnaissable à ses origines étatsuniennes, mais qui n'en est pas moins spécifiquement allemand et traite de questions liées à l'histoire et à la société allemandes [16].

À partir des années 1970 le genre du road movie, peut-être porté sur les vagues du vaste phénomène de la mondialisation, s'est ainsi vite répandu en Europe et a fait son apparition dans différents pays et sur divers continents : en Amérique latine, en Afrique, dans le Moyen-Orient. Du moins sont-ce là les régions et continents dont la production sera représentée et analysée dans ce numéro spécial sur le road movie interculturel.

Pendant que le genre s'est tourné vers une phase plus auto-réflexive, voire auto-critique — *Natural Born Killers* en est un bon exemple — dans son pays d'origine, son potentiel a été approprié et exploité partout dans le monde et à partir de cultures et de causes les plus diversifiées. Un aspect qui nous intéressera ici tout particulièrement, c'est son ouverture sur l'interculturel. Elle a, certes, une de ses raisons d'être dans le contexte de la mondialisation qui a intensifié, si ce n'est exacerbé, les effets conjoints de locomotion et médiamotion. Mais elle a aussi un fondement dans la matrice même du genre : la déprise, le mouvement vers l'inconnu, la contingence radicale vécue par le protagoniste, peut se traduire en une disposition particulièrement ouverte pour la rencontre avec l'Autre culturel, avec d'autres cultures.

Université d'Ottawa

Présentation. Le road movie : un genre issu
d'une constellation moderne de locomotion et de médiamotion

27

NOTES

1. En effet, comme c'est le cas aujourd'hui pour les ordinateurs de plus en plus puissants, le prix des voitures a rapidement baissé entre 1910 et 1925 aux États-Unis par rapport à la valeur d'achat des salaires d'ouvriers (*cf.* Flink 1976 et Schaut 1994).

2. Sans oublier que, plus tôt déjà, dans sa phase de développement initial, l'automobile a réussi à capter l'imaginaire, par exemple, des futuristes italiens qui y voyaient une espèce de Centaure des temps modernes : un buste humain greffé sur un corps « automobile », en métal et avec propulsion mécanique, apologie de puissance et de vitesse.

3. Et aussi au cheval. Plusieurs road movies traduisent en images la substitution-équivalence du cheval (western) par le véhicule motorisé (road movie) : *cf.* la scène de la course entre la motocyclette et les cavaliers dans *Diarios de motocicleta* (Walter Salles, 2004), mais aussi les images superposées d'une voiture et de chevaux sauvages dans *Natural Born Killers* (Oliver Stone, 1994).

4. *Cf.* Caspar David Friedrich en peinture, Eichendorff (*Le propre à rien*) en littérature, jusqu'aux « Wandervögel » allemands dont l'idéologie aventurière-naturaliste a alimenté le *patchwork* de l'idéologie nazie.

5. On observerait donc, dans la boîte noire technologique du cinéma, une espèce de traduction ou de métamorphose qui s'opère également dans les médias électroniques. Ceux-ci, basés sur un flux discontinu d'électrons, c'est-à-dire sur la séquence 0/1, nous permettent de percevoir des phénomènes parfaitement continus à l'écran ou au haut-parleur.

6. En allemand : « das Malteser Kreuz ».

7. Par contre, le développement du *home movie* est en train de significativement transformer les pratiques de spectature cinématographique, en les déplaçant vers le domaine privé.

8. Beaucoup de films thématisent aujourd'hui l'étape pionnière des montreurs de vues qui voyageaient en dehors des centres urbains, et donc des infrastructures fixes, et montraient des films dans des conditions précaires : dans *Bye Bye Brasil*, on trouve un pionnier qui se sert de l'accumulateur de sa voiture pour alimenter le projecteur ; le protagoniste allemand de *Cinema, aspirinas e urubus* (Marcelo Gomes, 2005) doit monter et démonter son cinéma ambulant à chaque escale de son voyage dans le Nordeste brésilien en vue de montrer les films de publicité pour la vente des aspirines.

9. *Cf.* < http://transversel.apinc.org/spip/article.php3?id_article = 437 >.

10. Dans *Au fil du temps*, Wim Wenders littéralise cette expression en choisissant comme véhicule un camion de transport de meubles dans lequel le protagoniste a installé, parmi les appareils permettant de réparer les projecteurs de cinéma, son gîte pour la nuit.

11. Ceci représente en quelque sorte un degré zéro générique de l'intermédialité, à partir duquel cette dimension peut être élaborée et prendre plus de place et d'importance : l'interaction génétique avec la bande dessinée dans *El Viaje* est un cas intéressant ; également *Natural Born Killers*, un road movie auto-réflexif qui thématise à la fois son contexte médiatique et sa propre facture médiale ; tandis qu'*Au fil du temps* narrativise la complexe coexistence des médias audiovisuel et typographique.

12. On pourrait faire une même analyse de films encore plus anciens, tels que *You Only Live Once* (Fritz Lang, 1937), mais le road movie au partitif se trouve aussi dans la production contemporaine : *Terra estrangeira* (Walter Salles et Daniela Thomas, 1996), par exemple, est un film sur la migration et sur l'exil, et qui se termine en road movie.

13. Je trouve la périodisation que Laderman (2002, p. 4) reprend de Corrigan trop rigide et tranchée : « [...] my own historical framework for exploring the genre is an

elaboration of what Corrigan [...] suggests, comprising generally a movement from classical predecessors ("prototypical road movies that were not yet generic"), through a crucial, genre-defining modernist phase ("hallucinations and theatrical crisis"), to the contemporary postmodern period ("borderless refuse bin") ».

14. En particulier ceux de Laderman (2002), de Cohan et Hark (1997) et de Berndt Schulz (2001).

15. Affirmant cette double stratégie, nous nous inscrivons en faux contre l'opposition entre « cinéma de genres » et « cinéma d'auteur », puisque aucun auteur ne saurait créer, en dehors de l'ordre du discours, des codes esthétiques et des matrices génériques. Aucun film d'auteur ne saurait ignorer ces ordres culturels, même s'il les transgresse. Inversement, aucun film dit « de genre » ne fait que reproduire les lois d'un genre.

16. Pour ce film en particulier, voir le supplément spécial qu'ont consacré les *Cahiers du cinéma* (n° 400, 1987) à Wim Wenders. Je dois une partie des informations sur ce film à Jenny Brasebin qui prépare une thèse de doctorat sur le road movie ; je l'en remercie chaleureusement.

RÉFÉRENCES BIBLIOGRAPHIQUES

Bauman 2000 : Zygmunt Bauman, *Liquid Modernity*, Cambridge, Polity Press, 2000.

Bericat Alustuey 1994 : Eduardo Bericat Alustuey, *Sociología de la movilidad espacial. El sedentarismo nómada*, Madrid, Siglo XXI/Centro de Investigaciones Sociológicas, 1994.

Cohan et Hark 1997 : Steven Cohan et Ina Rae Hark (dir.), *The Road Movie Book*, New York/London, Routledge, 1997.

Flink 1976 : James J. Flink, *The Car Culture*, Cambridge, MIT Press, 1976.

Koselleck 2000 : René Koselleck, *Zeitschichten*, Frankfurt am Main, Suhrkamp, 2000.

Laderman 2002 : David Laderman, *Driving Visions: Exploring the Road Movie*, Austin, The University of Texas Press, 2002.

Moretti 1987 : Franco Moretti, *The Way of the World: The Bildungsroman in European Culture*, New York, Verso, 1987.

Orr 1993 : John Orr, *Cinema and Modernity*, Cambridge, Polity Press, 1993.

Schaut 1994 : Jim et Nancy Schaut, *American Automobilia: An Illustrated History and Price Guide*, Radnor, Wallace-Homstead Book Company, 1994.

Schulz 2001 : Berndt Schulz, *Lexikon der Road Movies*, Berlin, Lexikon, 2001.

ABSTRACT

The Road Movie: A Genre Arising out of a Modern Constellation of Locomotion and Media-motion
Walter Moser

The road movie genre is discussed here as arising out of a constellation of "solid" modernity, combining locomotion and media-motion in a specific form of cultural mobility. This generic analysis identifies a matrix whose central element is breaking away from the sedentarising forces of modernity and producing contingency. We see how, on the basis of this matrix, the genre demonstrates great cultural productivity and remarkable historical efficiency in the way it constantly transforms its own internal articulation while at the same time allowing its original association with American culture to be transferred to other cultures.

Les bifurcations culturelles du road movie contemporain

Pascal Gin

RÉSUMÉ

L'article examine sous l'angle de l'interculturalité le renouvel-
lement cinématographique du road movie au tournant du
XXIᵉ siècle. La cohérence que le terme et l'idée de culture con-
fèrent à une reconfiguration de ce genre filmique réside dans les
tensions dont se saisissent des films contemporains faisant appel
à l'imaginaire de la route pour mettre en rapport enjeux identitaires et appartenance culturelle. L'interculturalité ne se résume
donc pas à une simple unité thématique qui reprendrait en écho
le discours aujourd'hui dominant du contact et de la diversité
culturels. S'appuyant sur une filmographie pour l'essentiel sud-
américaine, nord-américaine et européenne, l'étude privilégie
trois axes de réflexion, qui isolent chacun une acception distincte
du concept de culture et, partant, délimitent une dimension
particulière de l'interculturel. Disponibilisation contrariée, asymétrie et opacité relaient ainsi une analyse situant la dimension
interculturelle du road movie contemporain au-delà d'une
simple interculturalité de figuration.

For English abstract, see end of article

La plurivocité établie du terme « culture » peut aisément miner
son élaboration conceptuelle. Effectivement, le mot évoque et
convoque des habitudes collectives, des identitaires nationaux,
une industrie et des pratiques de production artistique, des
canons esthétiques, ou encore, plus proche de l'étymologie du
terme, la croissance incombant au savoir-faire humain. Or le
déplacement en extension du culturel à l'interculturel ne réduit
en rien cette équivocité potentielle, la projetant tout au plus sur
différents lieux discursifs de notre contemporanéité. Ainsi le
terme peut-il prétendre à l'évidence dénotative d'un état de fait
recouvrant l'actualité de nouvelles mobilités humaines. Il résonne
parfois tel un impératif dans l'ordre des discours, comme norme

à penser, mais aussi goût à satisfaire, que satisfont justement diverses reconfigurations des canons culturels (*world music*, littérature migrante, festivals des cultures du monde, etc.). Il se constitue ailleurs comme objet épistémologique dont se saisissent institutions et pratiques du savoir.

L'analyse ici proposée tirera conclusion d'une telle ambiguïté. L'aire référentielle de l'interculturel est en effet par trop instable pour que l'on tente d'y circonscrire, sans risquer la pétition de principe, les mutations contemporaines du genre cinématographique que définit le road movie. L'obstacle est toutefois levé si l'on privilégie non plus quelque contenu interculturel dont serait porteur le nouvel essor du road movie mais, précisément, la problématisation même du thème interculturel. Le propre des films qu'analysent les diverses contributions à ce numéro de la revue *Cinémas* serait en ce sens d'assumer les tensions d'une interculturalité constituée à l'écran comme enjeu de représentation. Que l'interculturel n'aille pas de soi et suscite dans le road movie contemporain un effort exploratoire de figuration, telle sera l'hypothèse de ce repérage initial, dont le but est moins de dresser une typologie signalétique de l'objet filmique retenu que d'esquisser le potentiel de réflexion susceptible d'en informer l'analyse.

I. Interculturalité et disponibilisation culturelle

Le road movie, dans sa tradition nord-américaine, sollicite narrativement une première acception du terme « culture », acception que l'on peut dire anthropologique, au sens où elle désigne un ordre collectif de représentation. Se situant sous le signe de la cohésion, cette idée de culture serait ce qui confère une unité à un mode de vie collectif, sous la forme conjuguée d'un horizon d'interprétation, d'un code commun de normes et de valeurs, de savoir-faire partagés. Récit de la contestation, le road movie détourne la fonction qui revient à certains espaces dans ce paradigme de la socialité culturelle. Il remonte, à contreculture pourrait-on dire, une infrastructure routière qui n'intègre plus à distance les points nodaux d'un même réseau culturel. Il institue en espace vécu, soit intégré dans une expérience attentive aux modalités du local et de l'intime, des voies de transit, espaces jusqu'alors tout au plus traversés et ressortissant à ces « parcours autoroutiers » que désigne chez Marc Augé (1992, p. 123) le concept de non-lieu. Ainsi la fluidité de la circulation culturelle se voit-elle interrompue par l'arythmie de cette réappropriation, le plus souvent illicite, de l'espace routier.

Or, qu'advient-il de cette discontinuité culturelle, dont cet espace se ferait lieu de visualisation, dès lors que l'imaginaire filmique de la route bifurque pour privilégier les embranchements, que l'on présume multiples, de l'interculturel ? S'il faut entendre par ce terme la sériation d'espaces culturels distincts que mettrait en relation l'image-action d'un transit routier, il serait légitime d'en conclure que la contemporanéité du road movie renforce plus qu'elle n'intercepte la fonction cohésive de l'identité culturelle. Ainsi, dans un film tel que *Monsieur Ibrahim et les fleurs du Coran* (Dupeyron, 2003), le déplacement automobile transeuropéen séquentialise-t-il, du lieu clos de l'immigration parisienne au lieu d'origine anatolien, des univers culturels auxquels prend successivement part un sujet faisant l'apprentissage d'une mobilité culturelle. Au fil des visites, et notamment de lieu de culte en lieu de culte, la route décuple plus qu'elle n'épuise la possibilité de l'appartenance et de l'insertion culturelle, dont elle se contente de multiplier les sites. La fonction localisante, culturellement parlant, de l'imaginaire routier inverse ici sa fonction de ligne de fuite qui, par exemple, dans un road movie tel que *Goin' down the Road* (Shebib, 1970), projetait acteurs et spectateurs dans le hors-champ d'une cavale échappant à la norme de l'ordre culturel. D'un film à l'autre, l'écart particulièrement tranché qui se creuse devrait donc nous mettre en garde contre une contiguïté trop rapidement établie entre road movie et road movie dit interculturel. Une telle contiguïté, à laquelle il ne s'agit pas ici de renoncer, ne s'impose de fait qu'après certains détours.

Il importe tout d'abord de constater que l'actualité filmique du road movie, à la jonction des XXᵉ et XXIᵉ siècles, rend manifeste une conjoncture interculturelle tout autant et sinon plus problématique que proliférante. C'est là une observation que confirment tout particulièrement les films faisant l'objet d'une analyse dans le présent numéro. L'espace traversé s'y noue en situation de contact culturel que domine une commune expérience de perturbation. En attestent l'implosion balkane des communautés culturelles (*Ulysse's Gaze*, Angelopoulos, 1995), l'italophilie migrante des errances frontalières en Albanie (*Lamerica*, Amelio, 1995) ou encore la clandestinité du sujet devant user de différents codes culturels pour déjouer l'intégrisme afghan (*Kandahar*, Makhmalbaf, 2001).

La route peut par ailleurs procéder d'un univers culturel clos et excentré en direction d'espaces culturels élargis (*El Viaje*, Solanas, 1990 ; *Historias Mínimas*, Sorín, 2002 ; *The Adventures of Priscilla, Queen of the Desert*, Elliott, 1994), tout comme elle peut inverser cette vectorisation en intériorisant progressivement le sujet en déplacement dans les limites circonscrites d'une culture donnée (on évoquera à ce propos *The Sheltering Sky*, Bertolucci, 1990). Certes, la conflictualité précédemment évoquée n'est pas dans ce cas perpétuée. Mettant en rapport différentes identités collectives, ces films n'en cultivent pas moins l'expression d'un décalage culturel, d'une déterritorialisation déconcertante projetant le sujet hors d'un cadre culturel établi. Ainsi ce déplacement dans *Historias Mínimas*, qui, quelque intérieur qu'il soit à l'espace national, n'en met pas moins en présence l'ici et l'ailleurs. On y observe, d'une part, l'isolement hyperbolique d'une communauté reculée de Patagonie (voie désaffectée de chemin de fer, maison à l'abandon, absence de tout raccordement à quelque réseau urbain), de l'autre, un espace culturel foncièrement étranger et irrémédiablement opaque : une ville éloignée dans laquelle on produit et depuis laquelle on diffuse l'image télévisuelle et les référents précisément interculturels qu'elle relaie (promesse déçue d'un voyage au Brésil, commercialisation de l'ailleurs auquel se prête le jeu télévisuel).

L'*inter* du culturel dans un nombre important de road movies contemporains échapperait donc à une figuration par juxtaposition, voire à une uniformisation des paradigmes culturels. La route n'y est pas un « espace-liaison » mettant soudainement en rapport une multiplicité de lieux soumis, chacun, à la cohésion d'un ordre culturel [1]. Tout au contraire, elle s'y fait souvent itinéraire de découverte révélant de profonds désordres culturels. Il ne s'agit plus de l'emprunter pour se soustraire à l'unité qu'exercerait tel univers culturel mis à distance mais, l'empruntant, d'être confronté à une certaine érosion de cette unité culturelle.

Cela se vérifie de fait dans les processus d'intériorisation qui, par transfert métonymique du lieu à la personne, unifient l'expérience visuelle du désordre culturel à l'expérience vécue d'un personnage faisant progressivement corps avec lui. Angelopoulos met parfaitement à l'écran cet élargissement intérieur d'un champ de vision panoramiquement ouvert sur les errances culturelles. En relève également la duplicité migrante de l'intégriste américain dans *Kandahar*, ce personnage à la barbe postiche qui ouvre la régression monoculturelle d'une talibanisation à l'imaginaire mondialisé des conversions identitaires. Mais c'est sans doute *Lamerica* qui illustre on ne peut plus explicitement une telle intériorisation. L'italianité revendiquée à titre d'identité culturelle s'y voit effectivement révélée à des trajectoires diasporiques brouillant historiquement le partage établi entre une Europe terre d'accueil malgré elle et une Europe terre d'exode. La visibilité actuelle des signes de multiplicité culturelle révélerait une diversité ayant toujours-déjà habité et problématisé la culture comme cadre de vie collectif.

Aussi, le détournement fonctionnel de l'espace que l'on observe dans le road movie traditionnel paraît-il de nouveau opératoire dans ces autres road movies, que l'on dira interculturels non parce qu'ils reproduisent un certain idéologème de l'interconnectivité, mais précisément parce qu'ils se saisissent de l'espace faisant jonction entre un univers culturel et un autre pour mettre en évidence un état de précarité culturelle.

Il serait toutefois abusif d'en conclure à une déstabilisation fondamentale des fonctions identitaires du culturel dans le road movie contemporain. Paradoxalement, si les déplacements effectués thématisent, d'une culture à l'autre, des états d'instabilité, la fonction régulatrice de tout système culturel — soit l'ordre des habitudes et références partagées qu'il maintient — n'en demeure pas moins particulièrement active dans le road movie qui nous occupe. Cet apparent paradoxe renvoie sans doute à une distinction parfois fuyante entre les modalités de l'actuel et du virtuel. L'équilibre culturel, quelque menacé qu'il soit dans telle ou telle situation concrète, se maintient toutefois à titre de dynamique informant les processus d'identification. Cette dynamique s'avère foncièrement narrative dans le road movie interculturel. À l'inverse du mouvement sans retour du récit de l'exil, de l'itinéraire balisé du récit de voyage ou encore de l'immobilisation temporaire du récit de villégiature, l'expérience ou l'épreuve de la route dans le road movie impose au déplacement humain une contingence difficilement maîtrisable, de sorte que le temps passé sur la route s'allonge au gré des complications : des films comme *Ulysse's Gaze* ou encore *El Viaje* se conforment au schéma narratif d'une quête constamment relancée ; *The Sheltering Sky, Lamerica, Kandahar* donnent à voir un voyage touristique ou d'affaires qui dérape, tourne mal, temporise ou annule le moment de l'arrivée. Or, cette contingence, qui s'imprime avec force à l'expérience de la mobilité, déstabilise ou possibilise le sujet qui la vit, l'extrait d'habitudes et de parcours établis, le prive ou le libère de ses cadres de références usuels. Ainsi le road movie est-il très souvent le récit d'une mobilité acquise à l'imprévisibilité de l'aventure, qui ouvre donc une parenthèse dans le quotidien routinier de la sédentarité ou des déplacements sans conséquence : on y trouve l'aventure d'une mobilité enthousiaste qui rompt avec des lieux et pratiques quittés volontairement ; l'aventure d'une mobilité déconcertante mais nécessaire, dictée par l'impératif d'une quête ; l'aventure d'une mobilité envahissante, celle de la fuite en avant dans laquelle on trouve le sujet projeté. C'est donc dire que la trame narrative du road movie, l'expérience de la contingence qui s'y trouve séquentialisée, suscite chez le personnage un état de disponibilisation culturelle. Un mode de vie est mis à distance ; il est soit rejeté, soit délaissé pour un temps, ou encore sans prise sur les circonstances du déplacement. Aussi importe-t-il de s'enquérir de ce qu'il advient, dans la durée du récit filmique, de cet état de possibilisation ou de disponibilisation culturelle, soit de la capacité de réaction d'un système dont la cohérence (symbolique, praxique, idéologique) est délaissée pour être confrontée à d'autres expressions culturelles. On peut ainsi chercher à déterminer si l'unité, le sentiment d'appartenance qui s'en fait l'expression, est interceptée, relativisée, exacerbée par une pluralisation culturelle dont on ne pourrait tirer quelque culture commune. Plus spécifiquement, le récit marque-t-il un mouvement de retour vers l'intimité du milieu culturel au-delà duquel le déplacement s'est effectué, comme c'est le cas dans *Historias Mínimas*? Assiste-t-on au contraire à une débâcle ou à une déroute culturelle sans possibilité aucune de réintégrer l'unité d'un ordre symbolique et de pratiques communes? Ainsi, *Lamerica* se conclut-il par la construction cinématographique d'un mouvement de dérive qui surdétermine le référent *boat-people*, épave humaine de l'immigration clandestine. À son tour, *The Sheltering Sky*, dans ses dernières séquences, énonce par la parole dialoguée un état final d'égarement culturel. Et pourtant, l'albanisation progressive du jeune Italien de *Lamerica* défriche un espace mémoriel commun, aboutissant à un certain élargissement des consciences culturelles, alors que les assauts réciproques des cultures occidentales et sahariennes semblent perpétuer, dans le film de Bertolucci, des cycles de domination, touristique ou esclavagiste, et donc affirmeraient un schéma d'hermétisme culturel clos sur des relations d'exclusion-annexion. Dans le jeu de leur variation, les logiques narratives dont use le road movie sont autant d'expérimentations qui, à titre d'objets d'analyse, donnent à penser ce qu'il peut advenir de la cohésion culturelle sous condition d'interculturalité, soit comment la culture comme force d'intégration s'adapte à, se préserve de, évite et réagit contre une diversité culturelle.

On constate donc que l'interculturalité des road movies considérés se situe à la jonction d'une perturbation et d'une persistance de la réalité culturelle abordée dans les termes d'un cadre et d'un processus d'identification collective. Cette dualité mérite d'être soulignée dans la mesure où elle prévient une interprétation sans doute abusive qui, sous prétexte de se montrer attentive à une problématisation de l'ordre culturel à l'œuvre dans le road movie, pourrait se permettre de conclure à un simple congédiement filmique d'une conception établie de la culture. L'analyse axée sur le transculturel semble parfois témoigner de cet empressement, lorsqu'elle procède d'une critique des «grands récits» monoculturels, dont l'unité apparente serait révolue, à une pluralisation ouverte des identités collectives, pluralisation quelque peu oublieuse de la fonction d'intégration (et donc d'inclusion et d'exclusion, de distinction et de discrimination) qui revient à la culture[2].

Traditionnellement, le déplacement du road movie est une pratique de l'écart culturel que le récit filmique voue à l'échec. Ligne de fuite d'une marginalisation invariablement violente, la route n'en demeure pas moins voie de communication au sein d'un espace culturel et social, ordonné et normé. Espace faisant donc communiquer l'écart et sa sanction, l'échappée et la traque, annulant l'une par l'autre selon une logique répressive à laquelle continuent de se plier les road movies contemporains de tradition fortement nord-américaine (*Thelma and Louise*, Scott, 1991, par exemple). On constaterait donc que le road movie interculturel opère également une neutralisation de ce hors lieu culturel, espace à court terme, que constitue la route. Non plus toutefois du fait de l'extension et de l'emprise d'un univers culturel donné, mais en raison d'une logique de l'appartenance culturelle que sollicite sans cesse la multiplicité des lieux mis en rapport, quelque compliquée, transitoire et renégociée que soit devenue cette appartenance.

II. Interculturalité télévisuelle

L'interculturalité du road movie s'affirme dans l'enjeu qu'y définit la représentation de l'interculturel. Fil conducteur de la présente analyse, cette hypothèse ne saurait toutefois cacher que l'enjeu dégagé procède inévitablement d'éléments repérés ici et là : telle image construisant tel lieu, tel mouvement caractérisant tel personnage, telle forme narrative que déploie l'image en mouvement, etc. La deuxième acception de «culture» vers laquelle se tourne à présent l'analyse confirme une telle réciprocité. Il est effectivement une autre manifestation évidente de l'interculturel dans la filmographie contemporaine du road movie, manifestation ne concernant plus la gestion de l'écart entre les cultures ou l'intériorisation de ces écarts, mais les éléments qu'ont en commun les espaces culturels traversés. La musique populaire d'influence fortement occidentale, mais surtout l'image télévisuelle se distinguent à cet égard par leur présence marquée et récurrente d'un film à l'autre, dans la durée de tel ou tel long métrage. Le concert lacustre à Buenos Aires dans *El Viaje*, le répertoire rock auquel donne accès l'autoradio et le lecteur de CD dans *Historias Mínimas*, le café-concert albanais, lieu d'importation des tubes italiens dans *Lamerica*, en sont autant d'exemples. Or, cette catégorie d'éléments, quand bien même elle se rapporte à ce fond commun de pratiques et d'habitudes que définit l'idée communautaire de culture, se fait le matériau référentiel d'une toute autre conception de la culture, soit celle de la consommation, du produit négociable et de la technique de production, de la grande distribution devenue aujourd'hui intense médiatisation.

Est-ce à dire que la lancinante question de la culture en commun trouve une résolution filmique dans la forme fortement dévaluée d'une culture de masse, conformément à un argumentaire alliant la doxa de l'uniformisation planétaire et celle d'une industrialisation du monde vécu qui accapare jusqu'au culturel ? L'interculturalité que figure inévitablement l'image télévisuelle atteste-t-elle d'une logique de production médiatique aliénante et asymétrique : divertissement culturel de bas étage, hégémonie des centres de production, etc. ? À certains égards, le road movie donne assez souvent dans la facilité d'une telle critique, figurant l'espace médiatique commun sous les traits du répétitif et de la trivialisation ambiante. S'ouvre ici un premier horizon de questionnement quant à d'autres actualisations possibles de l'interculturalité médiatique dans le road movie.

Au-delà de cette question initiale prime toutefois le rapport qui s'établit entre les mobilités médiatiques et l'expérience soutenue d'une mobilité humaine, soit cette perception *on the road* d'un monde lui-même traversé de déplacements médiatiques : réglage d'une antenne parabolique quelque part en Patagonie, poste érigé, sacralisé sur un mât en plein milieu du désert, achat du premier poste de télévision dans *Central do Brasil* (Salles, 1998). Ce rapprochement suscite assurément des effets de comparaison creusant l'écart entre l'interculturalité du rapport humain et celle des signes en transit planétaire. Somme toute peu sensible à la fracture numérique, une telle accessibilité médiatique dédouble la route sur laquelle se déplace le sujet humain du road movie, lui conférant les contours d'un réseau, câblé ou non, de sorte que se font concurrence d'une étape à l'autre deux mobilités. Ainsi, dans *El Viaje*, une même image télévisée, celle d'un quelconque feuilleton, se répète-t-elle d'un lieu à l'autre, devançant toujours l'épreuve humaine du déplacement physique. C'est dire que par le truchement de l'intermédialité télévisuelle qu'il évoque et thématise, le road movie contemporain construit une conjoncture culturelle complexe. En l'occurrence, il problématise des mobilités disjonctives dont l'entrecroisement, ou l'«inter», atteste d'une transformation culturelle ne correspondant en rien à une mondialisation homogène et unidimensionnelle. Ce sous-genre en émergence signifierait donc les tensions et conflictualités inhérentes à une contemporanéité culturelle appelant, pour reprendre l'axe que privilégient les analyses d'Arjun Appadurai (1996, p. 9), une théorie de la *rupture*, «with its strong emphasis on electronic mediation and mass migration».

Il y aurait lieu d'évaluer, à ce propos, les fonctions qu'assume l'interculturalité télévisuelle vis-à-vis d'une condition plus globalement interculturelle. La relaie-t-elle selon une simple logique de retransmission? L'amplifie-t-elle en la thématisant fortement? La produit-elle de toutes pièces à titre de dispositif de simulation médiatique? Le jeu télévisé italien câblé en Albanie, la constance de cette programmation italienne, le voyage au Brésil vanté en Patagonie ne décuplent-ils pas la conscience d'un rapport «globalisé» au monde?

On pourrait par ailleurs se demander si, à l'encontre d'une pensée du simulacre, le film établit quelque opposition entre une perception immédiatement humaine de l'autre culture qui exige un départ, la durée d'un déplacement, l'épreuve des péripéties du voyage, une contextualisation *in situ*, et l'instantanéité délestée de toute cette épaisseur phénoménologique qui est celle du visionnement télévisuel.

Enfin, l'hypothèse d'une hiérarchisation filmique des mobilités humaines et médiatiques serait à considérer. La mobilité du signe télévisuel qui, dans *Lamerica*, retransmet les expressions culturelles d'une aisance économique ambiante, excède la mobilité physique de populations acculées à l'indignité d'une pauvreté de rigueur. Signe et sujet ne partagent pas la même capacité d'investir l'espace interculturel. Et de fait, l'interculturalité télévisuelle s'approprie le corps tel un autre médium, se faisant l'écho verbal de l'opulence ludique des jeux télévisés (dialogues albanais construisant l'Italie comme terre de constant divertissement) ou plus encore en se faisant le relais corporel des signes télévisuels vus et revus à satiété : *breakdance* d'une petite fille albanaise qui, en état d'extase corporelle, se ferme à son univers environnant.

Abordée sur le versant de la production culturelle, l'interculturalité filmique du road movie privilégierait donc de nouveau une situation culturelle dont il ne s'agit pas de tirer quelque exotisme susceptible de renouveler le genre. La route y trace au contraire un espace imaginaire particulièrement apte à figurer la complexité et les asymétries de l'interculturel, et tout particulièrement les disjonctions médiatiques qui le traversent.

III. Opacité de l'interculturel

Force nous est de constater que le type de road movie ici considéré ne se contente pas de mettre à l'écran l'interculturalité, mais qu'il opère des choix, des montages, voir des thématisations fortement axiologisées. Que le film exerce un jugement sur l'interculturalité qu'il met en image est un constat que pourraient corroborer les nombreux rapports d'opposition qui ne sont pas sans portée évaluative : dans l'univers décrépit d'une usine désaffectée qui évoque les ruines de la modernité socialiste, le chant organique à la sonorité puissante rythmant en albanais le geste du travail ; dans un bar livré à l'affluence et l'influence des investisseurs étrangers, le lipsing orchestré d'une chanson italienne (*Lamerica*) ; après l'agression sonore de la musique d'importation, la générosité spontanée et chalcurcusc d'une fête populaire (*Historias Mínimas*). Or, usant de ces quasi-jugements, c'est vers une troisième acception du terme de « culture » que glisse le road movie. Celle-ci concerne, d'une part, l'usage de pratiques hautement spécialisées — l'exigence des activités artistiques — et d'autre part, un telos spécifiquement critique destinant l'effort créatif à la résistance que l'art, l'esthétique peut mobiliser, à l'encontre d'une certaine conjoncture sociale et des cadres de représentation qui la dominent. Cette tradition critique liant le culturel au discours esthétique que motive la *poïesis* de l'œuvre d'art s'énonce certes en des termes très contrastés, dont il importe de circonscrire les filiations et l'historicité. L'hermétisme contestataire de l'avant-garde dans la pensée culturelle d'Adorno et Horkheimer (1974) ne recoupe pas l'activisme culturel, intersticiel, que revendique Bhabha (1994, p. 228), soutenant par exemple à propos de l'œuvre de Salman Rushdie que l'acte de « [c]ultural translation desacralizes the transparent assumptions of cultural supremacy ». Il n'en demeure pas moins qu'abordée à titre de pratique/ critique artistique opérant sur le donné d'un ordre de représentations collectivement entretenu, l'idée esthétique de culture se départ de la passivité de l'état de fait pour se voir investie d'une capacité de véridiction, ce qu'Habermas (1985, p. 203), reprenant les travaux de Wellmer, désigne comme « truth potential ».

Cette autre actualisation du thème culturel inscrit bien sûr l'interculturalité filmique dans le paradigme d'une sociocritique, qu'*El Viaje*, par exemple, pratique avec excès, le grotesque de l'interculture étatique sud-américaine mobilisant en effet un effort et des longueurs filmiques soutenus. Il est toutefois, dans le renouveau que connaît le road movie, une autre mobilisation critique du thème interculturel qui mérite d'être relevée. Curieusement, dans des films comme *Lamerica*, *Kandahar* et *Ulysse's Gaze*, le récit s'amorce par la projection d'un documentaire ou la production d'un reportage : réalisation de type anthropologique détaillant dans le noir et blanc de l'image muette le quotidien d'un mode de vie rural révolu, actualités télévisées d'époque relatant la visite du Duce en Albanie, enregistrement sur le terrain, magnétophone à la main, d'un commentaire sur la situation afghane. Cette thématisation de la production d'images et de sons se maintient de fait, explicitement ou implicitement, dans la durée du temps filmique. *Ulysse's Gaze* met en récit la quête tragique de documentaires condamnés à disparaître dans le théâtre des hostilités balkanique. *Lamerica* se conclut pour sa part sur une longue séquence sans dialogue ni commentaire, détaillant méticuleusement la charge humaine d'un cargo qui aurait sa place dans l'actualité télévisée des diasporas contemporaines. C'est, dans *Kandahar*, le magnétophone dérobé à la vue des autorités religieuses qui accompagne la clandestinité d'un passage dans l'Afghanistan taliban. Cette thématisation de la production médiatique importe au plus haut point.

Ces films nous proposent une incursion fictionnelle dans l'altérité troublante de cultures soumises à l'épreuve de violences ou de dégradations interculturelles. Or, relayant par le truchement de l'imaginaire cinématographique la consommation d'images médiatiques particulièrement actuelles, ces mêmes films ne prétendent pas pour autant à la véridiction de l'image vérité. L'opacité de l'image est de fait ce qui domine la conclusion des films : une pellicule dont on ne sait si elle sera ou non développée, des visages humains d'une intense impénétrabilité, le voile qui s'abat sur un Afghanistan devenu lieu d'incarcération. Contrairement à la visibilité revendiquée des discours objectivables, dont celui du document médiatique d'actualité, le road movie concède à la représentation de l'interculturel le hors-champ d'une irrévocable opacité : documentaire introuvable ou indéchiffrable, épuisement de l'image d'archive, intensité de l'image métafictionnelle qu'on lui substitue.

Dissipant l'illusion de quelque authentique coprésence, l'effet de proximité dont on montre à l'écran la technique de production semble rappeler l'expérience de l'interculturel à une logique de médiation et donc à la *distanciation* qui la caractérise. Cultivant précisément l'écart par rapport à des signes trop évidents d'interculturalité, l'imagination culturelle du road movie serait en ce sens proche des analyses de John Tomlinson (1999, p. 150-160), qui situent pour une large part la spécificité de l'expérience culturelle contemporaine dans une proximité dite médiatique, « a particular modality of connectivity ».

Le bilan que nous permettent de dresser les repérages qui précèdent atteste donc d'un décalage, d'une bifurcation propre à la mutation générique du road movie. L'appel, le culte, le leurre de la route ne s'y conforment plus (uniquement) à une pratique de marginalisation-criminalisation mettant temporairement en échec, à l'intérieur même des dispositifs lourds dont se dote la modernité, une socialisation ou *Bildung* du sujet individuel par trop sédentarisante. Au gré des embranchements multiples que cultive l'inter-imaginaire contemporain de cet autre road movie, ce sont plutôt appartenance et identité culturelles qui se voient contrariées ou du moins fortement complexifiées, de sorte qu'on ne saurait subsumer la particularité de l'éventuel sous-genre en émergence dans un *métarécit* que bornerait une doxa de la mixité, sorte d'impératif par réflexe d'une reconnaissance de l'altérité culturelle. Traditionnellement, le road movie a su exploiter à l'envi la multiplicité des surfaces vitrées de l'automobile, prothèse oculaire de l'objectif cinématographique décuplant et variant angle et profondeur du champ de vision[3]. Ainsi, reflets, effets de miroirs et perspectives latérales s'y conjuguent-ils pour produire une diffraction et pluralisation de l'espace en mouvement. Cette mise en abyme par démultiplication, cette thématisation par décomposition-recomposition concernent également le road movie contemporain, où elles opèrent toutefois sur un référent culturel soumis à la mobilité de l'imaginaire routier. Globalement circonscrite, l'interculturalité filmique du road movie résiderait en ce sens dans le mouvement que subit un principe ou une pulsion d'identification culturelle ne pouvant ni se réaliser ou s'assouvir — narrativement, visuellement — dans l'univocité d'un arrêt sur image, ni pour autant s'épuiser *on the road*.

Carleton University

NOTES

1. L'élaboration conceptuelle du terme revient à André Gardies (1993, p. 114-115).

2. Pour une réflexion mettant en rapport transculture et monoculture, voir l'article de Wolfgang Welsch (1999, p. 194-213.)

3. Les premières scènes du *Kings of the Road* de Wim Wenders (1976) en sont un parfait exemple.

RÉFÉRENCES BIBLIOGRAPHIQUES

Adorno et Horkheimer 1974 : Theodor Adorno et Max Horkheimer, *La dialectique de la raison. Fragments philosophiques*, Paris, Gallimard, 1974.

Appadurai 1996 : Arjun Appadurai, *Modernity at Large: Cultural Dimensions of Globalization*, Minneapolis, University of Minnesota Press, 1996.

Augé 1992 : Marc Augé, *Non-lieux. Introduction à une anthropologie de la surmodernité*, Paris, Seuil, 1992.

Bhabha 1994 : Homi Bhabha, « How Newness Enters the World », dans *The Location of Culture*, London/New York, Routledge, 1994, p. 212-235.

Gardies 1993 : André Gardies, *L'espace au cinéma*, Paris, Méridiens Klincksieck, 1993.

Habermas 1985 : Jürgen Habermas, « Questions and Counterquestions », dans Richard J. Bernstein (dir.), *Habermas and Modernity*, Cambridge, MIT Press, 1985, p. 192-216.

Tomlinson 1999 : John Tomlinson, *Globalization and Culture*, Chicago, University of Chicago Press, 1999.

Welsch 1999 : Wolfgang Welsch, « Transculturality: The Puzzling Form of Cultures Today », dans Mike Featherstone et Scott Lasch (dir.), *Spaces of Culture: City, Nation, World*, London, Sage publications, 1999, p. 194-213.

ABSTRACT

The Cultural Bifurcations of the Contemporary Road Movie
Pascal Gin

This article examines the resurgence of the road movie at the turn of the twenty-first century from an intercultural perspective. The coherence that the term culture and the idea of culture confer upon the reconfiguration of this film genre resides in the tensions that these contemporary films employ in their appeal to our collective imagination of the road, bringing into play questions of identity and cultural belonging. Interculturality can thus not be reduced to a mere thematic unity reflecting today's dominant discourse of cultural contact and diversity. In its discussion of an essentially South American, North American and European body of work, this article sets out three avenues of approach, each one isolating a distinct acceptation of the concept of culture and delineating a specific aspect of the intercultural. By focusing on the ambiguity of cultural disembedding, on asymmetrical dynamics and on the issue of opacity, the analysis locates the intercultural dimension of contemporary road movies beyond the mimetics of representation.

Devenir et opacité dans *Un thé au Sahara* de Bernardo Bertolucci

Silvestra Mariniello

RÉSUMÉ

Un thé au Sahara (Bertolucci, 1990), tiré du roman éponyme de Paul Bowles, présente un exemple éloquent et original de road movie interculturel. Le mouvement qui juxtapose et relie sans cesse lieux, sons, paysages, visages, rythmes, lumières, route, dépaysement, voyage, expérience d'endroits inconnus et différences linguistiques constitue à la fois la forme et le contenu du film qui révèle et met en scène l'opacité de l'Autre (que cela soit au sein du couple, dans l'amitié, dans la folie ou encore dans l'autre ethnique et culturel). Ce road movie appelle le spectateur à faire l'expérience de la différence et à se méfier d'une interprétation guidée par le besoin de transparence.

For English abstract, see end of article

A mio padre (che aveva freddo nel Sahara)

Réalisé en 1990, *Un thé au Sahara* est tiré du roman éponyme de Paul Bowles, d'ailleurs présent dans le film sous les traits d'un personnage narrateur[1]. Ce film, qui se déroule juste après la Seconde Guerre mondiale, raconte le voyage de trois Américains dans le désert africain[2]. Il présente un exemple éloquent et assez original de road movie interculturel, tel que Walter Moser et Pascal Gin en ont défini les règles. Les personnages s'arrachent à un espace-temps social et géographico-politique fixe : celui de l'Amérique du progrès et du spectacle qui occupe la première séquence du film ; celui de l'Amérique qui a gagné la guerre ; celui de la communauté intellectuelle et artistique évoquée par Kit comme étant leur milieu d'appartenance. Ambivalents sur le plan des valeurs, presque perdus, sans repères, les personnages errent dans un « état de contingence vécu à la fois comme précarité et comme liberté » (voir la présentation de ce numéro par Walter Moser) : au tout début du film, alors qu'il doit décliner son identité devant un officier de l'immigration, Porter prétend ne pas avoir de profession et s'amuse à déconstruire le discours de ses compagnons de voyage (celui de sa femme et de son ami) pour révéler la précarité de leur condition et l'ambiguïté des mots qui, sous des définitions sociales («je suis homme d'affaires», «je suis artiste»), cachent une réalité existentielle moins évidente. Son jeu révèle aussi un sentiment de liberté qui serait le bon côté de la médaille : le fait de ne pas avoir de véritable profession, de ne pas avoir d'attache signifie, entre autres, la possibilité de partir, de ne plus revenir. Finalement, les trois protagonistes du film (mais il faudra établir une différence entre leurs attentes et leurs expériences respectives) partent à l'aventure (Tunner, Kit), sont en quête de quelque chose qu'eux-mêmes ne sauraient nommer (Port, Kit) et fuient un monde hanté par la mémoire récente de la guerre, soit l'Amérique de l'immédiat après-guerre, soit l'Europe qui en porte les stigmates. La fin «en relance du mouvement» qui clôt, généralement, le road movie, est ici une possibilité parmi d'autres. Kit, terrorisée et perdue, se soustrait à la rencontre avec Tunner qui, lui, est resté en deçà de l'expérience extrême du désert et pourrait la ramener... aux États-Unis ? au passé ? à la normalité ? Elle ne peut plus revenir en arrière, mais peut-elle continuer le voyage ? rester ? Tunner, par ailleurs, pourra-t-il rentrer sans elle ? Toutes ces questions demeurent ouvertes à la fin du film.

La dimension interculturelle est aussi évidente, au sens le plus large du terme «interculturel». Le film met en rapport la culture occidentale et les cultures arabe et berbère de l'Afrique saharienne ; la culture coloniale et les cultures indigènes dans l'espace hybride de Tanger[3]. Il traite du rapport entre les cultures américaine, française et anglaise (celle-ci incarnée par les Lyles, un couple assez bizarre qui traverse le Sahara et croise le chemin des protagonistes), mais aussi du rapport entre le féminin et le masculin, entre le voyageur et le touriste, entre l'artiste et le dandy.

Le roman et le film[4]

Le film suit le livre parfois presque à la lettre, mais avec le parti pris de ne pas entrer dans la psychologie des personnages qui est centrale, au contraire, au développement du roman. Comme j'essaierai de le montrer, le film confronte le spectateur avec « l'extériorité absolue[5] » des personnages, des relations, des lieux et du temps, tandis que le roman privilégie le style indirect libre, où le discours du narrateur et celui du personnage se réunissent dans une ambivalence fondamentale, comme dans ce passage, repris, mot à mot dans le film, mais déplacé à la fin :

> C'étaient les premiers moments d'une nouvelle existence, une étrange existence où elle discernait déjà qu'elle ne connaîtrait plus la notion de temps. [...] Elle ne se rappelait pas les conversations qu'ils avaient eues si souvent sur l'idée de la mort, peut-être parce qu'aucune idée sur la mort n'a quoi que ce soit de commun avec la présence de la mort. [...] Il ne lui vint pas non plus à l'esprit qu'elle avait pensé que, si Port mourait avant elle, elle ne croirait pas qu'il était vraiment mort [...]. Elle avait complètement oublié cet après-midi d'août, un an plus tôt, quand ils s'étaient assis sur l'herbe, sous les érables, en regardant la tempête remonter vers eux la vallée du fleuve et qu'ils avaient parlé de la mort. [...][6] Elle n'avait pas voulu l'écouter, parce que cette idée la déprimait alors ; et maintenant, si elle avait voulu y réfléchir, elle l'aurait trouvée en dehors du sujet. Elle était actuellement incapable de penser à la mort et, comme la mort était près d'elle, elle ne pensait à rien du tout (Bowles 1952, p. 242-243).

Les traces de la subjectivité de Kit parsèment ce passage : l'adjectif « étrange » ne révèle pas tant le point de vue objectif du narrateur que le sentiment du personnage avec qui le narrateur se confond ; la phrase « où elle discernait déjà qu'elle ne connaîtrait plus » trahit aussi cette dimension subjective ; de même, les autres passages où l'accent est mis sur des verbes indiquant les pensées et les sensations de Kit plutôt que les événements qui la concernent (« elle n'avait pas voulu l'écouter » ; « Il ne lui vint pas non plus à l'esprit qu'elle avait pensé [qu'elle] [...] ne croirait », « si elle avait voulu y réfléchir »). Enfin, dans des passages tels que « les conversations qu'ils avaient eues *si souvent* », « *cet après-midi d'août, un an plus tôt* [...] *sous les érables* », les déictiques fonctionnent comme s'il s'agissait directement d'une remémoration de Kit, et la proximité du lieu et du moment est donnée du point de vue du personnage plutôt que d'un point de vue objectif. Même les éléments physiques du milieu entourant les personnages — les mouches, les odeurs, le sable, le vent, la chaleur, le froid, la musique, les pierres, la boue, la route, les langues arabe et française —, éléments sur lesquels le roman revient avec insistance, renvoient le lecteur au monde intérieur des protagonistes. «Avant même qu'on eût aperçu Aïn Krorfa, les mouches, petites, grisâtres et tenaces, avaient fait leur apparition. [...] Elles s'incrustaient et il fallait presque les arracher» (Bowles 1952, p. 112). Le style indirect libre fait de la description du phénomène la description du phénomène-pour-un-sujet qui le subit et dans le passage ci-dessous, la nature de présage que le vent acquiert aux yeux de Kit l'emporte sur sa phénoménalité : «La soudaine apparition du vent était un présage nouveau qui ne pouvait se rapporter qu'aux jours à venir. Elle entendit sous la porte sa plainte étrange, animale» (p. 211). D'une part, les indigènes, les Arabes sont comme les palmiers ou les murs, à l'exception de Belquassim qui reste néanmoins imperméable à toute interprétation ; les quelques officiers français, d'autre part, même s'ils parlent une langue que les protagonistes partagent, font aussi partie du décor : ils incarnent la dureté et les contradictions des lieux et de l'Histoire et contribuent de façon plus ou moins directe à l'élaboration du portrait des personnages principaux. Le film s'aligne plutôt sur ce que Jean-Luc Nancy (2001, p. 65) appelle «un évitement de l'intériorité» et de la psychologie :

> L'intériorité est évitée, et elle est évidée : le lieu du regard n'est pas une subjectivité, c'est le lieu de la caméra comme une *chambre obscure* qui n'est pas, cette fois, un appareil de repro-duction, mais un lieu sans dedans véritable [...]. L'image alors n'est pas la projection d'un sujet, elle n'est ni sa «représen-tation», ni son «fantasme» : mais elle est ce dehors du monde où le regard s'en va se perdre pour se trouver comme regard, c'est-à-dire avant tout comme égard pour ce qui est là, pour ce qui a lieu et qui continue d'avoir lieu.

Cette image, qui n'est ni la projection ni la représentation d'un sujet, semble la plus appropriée à se charger de la dimen-sion interculturelle.

Mon hypothèse est donc la suivante : alors que dans le roman, il est surtout question du parcours intérieur des protagonistes (le monde autour d'eux ne faisant que renvoyer le lecteur au drame de leur lutte pour la survie ou contre leur perte), dans le film, la monstration et la narration convergent vers la production d'une « extériorité absolue » qui révèle, paradoxalement, l'opacité des rapports humains. Cette image *extériorisée* appelle une explication, une interprétation tout en montrant leur impossibilité ; le film renvoie ainsi le spectateur à son besoin de transparence qu'il contrecarre en lui proposant, à la place, le vide de la question dans lequel il faut apprendre à se tenir[7], dans la vie comme au cinéma.

Passages

Dans le film, Porter, Kit et Tunner passent de New York à Tanger pour ensuite traverser le Sahara en faisant étape dans des villages de moins en moins touchés par la colonisation. Ces différents passages fournissent le terrain sur lequel se déploient les différences culturelle, sexuelle, ethnique et la rencontre avec l'Autre.

Un thé au Sahara s'ouvre par un mouvement de caméra qui remonte rapidement la façade d'une maison, avec son escalier de secours, et révèle d'autres maisons, des toits, des fenêtres et, tout au fond, des gratte-ciel. Une musique jazz accompagne en douceur toute la séquence du générique. Deux plans successifs montrent l'ensemble des gratte-ciel, la nuit, toutes lumières allumées. Un montage assez rapide présente des plans du New York d'époque (les années 1940) en noir et blanc, « réel » (comme dans les images documentaires), enneigé, rempli de monde, de lumières électriques, de musique et de mouvement. Il s'agit pour la plupart de plans d'ensemble, interrompus par d'autres qui détaillent la vie urbaine : un panneau indiquant la 5e Avenue, des poissons versés en grande quantité dans des caisses au marché, des marchandises, les enseignes lumineuses des music-halls, la course du métro, des mains tirant un sandwich d'un distributeur automatique... La séquence se clôt sur le navire qui quitte le port et laisse derrière lui les gratte-ciel, les maisons et les lumières. Un dernier plan filme en plongée le bateau déjà loin de la ville. Un fondu au noir sépare cette première séquence de la suivante qui s'ouvre sur un gros plan de la partie supérieure du visage de Porter (John Malkovich), les yeux fermés et la tête renversée. L'image est en couleur, des gouttes de sueur sur son front révèlent la chaleur africaine, la musique arabe contraste avec le jazz de la séquence précédente, il ouvre les yeux. À ce gros plan succède un plan d'ensemble dans lequel on aperçoit au fond, à gauche, le navire et tout petit, au centre du cadre, l'embarcation qui, comme on le verra plus tard, conduit les personnages à terre. Le chant arabe relie les plans de cette séquence africaine et renforce l'impression de différence extrême entre les lieux de départ et d'arrivée du navire.

Nouveau gros plan, en semi-plongée, dans le même angle que le premier : Porter se tient les yeux ouverts, une main sur la tête, le visage en sueur. Un mouvement de caméra transforme l'échelle du plan et montre le personnage allongé sur un lit, le torse nu également en sueur. Tanger : la chaleur ; la couleur, la lumière du soleil ; la musique arabe ; le quai désert ; les enfants cachés sous l'énorme grue rouillée près de la mer, qui répondent à l'appel répété de Porter en arabe ; les bagages : pendant tout le film les nombreuses, trop nombreuses valises indiquent métonymiquement l'altérité irréductible des Américains. Les vêtements, les chapeaux ; la langue. Deux univers contrapuntiques sont juxtaposés dans ces séquences initiales. Un élément dramatique vient cependant s'inscrire dans cette différence, porté par une musique grave, accompagnant l'arrivée des personnages sur le quai (il s'agit du thème du ciel, le « sheltering sky »). Cette musique se distingue en effet à la fois du jazz de la séquence initiale et du chant arabe de la séquence d'après[8].

Le café du Grand Hôtel en face du cinéma Alcazar est un espace « neutre », hybride entre l'Europe et l'Afrique. Dans ce contexte, les personnages évoluent, se précipitent vers des actions inexplicables à l'autre, au couple ou à l'ami et peut-être à eux-mêmes. Le café, qui est aussi le point de retour de Kit à la fin du film, matérialise le passage à cette autre réalité qui les attend. C'est ici que le voyage commence, c'est ici que le narrateur apparaît. Le Grand Hôtel et son café sont à la fois familiers et étranges. On y reçoit les journaux européens et américains, la radio diffuse des chansons françaises, les gens sont habillés à l'occidentale, mais ces lieux sont à la limite d'un autre monde.

La description suivante — des séquences figurant le passage de Porter de la modernité à la « préhistoire[9] » — essaie de rendre l'expérience concrète de l'évolution du personnage avec les lieux, le rythme[10] d'une expérience pour un témoin/spectateur. Quand Port quitte sa chambre d'hôtel pour sa promenade, après un échange chargé de tension avec Kit — où tous deux, à la fois proches et lointains, n'arrivent pas à communiquer —, la caméra le suit en travelling, révélant, dans la continuité du mouvement, la proximité des mondes distincts. Il sort de l'hôtel, sur la rue principale, il côtoie des marins, des militaires français, des hommes et des femmes habillés selon la mode occidentale de l'époque, il passe devant des magasins affichant des inscriptions en français — « Apéritif familial », « Vins et bières », « Tailleur » —, un tramway passe, on entend le bruit de la circulation… Port se tourne vers les fenêtres de l'hôtel dont la façade, de style occidental, indique qu'il pourrait se trouver à Paris ou à New York. Un chant (une prière ?) en arabe se fait entendre plus nettement. Porter reprend sa marche en plan d'ensemble. En contre-plongée semi-subjective du point de vue de Porter, on aperçoit Kit au balcon. C'est le regard de Kit qui dirige le plan suivant. Elle voit Port s'éloigner et s'enfoncer dans la ville arabe, loin d'elle. Dans la rue, on suit en plongée le point de vue de Kit, des femmes portent le voile, des hommes le caftan, des gens vendent des légumes à même le sol, le tailleur est installé à sa machine à coudre directement sur le trottoir. Un gros plan de Kit confirme la caméra subjective, suivi par un plan général, en légère contre-plongée, qui suggère le regard de Port et dans lequel Kit s'éloigne du bord du balcon. Le chant en arabe continue. Port se retourne une dernière fois pour regarder en direction du balcon de la chambre. Ne voyant personne, il accélère le pas et se laisse engloutir par l'inconnu. Le prochain plan le montre dans une rue contiguë, assez différente de la rue principale. Dans les plans subséquents, les traces de la modernité occidentale ont presque entièrement disparu. Des murs très hauts, sans fenêtres, des femmes voilées et des hommes en caftan, un chemin de terre, des palmiers, la voix du muezzin qui retentit tout autour. Une vue de la ville, toute blanche, typique du style architectural de l'Afrique du Nord. Porter, assis sur une marche, la contemple.

Un autre plan montre en contre-plongée les portes d'un temple derrière Port, et la figure de l'homme encapuchonné qui l'interpelle. Des chiens fouillent dans les ordures. La séquence qui suit est une sorte de descente dans les entrailles de la ville, jusqu'à la rencontre avec Marhnia, la tentative de vol et la fuite de Port pour revenir à la surface. Les deux corps, les baisers, le milieu environnant la tente où se trouve la prostituée, la nuit, les objets, les poules sur le coussin à côté du lit, le langage — Marhnia parle à Port dans une langue qu'il ne comprend pas, non pas dans le but de communiquer, de se faire comprendre, mais plutôt pour l'enchanter, l'hypnotiser —, et, d'autre part, le lit vide, non défait dans la chambre d'hôtel, l'attente de Kit… Le spectateur n'a accès qu'à l'extériorité des gestes et des choses, au ton et au timbre des voix, à une suite d'actions produisant un malaise ou un plaisir qui ne se traduisent ni en discours ni en explication, même subjective. En parlant du rythme comme d'«une configuration de l'énonciation», Meschonnic (1982, p. 72) l'identifie avec «ce qui déborde des signes» pour *dire* «les actions, les créations, les relations entre les corps, le montré-caché de l'inconscient, tout ce qui n'arrive pas au signe et qui fait que nous allons d'ébauche en ébauche». Ce sont justement «ces actions, ces relations entre les corps, ce montré-caché de l'inconscient qui n'arrivent pas au signe» qui configurent l'énonciation plurielle, fragmentée, interculturelle du film de Bertolucci. Dans cette succession rythmée, on voit le différend entre Porter et Kit, l'abîme entre Port et Smaïl[11] (l'homme qui l'amène chez Marhnia), on voit la distance entre les personnes, même quand leurs bouches s'embrassent; on voit la séparation entre l'esprit et la main qui caresse ou entre l'esprit et le corps qui reçoit la caresse; on voit la difficulté à communiquer, on voit tout ça comme des témoins plus que des spectateurs.

Débordant des signes, le rythme comprend le langage avec tout ce qu'il peut comporter de corporel. Il oblige à passer du sens comme totalité-unité-vérité au sens qui n'est plus ni totalité, ni unité, ni vérité. Il n'y a pas d'unité de rythme. La seule unité serait un discours comme inscription d'un sujet[12]. Ou le sujet lui-même. Cette unité ne peut être que fragmentée, ouverte, indéfinie (Meschonnic 1982, p. 73).

Le développement narratif n'apporte pas de réponse à l'énigme de l'enchaînement des actions, le rythme qui s'installe dans le film crée un autre mouvement que celui qui est rattaché aux liens de cause à effet et à la logique d'ensemble du récit. Certaines actions, comme la descente de Porter dans le ventre de Tanger, semblent ne pas avoir de conséquences sur la poursuite des événements, ce qui fait du spectateur le dépositaire· d'un savoir *superflu*. Il est plutôt le témoin de comportements qui, s'ils contribuent à cerner le personnage, restent fondamentalement énigmatiques et « gratuits ». Ils ne donnent pas accès à sa vérité et font du sujet une extériorité absolue.

Dans cette première partie, le film montre les deux réalités : New York et le désert ; et suggère l'entre-deux dans lequel Porter semble s'installer, sans pouvoir en franchir les limites. Quant à Kit, la femme, elle franchira le passage, fera le saut de l'autre côté du temps et du langage, tandis que Tunner restera toujours dans sa réalité de départ.

Extériorité

Dans *L'évidence du film/The Evidence of Film*, Jean-Luc Nancy introduit le concept d'« extériorité absolue » que je reprends ici. C'est l'extériorité du réel qui se communique à « un regard qui est égard », « respect pour le réel regardé ». La différence entre *La vie continue, Close Up* et *Le vent nous emportera*, qui sont analysés par Nancy, et *Un thé au Sahara* peut paraître incommensurable, mais cela n'empêche que les concepts que le philosophe français élabore pour parler du cinéma de Kiarostami aident à comprendre le mode opératoire qui est à l'œuvre dans le film de Bertolucci.

Dès le moment où le narrateur apparaît, le film met en scène le dédoublement du regard dont parle Nancy et suggère que le cinéma est en fait un regard sur un réel regardé par quelqu'un d'autre (l'appareil lui-même [13]). « Dans la boîte-regard du cinéma, le regard ne fait plus d'abord face à une représentation ni à un spectacle, mais, avant tout (et sans pour autant supprimer le spectacle) il s'emboîte dans un regard : le regard du réalisateur » (Nancy 2001, p. 17). Du regard au réel [14] : le réel, dit encore Nancy, est ce que le regard « qui prend soin de ce qu'il regarde » laisse se communiquer à lui, « ce qui résiste, précisément, à l'absorption dans les visions ("visions du monde", représentations, imaginations) » (p. 19). Mais de ce réel font partie les visions. L'une des forces du film de Bertolucci est de s'ouvrir sur un réel qui résiste aux visions et de montrer, en même temps, qu'il n'y a d'autre issue que de traverser ces visions, que le réel est aussi fait de visions. C'est entre autres par la répétition des clichés [15] que le film parvient à « arracher des véritables images » (Deleuze 1985, p. 32). Le spectateur fait alors l'expérience de l'extériorité absolue du réel, que ce soit l'extériorité de ce qui a déjà été filmé, photographié et se communique à un « regard juste » (Nancy 2001, p. 39), capable de percevoir la différence entre le cliché et le réel, ou l'extériorité à laquelle nous renvoie l'opacité irréductible de l'autre, comme chez les Touaregs, ou encore comme dans le dialogue impossible de Porter et de Kit.

Après le voyage en train avec Tunner, Kit retrouve Porter à Boussif, où il l'a précédée. Le couple part pour une balade en vélo. Dans un plan d'ensemble, ils avancent au milieu d'une route qui s'enfonce dans le désert. Porter suggère que Tunner est amoureux de Kit. Ce n'est pas une scène de jalousie, c'est une conversation mi-sérieuse, mi-ludique, qui ne révèle rien de l'état d'âme des personnages (dans le roman, par exemple, il est question du grand sentiment de culpabilité de Kit), conversation interrompue par la rencontre de deux militaires français escortant deux prisonniers arabes. La balade reprend en plan général : Kit et Porter sur leurs vélos ne sont que deux points au milieu du jaune-rose d'une terre rocheuse dans la lumière de la fin du jour, au premier plan sonore leurs voix chantent la ritournelle d'*Oh Suzanna*. La course en vélo et la chanson sont autant de déplacements, une façon d'éviter une conversation pénible. Le paysage change avec l'apparition de montagnes décharnées qui continuent le désert malgré des formes et des couleurs différentes. Ils s'arrêtent, laissent les vélos. Port la conduit par la main vers un endroit qu'il voulait lui montrer et d'où on n'aperçoit que l'immense plaine rocheuse sous le ciel. Kit libère sa main de celle de Porter. Il lui lance un bref regard et avance comme celui qui a finalement trouvé ce qu'il cherchait. La distance entre les deux personnages est presque tangible dans un plan où elle, de profil, les mains enfoncées dans les poches, en plan moyen, le regarde aller et contemple la plaine vide. Encore une fois suivi par les yeux de Kit, Port s'arrête en plan général et se tourne vers elle pour l'inviter à le rejoindre ; tous les deux occupent les deux extrêmes du cadre et entre eux s'étend le désert, les gestes de l'une suggèrent la résistance à ce territoire qui n'a rien de familier, les gestes de l'autre suggèrent l'ouverture et l'envie de fusion avec ce monde. Le spectateur observe la posture des corps, la façon dont les figures s'inscrivent dans l'espace du désert et du cadre, perçoit la durée dans l'immobilité ou dans l'action, fait l'expérience de la différence entre les deux protagonistes et de la complexité de leur rapport, sans que rien ne soit dit ni expliqué.

La séquence continue. Porter et Kit font l'amour au bord du désert, en plan d'ensemble, leurs corps se fondent dans le paysage, ils sont de la même couleur que la terre ; un gros plan suit, détaillant les deux visages, les yeux dans les yeux, ils s'embrassent, un bref moment de communion, interrompu par le discours de Port sur le ciel qui ferait un abri contre le néant qui les menace. Kit ne relance pas. Le film montre l'échec de la communication dans le dialogue, la distance entre les personnages au moment où ils sont aussi le plus proches. En plan moyen, encore enlacés, les deux pleurent. Port, la tête sur le ventre de Kit allongée par terre. Ils pleurent, ils se serrent, elle crie, il la caresse, il se relève légèrement à son côté, le regard dans le vide, visiblement de nouveau absorbé par ses pensées. Elle coupe court à la scène en prétendant qu'il faut partir. Assise, elle secoue longuement le sable de son chapeau, remet ses lunettes de soleil : tous les accessoires destinés à se protéger de l'environnement émotionnel et naturel ayant été remis en place, ils peuvent s'en aller.

Si, dans la séquence que je viens d'analyser, le cinéma révèle l'altérité d'un personnage pour l'autre, s'il révèle l'opacité du proche, et si l'altérité du paysage (ciel et désert) lui sert de cadre, dans la séquence que je vais considérer maintenant, c'est l'altérité absolue (de la nature, de la maladie, de la mort) qui se donne à voir, ainsi que la différence de ceux qui y sont exposés.

Porter et Kit arrivent à Sbâ, ils sont accueillis dans un fort au bord d'une oasis, hors du village. L'homme est gravement malade. Le capitaine Broussard, en charge du fort, les assiste, mais il n'est capable d'aucune compassion ni d'aucune initiative. Plus impénétrable dans sa misogynie et dans sa froideur que les gens les plus éloignés par leur culture, Broussard est devenu lui-même une partie du fort, cette architecture en pierre jaune qui se dresse dans le désert, presque une excroissance, à la fois rempart contre le sable, le soleil et le vent, et habitacle du désert. Dramatique, la séquence contracte une longue durée de temps qui s'étale de l'arrivée du couple au départ de Kit. La pièce immense et nue dans laquelle ils sont installés est le lieu où se prépare le passage de Kit au désert, à l'absolument autre. Les meurtrières bouchées par une chemise de Porter et la fenêtre par un drap, le dessous de la porte calfeutré par des vêtements qui ne laissent pas pénétrer le sable quand le vent se déchaîne et attaque le fort ; les murs blancs tachés, le grabat de Porter, les visites de Zina, la femme qui leur apporte à manger, les huit valises contre le mur dénudé, font de cette pièce un lieu de transition. Après avoir donné son médicament à Porter, Kit « sort prendre l'air ». Elle marche à la limite du périmètre du fort, au bord du précipice au-delà duquel s'étendent l'oasis et, tout autour, le désert. Elle aperçoit une caravane et la suit en parallèle, le long du crêt de sable montant vers le bleu du ciel. Ce plan général silencieux annonce, en l'extériorisant, le passage de Kit au désert, de l'autre côté du langage.

Puis, c'est la nuit. En plan d'ensemble, devant la chambre qui abrite Kit et Porter, dans la cour du fort, on voit le sable soulevé par le vent. On entend son sifflement agressif. Le vent est l'une des manifestations physiques du désert, un phénomène naturel qui se donne à voir et à entendre dans sa force étrange. Il attaque de l'extérieur la communauté des humains. Un détail révèle des marches couvertes de sable, comme si le désert, aidé par le vent, recouvrait ce que les hommes avaient construit. À l'intérieur, Kit est alertée par le claquement des volets, un détail de la partie inférieure de la porte montre le sable poussé à l'intérieur, encore cette « volonté » maligne du désert d'envahir et d'effacer l'espace de l'homme. Elle a peur. Dans la désolation créée par le vent, Kit croit Porter mort. Elle l'appelle, sent le battement de son cœur et s'allonge près de lui pour le réchauffer et se réchauffer dans ses bras. Le matin, on barre la porte du fort pour le protéger du vent et du sable considérés comme des ennemis. Ce geste normal, habituel des gens qui vivent au fort, diffère des gestes effarés de Kit pour arrêter le vent qui entre par toutes les ouvertures de la pièce.

Porter, en proie à la fièvre typhoïde, ne parle plus, seulement à la toute fin avouera-t-il sa peur, dit-il être loin. Il dit être seul et essayer de revenir de là où il est, mais que c'est difficile ; il dit avoir vécu pour Kit toutes ces années et que maintenant elle s'en va... Kit proteste : « Je suis là, je suis là », mais c'est comme s'il ne pouvait pas l'entendre ou s'il voulait dire autre chose. Le spectateur est témoin de la proximité physique de Kit et Porter et perçoit pourtant en même temps l'immense distance qui les sépare. Quand Kit, accroupie contre Porter, le supplie de ne pas s'en aller et qu'il ne répond plus, il assiste à l'un des moments les plus intenses du film. Il fait noir, elle quitte la pièce pour aller chercher de l'aide, elle traverse la cour, franchit la grande porte extérieure, un camion s'arrête dans l'espace situé entre le village et le fort, des hommes en descendent. Kit, visiblement agitée, demande un médecin, mais personne ne lui prête attention ; au même moment, Porter meurt assisté par Broussard et Zina. Un travelling en contre-plongée (comme du point de vue de Kit) montre le fort avec ses meurtrières, dans une lumière bleue, le sable devant, le ciel derrière, pas de porte, pas de vie à l'intérieur, le mouvement du cadre s'arrêtant sur la lune suspendue en haut de la tour principale du bâtiment.

Ce plan d'ensemble est très significatif. Le mur que longe la caméra renvoie au caractère impénétrable des deux mondes contigus : celui à l'intérieur du fort où la mort s'est manifestée dans son altérité absolue, et celui à l'extérieur. Un détail, les yeux ouverts, mais figés, de Porter, la tête renversée, rappelle le gros plan du début du film. À côté de lui, dans un autre plan, même angle, les yeux de Kit, fermés, qui s'ouvrent comme les yeux de Porter s'étaient ouverts au début du film. Le plan d'ensemble qui suit, en plongée, montre les deux corps, allongés l'un près de l'autre, immergés dans le silence, immobiles. La durée de la scène rend visible la lente prise de conscience de la mort chez Kit ; elle se penche sur Porter, le regarde. Le plan suivant consiste en un détail de sa main qui ferme doucement les yeux de son mari, et ce geste en appelle un autre qui détourne délicatement une touffe de cheveux du front du cadavre et se transforme en une caresse répétée de sa tête blonde, désormais froide.

La caméra bouge et révèle le visage de Kit qui regarde comme quelqu'un qui sait, qui reconnaît quelque chose et en même temps essaie de comprendre et mûrit une décision : pas un mot, pas une larme... Nouveau plan qui montre sa main remplissant une valise. Puis, en gros plan toujours, Kit embrasse longuement Porter sur le front, en silence elle lui fait ses adieux. Debout, elle ferme la valise, met sa veste et, sans se retourner, quitte la pièce. Ce dont j'ai voulu témoigner, à travers la *reproduction* de ces séquences et extraits, c'est du rythme du film, de la configuration de l'énonciation non logique, celle qui énonce l'indicible et met en scène un sujet plus large et plus vulnérable que l'individu.

Au-delà d'un certain point...

La dernière partie du roman s'intitule *Le ciel* et s'ouvre par cette phrase de Kafka : « [...] au-delà d'un certain point on ne peut plus revenir en arrière. C'est ce point qu'il faut atteindre ». Kit atteint le point de non-retour, hors du langage, en contact avec son être le plus profond qui lui permet une sorte de communion avec l'univers dans lequel elle baigne. Le style indirect libre présente les sentiments et les pensées de la protagoniste au lecteur. On suit son cheminement intérieur.

> À la seule vue de ces deux hommes, elle comprit qu'elle allait les suivre, et cette certitude lui apporta un sentiment inattendu de puissance : désormais, au lieu de subir les présages, elle les créerait elle-même, elle les incarnerait (Bowles 1952, p. 274).

> Elle ne se posait pas de problème ; elle se contentait d'être détendue et de voir se dérouler le doux paysage immuable. À vrai dire, elle s'imagina plusieurs fois que la caravane n'avançait pas, que la dune dont elle longeait le dessin aigu était celle qu'elle avait laissée depuis longtemps derrière elle, qu'il ne pouvait pas être question d'aller quelque part quand on était nulle part (p. 275).

De nouveau, elle fut heureuse, flottant à la surface du temps, ne prenant conscience de ses propres gestes d'amour qu'après les avoir accomplis (p. 280).

Mis à part son désir insatiable d'être sans cesse près de Belquassim, elle aurait eu de la peine à savoir ce qu'elle éprouvait : il y avait si longtemps qu'elle n'avait canalisé ses pensées en les exprimant tout haut, elle s'était tellement habituée à agir sans avoir conscience de participer à ses actes ! Elle ne faisait que ce qu'elle se surprenait déjà en train de faire (p. 282).

Vers la fin, quand elle se fait repérer comme étrangère, et qu'on lui parle en français, Kit se sent menacée. Toute sa vie, depuis la mort de Porter, s'est passée hors du langage. Avec la langue, la conscience revient, trop douloureuse : « Dans une minute il serait douloureux de vivre. Déjà les mots réapparaissaient et sous leur enveloppe se reformaient les pensées latentes » (p. 308) ; et un peu plus bas : « […] ils abattraient son mur de protection et l'obligeraient à regarder ce qu'elle avait enterré là » (p. 311).

Ce ne sont que quelques exemples, mais très révélateurs de la différence entre le roman et le film. Qu'arrive-t-il donc dans le film ? La dernière partie plonge le spectateur dans le désert avec Kit. Comme dans le roman, la femme a été recueillie par une caravane de Touaregs, mais, à la différence du roman, ses pensées restent secrètes. Pendant presque trente minutes, la seule langue qu'on entend est le berbère. Comme Kit, le spectateur occidental moyen ne la comprend pas ; comme elle, il regarde les gestes, les mouvements, les expressions des gens qui l'entourent, il écoute les sons des voix et pendant que la protagoniste s'enfonce dans une vie sans dialogue, le spectateur à son tour s'immerge dans un film sans dialogue. Si dans un premier temps il s'attend à des sous-titres, à des explications, peu à peu il apprend à « vivre » avec l'autre sans comprendre ni juger, il s'adapte au rythme du film.

J'examinerai ici trois aspects importants pour saisir les enjeux de ce road movie interculturel exemplaire : 1) le devenir-autre de Kit, hors de la langue (dans le roman, finalement, on reste toujours dans la langue) : autre vis-à-vis d'elle-même ; autre vis-à-vis des gens qui partagent sa culture ; 2) l'opacité de l'autre qui n'empêche pas la rencontre des corps et des esprits dans l'érotisme, dans le rire, dans l'appréciation de la nature et qui met en perspective les valeurs et les catégories par lesquelles on aborde les choses ; 3) le devenir-image du désert et l'inscription de Kit et des autres personnages dans cette image.

Après avoir demandé en anglais aux gens de la caravane de prendre sa valise, une fois que ses gestes ont été compris, qu'on lui a bien répondu et qu'elle a été invitée à monter sur le chameau de Belquassim, Kit s'enferme dans un silence naturel (personne ne la comprend), un silence qui la rend presque étrangère à elle-même. Il n'y a pas de voix hors-champ, de journal intime ou quoi que ce soit qui, par la médiation du langage, expliquerait/raconterait le personnage à lui-même et aux spectateurs. Le journal appartient au passé et elle en coupera les feuilles pour en décorer la pièce dans laquelle on l'enfermera au village. Dans le désert, Kit ne fait aucun effort pour apprendre la langue de la tribu ; au village, dans l'intimité avec Belquassim, ils échangent des mots et se comprennent, chacun parlant à l'autre dans sa propre langue. Ce ne sont que des phrases essentielles. Habituée au langage corporel de Belquassim, elle saisit le sens des mots qui signifient la séparation ; l'annonce de son départ la ramène brièvement au langage, à l'écriture dans le journal, même si elle coupera la dernière feuille aussi, cette fois, pour lui laisser un message, « ciao ».

Revenir au langage, c'est aussi revenir à elle-même. Pour la première fois depuis longtemps, elle se regarde dans le miroir, elle semble se reconnaître et son voyage reprend. Une fonctionnaire de l'ambassade américaine la retrouvera à l'hôpital, assise sur le lit, ses genoux entourés par ses bras, le regard perdu, les mains et les pieds peints à la mode berbère. La représentante du gouvernement américain, en costume gris et petit chapeau, collier de perles, gants, sac à main, rouge à lèvres, s'adresse à Kit en anglais : « Mrs. Katherine Moresby ? » Kit lève les yeux, « I am from the American Ambassy. » Le titre, le prénom officiel et le nom de famille sonnent complètement faux dans le contexte de ce que Kit est devenue. La fonctionnaire regarde les tatouages sur les pieds de Kit et lance : « You must be absolutely exhausted. I flew all the way here to take you back. » Le ton se veut amical et protecteur. Au silence de Kit, elle ajoute : « How long have you been *down* here ? » Ces mots portent tout le poids de la société qui les justifie. L'impossibilité à communiquer devient visible et tragique dans ce petit échange : comment dire l'expérience vécue ? dans quelle langue ? à qui ? comment simplement dire ? Dans la voiture, la fonctionnaire continue de parler — « We are putting you in the Grand Hotel. You will be a lot more comfortable there… » —, visiblement irritée par la non-réceptivité de Kit. Au nom de Tunner, cette dernière, qui avait gardé les yeux fermés pendant tout le voyage, les ouvre, offrant à son accompagnatrice l'espoir d'avoir touché une corde sensible chez elle. Le ton de son discours change, se fait faussement tendre, et la distance entre les deux personnages devient encore plus grande, plus perceptible. Le spectateur entend et sent avec Kit, en partage la mémoire du désert.

Depuis sa sortie du langage, Kit a vécu parmi les Touaregs, le contact s'est établi par les gestes, par le simple fait de partager l'expérience du voyage : la marche sur le sable, les arrêts, le soleil et la nuit, la nourriture, le thé, la solitude et les moments collectifs. L'arrivée au village, avec le chant et les percussions rythmées et répétitives, est filmée en plan d'ensemble : pendant deux minutes on observe le rituel de l'arrivée de la caravane. En plongée, on voit les chameaux parcourir en file indienne l'étroite voie autour des maisons en terre jaune. Belquassim conduit Kit (habillée comme un homme touareg) à l'intérieur jusqu'à sa « chambre-prison » où il viendra la voir pour lui faire l'amour, cette traversée du palais dont la caméra montre les détails architecturaux laissant découvrir un monde autre, sans en donner les règles. Le spectateur entend, comme Kit derrière sa porte, les voix, la musique et ne peut qu'interpréter, chercher des explications qui ne seront jamais confirmées. Belquassim, les pratiques de sa tribu dans le désert et dans le village, les femmes du harem et, plus tard, les gens de la rue, au marché, menaçant, restent opaques. On ne peut qu'être témoins de l'extérieur d'un développement des actions.

Si la mémoire des pasoliniennes *Mille et une nuits* habite le film de Bertolucci, le cinéma, la peinture et la photographie constituent davantage la toile de fond de la dernière partie d'*Un thé au Sahara*. Les jours et les nuits se suivent dans une série d'images chargées de la mémoire d'autres images. Le plan général des chameaux et des hommes rangés dans différentes formations, le plus souvent dessinant une courbe sinueuse ou une ligne droite sur une mer de sable doré, devient tout de suite cliché, comme la caravane qui avance dans le désert à la lumière de la pleine Lune ou du croissant. Ces clichés rendent encore plus profonde la séparation entre ce que Kit a vécu, la maladie et la mort de Porter, dont le spectateur a été témoin, et cette autre vie avec les Touaregs qui ne savent pas, dans un désert dont la beauté est extrême et évidente malgré le deuil.

> L'évidence dans son sens fort n'est pas ce qui tombe sous les sens, mais ce qui frappe et dont le coup ouvre une chance pour du sens. [...] l'évidence garde toujours un secret ou une réserve essentielle : la réserve de sa lumière et d'où elle provient (Nancy 2001, p. 43).

> La force de l'évidence impose et importe ce qui est plus qu'une vérité, une existence. [...] L'évidence du cinéma est celle de l'existence d'un regard à travers lequel un monde en mouvement sur lui-même [...] peut se redonner son propre réel et la vérité de son énigme (p. 45).

Ces mots de Nancy me paraissent très pertinents pour *comprendre* à la fois le vécu du personnage — Kit est frappée par la beauté énigmatique du désert qui devient son existence — et l'expérience du spectateur, dont le regard est confronté avec l'extériorité absolue des choses (une extériorité qui le frappe, ouvrant ainsi « une chance pour du sens ») et qui doit se mesurer au secret des images, en reconnaître le rythme. Le roman explique ce que le film donne *simplement* à voir. Dans la pièce du fort, allongée à côté de Porter, ayant décidé de ne pas répondre à Tunner [16] qui frappe à la porte, Kit élabore un plan de fuite et passe consciemment vers une autre existence — « C'étaient les premiers moments d'une nouvelle existence, une étrange existence où elle discernait déjà qu'elle ne connaîtrait plus la notion de temps » (Bowles, p. 242) — et plus avant, quand elle décide de se baigner dans l'étang du jardin au bord du désert, Kit réalise que « la vie était là, soudain, elle y plongeait, elle ne se contentait plus de la regarder par la fenêtre» et, toute nue, en avançant «sous la clarté de la lune se dirigea lentement dans l'eau vers le milieu de l'étang. [...] En s'y enfonçant elle pensa : "je ne serai plus jamais hystérique"» (p. 252-253). Le film montre Kit dans la caravane, sur l'un des chameaux qui marchent dans le désert, elle est dans l'image du désert, peut-être cette même image qui poussait Porter à aller toujours plus loin. Kit est devenue image et le spectateur est confronté à du spectacle qui fait écran. La répétition des plans généraux — il y en a au moins huit montrant la caravane minuscule dans l'im-mensité du désert —, le déjà-vu des dunes mille fois médiatisées forcent le spectateur à penser au médium et, en particulier, à la médiation de l'altérité qui oscille toujours entre transparence et opacité. Paradoxalement, l'image spectaculaire qui fait écran vient déconstruire l'image et confronter le spectateur à son besoin de transparence dans le cinéma comme dans la vie.

Université de Montréal

NOTES

1. Paul Bowles se montre en ouverture et en clôture du film et son nom apparaît dans les titres avec le descriptif «the narrator». Son regard ouvre l'espace du grand café pour les trois voyageurs, mais il est immédiatement dédoublé par celui de la caméra en un mouvement rapide qui souligne, fortement, la présence d'un autre point de vue, celui d'un «[méga]-narrateur» invisible (Gaudreault 1999, voir en particulier le chapitre 9). Quand on revient à lui, ses lèvres ne bougent pas, c'est sa voix hors-champ qu'on entend. Ce choix attire l'attention du spectateur sur le statut du narrateur, ainsi que sur le rapport entre l'auteur du roman et l'auteur du film, comme si la voix, séparée du corps de Bowles, était maintenant partagée.

2. Paul Bowles part effectivement de New York à Tanger en 1947 avec sa femme Jane Auer et c'est pendant ce voyage qu'il travaille au roman qui deviendra *The Shel-tering Sky*. Il s'agit d'un roman largement autobiographique ; Porter, par exemple, est compositeur, comme Bowles, et Kit écrivain, comme Auer.

3. Tanger et l'Afrique du Nord deviennent l'un des lieux privilégiés des longs voyages de Bowles et Auer, comme en témoigne l'autobiographie de Bowles, *Without Stopping* (*Mémoires d'un nomade*), publiée en 1972.

4. Mon étude ne porte pas sur l'adaptation du roman au film. Ce qui m'intéresse ce sont, justement, les traits qui font de ce dernier un road movie interculturel exem-plaire. Il est cependant nécessaire, pour mieux comprendre l'opération cinémato-graphique originale, de renvoyer à la différence entre les deux œuvres qui en est une, avant tout, de média.

5. J'emprunte ce terme à Jean-Luc Nancy (2001) qui en fait un concept clé pour comprendre le cinéma d'Abbas Kiarostami.

6. Il s'agit ici du passage qui, dans le film, est attribué au narrateur : « À cause de notre ignorance, nous en venons à penser à la vie comme un puits sans fond. Et pourtant chaque chose ne se produit qu'un certain nombre de fois, un très petit nombre en réalité. Combien de fois te rappelleras-tu encore certains après-midi de ton enfance, un après-midi qui fait si profondément partie de ton être que tu ne peux même pas concevoir ta vie sans lui ? Quatre ou cinq fois peut-être. Ou peut-être jamais. Combien de fois regarderas-tu encore la pleine lune se lever ? Vingt fois peut-être. Et tout cela semble illimité. » (Bowles 1952, p. 243)

7. Je fais référence ici à un passage d'Edmond Jabès (1980, p. 112) qui dit : « La question fait le vide autour d'elle. C'est dans ce vide que j'essaie de me tenir. »

8. La musique du film a été composée par Ryuichi Sakamoto (auteur, entre autres, du thème principal du film) et Richard Horowitz qui s'est surtout chargé des mélodies orientales, marocaines et sahariennes.

9. Je reprends ce terme à Pier Paolo Pasolini chez qui la préhistoire correspond à une temporalité et à une culture non modernes contemporaines de la modernité.

10. Pour la notion de rythme, je renvoie au travail d'Henry Meschonnic, en particulier, *Critique du rythme. Anthropologie historique du langage* (1982).

11. Smaïl est une figure du passage de l'entre-deux : Arabe, il a servi dans l'armée française et il parle le français.

12. Meschonnic (1982, p. 72) distingue entre sujet et individu : « Le sujet de l'énonciation est un rapport. Une dialectique de l'unique et du social. Notion linguistique, littéraire, anthropologique, elle n'est pas à confondre avec celle d'individu, qui est culturelle, historique ressortissant aux histoires de l'individuation. »

13. Dans la séquence qui introduit Paul Bowles, au début du film (après le prologue), au gros plan du narrateur regardant hors champ, suit, comme je l'ai dit plus haut, un plan tourné d'un autre point de vue : celui de la caméra. Chevauchant un mouvement rapide, le regard de la caméra dédouble celui du narrateur, s'impose au spectateur dans son altérité et nouvellement se superpose au regard du narrateur.

14. Ce sont en fait deux chapitres qui se suivent dans le texte de Nancy : « Histoire 1 », « Histoire 2 », « Regard », « Réel »…

15. « Un cliché, c'est une image sensori-motrice de la chose. Comme dit Bergson, nous ne percevons pas la chose ou l'image entière, nous en percevons toujours moins, nous ne percevons que ce que nous sommes intéressés à percevoir, ou plutôt ce que nous avons intérêt à percevoir, en raison de nos intérêts économiques, de nos croyances, de nos exigences psychologiques. Nous ne percevons donc ordinairement que des clichés. » (Deleuze 1985, p. 32)

16. Dans le roman, Tunner retrouve Kit à Sbâ avant la mort de Porter.

RÉFÉRENCES BIBLIOGRAPHIQUES

Bowles 1952 : Paul Bowles, *Un thé au Sahara*, Paris, Gallimard, 1952.

Deleuze 1985 : Gilles Deleuze, *L'image-temps*, Paris, Minuit, 1985.

Gaudreault 1999 : André Gaudreault, *Du littéraire au filmique. Système du récit*, Paris/Québec, Armand Colin/Nota Bene, 1999.

Jabès 1980 : Edmond Jabès, *Du désert au livre. Entretiens avec Marcel Cohen*, Paris, Pierre Belfond, 1980.

Mariniello 1999 : Silvestra Mariniello, *Pier Paolo Pasolini*, Madrid, Catedra, 1999.

Meshonnic 1982 : Henri Meschonnic, *Critique du rythme. Anthropologie historique du langage*, Paris, Verdier, 1982.

Meschonnic 1995: Henri Meschonnic, *Politique du rythme. Politique du sujet*, Paris, Verdier, 1995.

Nancy 2001: Jean-Luc Nancy, *L'évidence du film/The Evidence of Film*, Bruxelles, Yves Gevaert, 2001.

ABSTRACT

Becoming and Opacity in Bernardo Bertolucci's *The Sheltering Sky*

Silvestria Mariniello

The Sheltering Sky (Bertolucci, 1990), from Paul Bowles' homonymous novel, is an eloquent and original example of intercultural road movie. The motion juxtaposing and continuously connecting places, sounds, faces, rhythms, lights; the road; the disorientation; the trip; the experience of unknown places; the linguistic differences constitute at the same time the form and the content of the film that reveals and stages the opacity of the Other (no matter if it is the other within a couple, in friendship, in madness or the ethnic and cultural other). This road movie summons the viewer to experience difference and to distrust an interpretation informed by the need of transparency.

Le road movie dans le contexte interculturel africain

Ute Fendler

RÉSUMÉ

À partir des années 1990, on constate, en Afrique francophone, une hausse de la production de films que l'on peut qualifier de road movies. Mais comment s'effectue le transfert de ce genre d'origine américaine, dont les caractéristiques les plus marquantes sont l'expérience de l'espace dans le sens spatial et symbolique et la quête d'identité, dans le contexte africain? En fait, on note que des tendances thématiques et esthétiques se manifestent à l'intérieur du champ cinématographique maghrébin et ouest-africain francophone, notamment la migration Sud-Nord, synonyme de quête d'un avenir meilleur, et le voyage Nord-Sud, synonyme de quête de racines perdues. Outre ces voyages de migration, des périples effectués au sein d'un seul pays mettent l'accent sur la diversité ethnique et culturelle africaine, ce qui est l'occasion de rencontres interculturelles. Dans ce champ cinématographique s'insèrent aussi les films d'orientation historique, légendaire ou mystique où la quête de l'identité ou même du sens de la vie est centrale. Le road movie se prête en effet particulièrement à l'illustration de l'état des sociétés en mutation ou en voie de développement de l'Afrique francophone, ce qui se manifeste par l'abondance des lieux de transit et des mouvements en suspens dans son cinéma. Mais ce genre fait également écho aux récits traditionnels de cette dernière, de telle sorte que les road movies africains s'inscrivent plutôt dans une tradition propre aux récits de voyage et d'initiation — grâce aux types de narration que suppose le road movie —, où les destins individuels sont au premier plan. L'appropriation du genre road movie par les cinéastes d'Afrique francophone représente donc aussi la possibilité de s'inscrire dans l'histoire cinématographique pour attirer l'attention sur des productions issues des cinémas dits « mineurs », le genre leur conférant une certaine visibilité auprès des critiques et des publics.

For English abstract, see end of article

Une réflexion sur le road movie dans le contexte africain soulève deux questions : existe-t-il des road movies en Afrique ? Et si tel est le cas, comment s'effectue le transfert de ce genre, typiquement américain, puisque le cinéma africain est reconnu comme étant un cinéma d'auteur ?

À ces questions de genre est liée celle de l'interculturel : d'abord, il s'agirait d'un transfert d'un genre d'origine américaine vers un contexte africain. Ensuite, le motif du mouvement dans l'espace et dans le temps implique la rencontre des voyageurs avec d'autres cultures, un motif récurrent dans le contexte africain, du fait de la coexistence d'une multitude d'ethnies — et subséquemment, de cultures et de langues.

Mais la question primordiale reste : comment le transfert de genre — ce qui est aussi un phénomène interculturel — du contexte original américain au contexte africain s'effectue-t-il, dans la mesure où le genre en tant que dispositif qui permet de dire et d'aborder un ensemble de thématiques selon les règles du genre même, est transposé dans un contexte culturel différent, où ces thématiques seraient plutôt évitées ou négligées normalement ?

Notre intérêt envers la question de transfert de genre s'explique en partie par la prolifération de films de voyage observée, dans la production cinématographique africaine de langue française, à partir des années 1990. Alors que la production cinématographique est en baisse, des films de type road movie connaissent un certain succès en Afrique de l'Ouest francophone. Ce genre semble donc répondre à des attentes du public et, aussi, mieux véhiculer les messages que les cinéastes voudraient transmettre.

Après avoir tenté de définir le road movie et d'expliquer comment s'effectue le transfert de ce genre du contexte américain au contexte africain, nous présenterons des films africains qui rassemblent les caractéristiques nécessaires pour être considérés comme des road movies, ce qui nous permettra de donner un aperçu des thématiques abordées dans ces films. Ce contexte établi, nous nous pencherons sur deux exemples pour voir de plus près si — et dans quelle mesure — les aspects esthétiques liés à des thématiques définies pour le genre se retrouvent aussi dans les films africains en question.

Road movie et transfert de genre

D'après Nicolas Saada (1996, p. 223-224), les genres ciné-matographiques fonctionnent suivant un vocabulaire qui rend possible leur circulation. Dans le cas du road movie, ce voca-bulaire est certainement celui de l'expérience de l'espace et de la quête d'identité, auquel s'ajoute la réflexion sur la confrontation avec la société, c'est-à-dire un processus permettant d'organiser la survie de l'individu. En outre, le road movie américain est reconnu comme étant le genre qui succède au western : Raphaëlle Moine explique la fonction d'un genre comme le western — et par extension le road movie — par ses éléments constitutifs en relation avec la société concernée :

> Les genres, conçus comme des mythes ou des formulas, pro-posent donc des configurations spécifiques qui matérialisent dans des personnages, des situations, des lieux historiquement déterminés et culturellement signifiants, des oppositions struc-turantes, comme le fait par exemple le western quand il organise son espace géographique et social autour d'une frontière qui sépare Wilderness et Civilisation. Les films de genre narrativisent ainsi une structure du sens social (Moine 2002, p. 74).

Comme les genres sont étroitement liés à leur lieu énonciatif, les phénomènes d'intergénéricité et de transferts soulèvent la question de savoir comment un genre transféré peut corres-pondre à un besoin d'imaginaire dans le contexte cible, donc pour des lieux énonciatifs très différents. La production considé-rable de road movies en Afrique de l'Ouest est d'autant plus intéressante que les cinémas africains francophones sont plutôt des cinémas mineurs, donc des cinémas qui ne peuvent pas se permettre de fonctionner selon les lois des genres holly-woodiens. Michèle Garneau (2002, p. 114-117) a bien expliqué les caractéristiques d'un cinéma mineur relativement au con-texte québécois : il s'agit de cinémas qui doivent s'affirmer par rapport à des cinémas établis, comme le cinéma hollywoodien ou français.

Cette affirmation peut passer par le transfert, c'est-à-dire l'adaptation d'un genre à un contexte donné, pour répondre aux attentes des publics. Sur le plan esthétique, le point de conver-gence de ce genre américain et du besoin d'expression des cinéastes africains qui optent pour le road movie semble être l'expérience de l'espace : celle-ci permet une construction identitaire en confrontant des individus avec un univers spatial et avec les divers phénomènes qu'une société propose comme formes de survie relativement à des données spatiales, climatiques, sociales et historiques. Moine a déjà souligné ce lien entre genre et social. Elle constate que « les films de genre narrativisent ainsi une structure du sens social. [...] chaque genre ne fait que proposer un codage, via des structures narratives particulières, à des conflits particuliers entre des valeurs culturelles fondamentales » (Moine 2002, p. 74). Mais en même temps, ce genre met en relief le développement spirituel d'un individu, comme Berndt Schulz (2002, p. 4) le décrit dans son dictionnaire du road movie : « Les road movies désignent un genre, dans lequel les personnages se meuvent dans l'espace comme dans l'esprit. Un "Entwicklungsroman" filmique dont le but est d'arriver à soi-même ou à la résolution d'un conflit[1]. »

Les éléments identifiés jusqu'ici comme caractéristiques du road movie d'origine américaine ne semblent pas se prêter à un transfert vers l'Afrique, où le cinéma est supposé ne pas être orienté vers des préoccupations individualistes. En plus, c'est un cinéma qui ne fonctionne que rarement selon les lois génériques : il répond plutôt à la nécessité de construire un propre imaginaire, souvent par l'entremise de documentaires ou de docu-fictions. Devant ce clivage entre le genre road movie et les tendances cinématographiques dans le contexte africain, on ne se serait pas vraiment attendu à cette hausse de la production de films que l'on peut qualifier de road movies africains. Pour éclaircir ce phénomène de transfert de genre, contradictoire à première vue, et contribuer à une première appréhension de son apparition dans le contexte africain, nous proposons une description des tendances observées dans ce champ cinématographique et une analyse de quelques exemples filmiques sous l'angle de l'interculturel.

Tendances dans le champ cinématographique africain

Les films africains qui traitent d'un voyage sont nombreux. Il faudrait donc distinguer les caractéristiques « espace » et « motivation de voyage » du road movie, pour établir la différence entre celui-ci et les films de voyage proprement dits. À cette fin, la description de quelques films permettra de dégager certaines tendances à l'intérieur du champ cinématographique africain. On pourra y faire la différence entre des films de migration, des films de voyage en Afrique contemporaine et des films de voyage dans une Afrique historique ou légendaire.

I. Migration

Le choix de la migration comme sujet est motivé par les relations économiques et politiques héritées de l'époque coloniale. C'est ainsi que les voyages Sud-Nord reflètent l'attirance qu'exercent sur le Sud les mirages d'un avenir meilleur dans un monde plus riche au Nord.

Le scénario du film *Bako, l'autre rive* (1978) du directeur français Jacques Champreux et du Guinéen Cheik Doukouré en est un bel exemple : le long périple d'un jeune Malien qui quitte son village frappé par la sécheresse pour rejoindre son frère à Paris dans l'espoir de pouvoir aider le village à survivre, montre les différentes étapes d'un processus de désenchantement qui conduit à la mort. Le mépris et le désespoir accompagnent le personnage dans les différents pays d'Afrique qu'il traverse, mais aussi en Espagne. Et une fois arrivé à Paris, il meurt de faim et de froid.

Les grands espaces désertiques qui rappellent, sur le plan visuel, les vastes étendues associées à la liberté, dans le contexte africain, symbolisent la sécheresse et la mort ; dans le déroulement du film, ils sont remplacés par des paysages européens (montagnes, forêts, rivières) qui deviennent à leur tour aussi hostiles que les déserts africains : les paysages sont présentés comme une nature indomptée et sauvage. Cette confrontation de « wilderness » et « civilization » est typique du western et du road movie, mais ici le film met en question la valeur symbolique de la nature dans des contextes différents et dévoile le mirage d'une Europe idéalisée et romancée qui attire les Africains.

Frontières (2002) de l'Algérien Mostafa Djamdjam traite également du voyage en racontant le périple d'émigrants originaires de pays subsahariens qui se confient à des passeurs professionnels. Le voyage — pareil à celui de *Bako* — montre les motifs du départ des personnages et met en scène l'inhumanité de l'émigration entreprise pour des raisons économiques ou politiques. Le titre, *Frontières*, suggère déjà que ce type de voyage est plutôt un voyage interrompu par les obstacles et entraves dressés par les administrations ou même par l'inhumanité des hommes rencontrés. Le voyage reste enfin inachevé, interrompu par la frontière spatiale que représente la mer. Au plan visuel, il est frappant de constater que les grands espaces ouverts sont toujours suivis par des espaces clos, soulignant ainsi l'impossibilité d'avancer ou de sortir. Les caractéristiques du road movie comme les plans d'ensemble des grands espaces suggérant la liberté sont donc reprises, mais elles changent de signification dans ce nouveau contexte, et renforcent le sentiment de blocage, d'enfermement, malgré la présence de symboles visuels de liberté.

Ces films sont aussi des road movies en ce sens qu'ils offrent une image de la société aux prises avec un problème précis, par exemple le manque de solidarité ou d'entraide. Ces valeurs sont souvent considérées comme typiquement africaines, mais le film montre comment la misère et la pauvreté les sapent. Dorénavant, l'expérience d'hostilité et d'exclusion commence déjà sur le continent, même si les causes y sont différentes de celles que l'on trouve en Europe, où l'on refuse de partager ses richesses. Les épreuves à endurer amènent à poser une question fondamentale et récurrente, à savoir si un voyage ne constitue pas plutôt une fuite qui ne résoudra pas les problèmes. Il s'agit donc de road movies dans lesquels le trajet devient un voyage spirituel et renvoie les voyageurs à leur point de départ. Cet aspect est souligné par de longues séquences consacrées à l'établissement d'un lien entre les vastes espaces et les personnages : face à la nature et à l'espace, les voyageurs sont présentés comme étant minuscules. La dépendance de l'homme vis-à-vis de son environnement naturel et culturel est ainsi mise en exergue.

Heremakono (*En attendant le bonheur*, 2002) d'Abderrahmane Sissako est une variation sur ce sujet, mais ce film est plus poétique que les deux autres fresques plutôt documentaristes de la souffrance des années 1970 et 2002. Sissako montre une ville de transit en Mauritanie, où différentes personnes s'apprêtent à partir comme émigrants clandestins par bateau. Le réalisateur se concentre donc sur le moment où les films comme *Frontières* ou *Bako* s'arrêtent : l'interruption du voyage vers l'Europe. *Heremakono* met en scène un voyage en suspens, l'espoir d'un avenir meilleur, l'espoir d'une chance de vivre sa vie dignement.

L'espace est ici présent sous la forme de cette ville qui est presque un lieu clos, car elle est délimitée par le désert et la mer — des horizons ouverts mais hostiles à l'être humain. La contrainte de l'attente dans cette ville se manifeste également par la perspective du protagoniste : le jeune étudiant qui attend chez sa mère son départ pour l'Europe habite une chambre au sous-sol. Sa perspective est donc limitée à la hauteur du sol : il ne peut apercevoir que les jambes des personnes qui passent — vision limitée par le cadre de la petite fenêtre à travers laquelle il observe la vie quotidienne dans la cour.

L'espace est par conséquent réduit à l'extrême, si bien que l'homme semble être emprisonné dans l'espace, mais aussi dans son désir de fuir cette réalité. Cette impression d'impasse est accentuée par les vaines tentatives du seul ami du protagoniste, un jeune garçon qui voudrait quitter la ville en train ou en bus, mais qui n'y arrive pas et se résigne à faire sa vie dans cette ville de transit. Et l'ami malien, l'émigrant, se voit également obligé de retourner dans son village pour annoncer la mort de son meilleur ami, qui s'est noyé en tentant de quitter l'Afrique : son corps ayant retrouvé sur la plage, une sorte de retour forcé vers le continent. Le retour au point de départ du survivant semble pourtant une amorce d'espoir, car le village où il tente de réaliser cette promesse de bonheur se nomme « Heremakono — en attendant le bonheur[2] ». Le film de Sissako semble renvoyer plus explicitement au point de départ que les autres films étudiés jusqu'ici, parce qu'il résume l'hostilité de la nature à deux éléments, notamment la mer et le désert. Il met surtout l'accent sur les villages et les villes, donc sur la vie en Afrique comme espoir d'une vie digne.

Contrairement à ces quêtes d'un avenir matériel et économique meilleur en Europe, les voyages Nord-Sud sont tous des quêtes d'identité de jeunes personnes qui cherchent leur père ou leur mère dans un pays africain : *Immatriculation temporaire* (2000) du Franco-Guinéen Gahité Fofana, *La fille de Keltoum* (2002) du Franco-Algérien Mehdi Charef ou *Le fleuve* (2002) du Guinéen Mama Keita. L'espace se présente sous la forme d'une nature hostile (le désert, la forêt tropicale ou les villes africaines vues comme des labyrinthes). Néanmoins, le voyage déclenche un développement personnel, une sorte de *Bildungsroman* dans lequel le voyageur est confronté à différents aspects de la vie sociale et politique, ce qui exige une prise de position de sa part. Le mouvement illustre donc le rapprochement difficile avec le pays supposé être le pays d'origine, mais les deux héritages entrent en conflit, ce qui accentue les questions d'identité et exige une prise de position, étant entendu que les films suggèrent le retour dans le pays d'où sont partis les protagonistes. Au plan visuel, les totales illustrent le sentiment d'être perdu, le manque d'orientation, si bien qu'il s'agit ici plutôt d'une recherche du « road » qui permettrait de retrouver le chemin vers le lieu d'origine, vers une identité perdue.

Un autre type de voyage, qui s'apparente en partie à celui du type Sud-Nord, est le voyage Sud-Sud (en Afrique même), entrepris, lui, pour des raisons économiques. *Paweogo* (*L'émigrant*, 1982), du cinéaste burkinabé Kollo Sanou, traite du même sujet que *Bako*, mais le personnage principal, un jeune villageois, voudrait tenter sa chance en Côte d'Ivoire, et non pas en Europe. Son voyage prend fin brusquement quand il rencontre à la gare d'Ouagadougou un cousin, victime d'une maladie mentale, qu'un ami raccompagne au pays pour qu'il y soit soigné. La fin du film suggère que l'émigrant rentre au village pour raccompagner son cousin qui a payé son émigration, une expérience de solitude et de honte, de la perte de ses capacités mentales et de son identité. La rencontre à la gare — lieu de transit par excellence — confronte les espoirs et mirages projetés sur les lieux d'immigration à une expérience d'émigration qui la remet en question.

Une autre variante de ce type de voyage est le film *Niiwam* (1989) du Sénégalais Clarence Johnson Delgado, adaptation d'une nouvelle d'Ousmane Sembène. Un pêcheur doit amener son enfant à l'hôpital de Dakar. Il entreprend un premier voyage de son village jusqu'en ville, où il est confronté à un monde complètement différent, ce qui le désoriente[3]. Les moyens de transport suggèrent l'accélération du mouvement vers un monde dominé par la vitesse, symbole de la modernité. La calèche berce les voyageurs à travers une forêt de baobabs en passant par des villages dispersés. Le paysage suggère la relation étroite entre l'homme, d'une part, et la nature et la tranquillité et, d'autre part, malgré l'inquiétude qu'éprouve le père pour l'enfant malade. La route goudronnée représente la frontière que les voyageurs doivent franchir entre ce monde harmonieux malgré les problèmes existentiels et le monde moderne dans lequel l'individu se sent catapulté comme dans un autre univers. Ce changement brusque se manifeste par le fait que la famille est presque renversée par une voiture passant à vive allure avant d'avoir pu arrêter un taxi collectif. Ce trajet vers la ville — la deuxième étape du voyage des membres de cette famille — est capté en plongée, ce qui souligne davantage la vitesse qui les éloigne de la communauté.

L'arrivée en ville les laisse perplexes, et le chemin vers l'hôpital, tout comme les démarches administratives en français, sont des obstacles quasi insurmontables. Face à ce système inconnu, ils paient leur ignorance et leur lenteur de la mort de l'enfant. Le père est donc obligé d'amener le cadavre de son enfant au cimetière à l'autre bout de la ville qu'il doit traverser en bus. Le bus représente, par les différents passagers qu'il transporte, une sorte de microcosme reflétant les problèmes de la société. Mais cette traversée de la ville semble d'abord enfermer l'homme en deuil dans un labyrinthe sans issue. Il est pris dans la course frénétique vers la modernité, son enfant mort sur ses genoux. Quand les passagers découvrent le cadavre, le bus s'arrête enfin : les passagers veulent obliger l'homme à descendre, et c'est l'imam qui se propose pour l'accompagner au cimetière. À partir de ce moment, la caméra montre, par une plongée panoramique, les deux hommes se rendant à pied vers un endroit sableux et le bus se dirigeant vers la ville. Comme au début de son voyage, le pêcheur est encore une fois à pied, allant vers la terre. La traversée de la ville, la rencontre avec la modernité qui se fait à travers les vitres, montrent qu'il n'a pas vraiment accès à ce monde qui, d'ailleurs, ne veut pas de lui ; il semble en effet être rejeté par la société, ce qui se manifeste aussi au plan spatial, car on le relègue aux confins de la ville... et de la vie. Un retour semble presque impossible du fait que le cycle narratif et spatial se clôt à la fin du film : le pêcheur arrive au cimetière, point final de sa traversée et, symboliquement, de son voyage et de sa vie. Ce film explore donc la signification des deux grands espaces — la ville et la campagne —, espaces fortement sémantisés, car ils représentent en même temps deux modes de vie qui semblent s'exclure mutuellement. Le film se termine sur un ton pessimiste, puisque le retour reste en suspens, ce qui suggère une trajectoire de la société vers la modernité sans retour possible vers le monde traditionnel en disparition.

Tous ces exemples suggèrent la même quête : pour les protagonistes, il s'agit, en voyageant, de reconnaître leurs propres espaces et sociétés et leurs multiples aspects et, pour les réalisateurs, de reconquérir l'imaginaire de leur public. Tandis que les voyages motivés par la découverte du pays mettent en relief la pluralité des communautés, les mouvements migratoires accentuent davantage une identité africaine vis-à-vis d'une Europe autre (*Frontières*). Mais cette vision plutôt binaire est également bidirectionnelle quand l'Afrique représente l'identité cachée ou perdue (*Cheb*, *La fille de Keltoum*, *L'autre monde*). Parallèlement, les road movies dessinent un tableau de mœurs sociales pour mettre en relief les conflits et problèmes sociaux sévissant en Afrique : les messages transmis par ces films semblent suggérer que, pour pouvoir affronter les problèmes actuels et futurs, le retour aux origines est inévitable.

II. *Voyage en Afrique contemporaine :* TGV *et* Mektoub

Après cette présentation de quelques variations sur le motif du voyage dans le contexte africain, deux exemples permettront de se pencher sur le vocabulaire du genre utilisé. Une analyse plus détaillée de deux films que l'on peut qualifier de road movies et qui sont souvent désignés comme tels par les critiques, devrait permettre d'observer de plus près le fonctionnement du genre. Il s'agit de films qui thématisent des voyages dans un pays africain et qui, au contraire des exemples précédents, ne traitent pas des relations Sud-Nord ou de migration, mais prolongent en quelque sorte la démarche de *Niiwam*, notamment le voyage en bus qui permet de montrer différents types de situations et de caractères représentatifs de la société en question.

Le film *TGV* (1997) du Sénégalais Moussa Touré reprend le topo du bus comme moyen de transport et sa valeur symbolique de microcosme. TGV est un minibus qui fait la navette entre Dakar (Sénégal) et Conakry (Guinée). Rambo, le chauffeur, entreprend ce voyage malgré les avertissements de la police et des militaires, ce qui n'étonne pas, vu le surnom qu'il s'est donné, et qui fait allusion aux films d'action américains : les routes sont coupées par la révolte d'une ethnie dans le sud du pays. Rambo et ses passagers sont donc obligés de prendre des routes qui les amènent dans des régions reculées.

Les motifs de voyage de ce groupe représentent un éventail de problèmes sociaux : un quinquagénaire va à la rencontre de sa quatrième femme qui pourrait être sa fille ; une femme fuit son mari qui ne veut pas consentir au divorce ; un homme évite ses créanciers ; un marabout est à la recherche de nouveaux adeptes ; un ministre tente d'échapper au chaos financier qu'il a causé.

Ce film est un vrai road movie dans le sens où toute l'action se déroule sur la route, entre les points de départ et d'arrivée. De longues séquences de paysages accompagnées de la musique de Wasis Diop établissent le sentiment d'une probable évasion loin de tous les problèmes rencontrés en ville, comme si le voyage s'ouvrait sur une nouvelle vie. Véritable incantation, la succession de beaux paysages, de même que la rupture avec le temps et les normes de la société, rappelle en partie les démarches du film *Easy Rider*. Le moyen de transport employé, un bus au lieu d'une motocyclette, souligne, par contre, la dimension collective de ce voyage.

La valeur symbolique de ce road movie se manifeste le mieux dans la séquence où le bus tombe en panne et où les passagers doivent agir de concert pour se sortir de leur mésaventure. Le bus opère ici comme symbole de la société africaine qui tombe en panne et ne peut sortir de l'impasse que si tous les passagers coopèrent. Le voyage est ralenti à l'extrême et oblige les passagers à reconsidérer les motifs de leur fuite et leur moyen de transport.

Il y a donc des parallèles entre *TGV* et *Niiwam*. Mais la ville est ici le point de départ pour tous les passagers, de l'agriculteur jusqu'au ministre, qui se trouvent tous sur le même chemin, puisqu'ils sont tous à la recherche d'un avenir meilleur. Ils quittent la ville pour traverser les champs, les forêts de baobabs et ils arrivent enfin dans la brousse où ils sont confrontés aux revendications de la population autochtone. Le périple de *Niiwam* a été ainsi renversé : les citadins ou adeptes de la modernité se trouvent confrontés à la campagne et ses habitants. Le voyage constitue donc un parcours initiatique qui ramène les voyageurs aux origines où ils devraient découvrir leur passé et prendre conscience de leur avenir possible. Mais l'arrivée en ville efface toutes les réflexions qui ont pu être approfondies durant le voyage, car les voyageurs reprennent tous leur propre chemin : le ministre trouve un poste en Guinée ; le paysan, sa quatrième femme ; et contrairement aux femmes qui partent vers un avenir meilleur après avoir discuté de leurs problèmes pendant le voyage, les hommes réalisent eux aussi leurs rêves, mais sans tenir compte des réflexions et discussions qu'ils ont tenues. Malgré cette expérience commune, ils ne changent ni leurs attitudes, ni leurs objectifs, ce qui montre l'impasse dans laquelle se trouve cette société.

Le deuxième exemple est un film maghrébin, qui est également désigné comme road movie : *Mektoub* (1997), un film entre polar et road movie du cinéaste marocain Nabil Ayouch, est une

> chronique sociale d'un pays partagé entre tradition séculaire et corruption des élites. Inspiré d'un fait divers, il met en scène un jeune couple, Taoufik et Sofia. La femme se fait enlever et violer dans le cadre d'un trafic de cassettes pornographiques impliquant de nombreux notables. Retrouvant le coupable, qu'il abat en situation de légitime défense, Taoufik, accompagné de sa femme, doit fuir à travers le pays, protégé par un réseau de complicités populaires et villageoises, la police qui le recherche (Mandelbaum 1999, p. 35).

Ce film a connu un succès énorme au Maroc pour sa critique osée de la classe dirigeante, mais aussi pour sa manière de célébrer la beauté du Maroc malgré les problèmes sociaux qui y sévissent. Le critique Amale Samie (2001, p. 2) décrit sa réaction après la projection du film comme suit : « Je connais l'Atlas dans tous les coins. Je l'ai vu, en voyant *Mektoub*, avec d'autres yeux. Et je me suis senti plus riche d'être de ce Maroc que Nabil Ayouch m'a montré. »

Ayouch thématise les contrastes entre les classes sociales, entre la ville et la campagne, la modernité et la tradition, et met en évidence des problèmes comme la criminalité et la misère. Ce n'est donc pas une image idéalisante du Maroc qui inspire cet enthousiasme au spectateur, mais plutôt le plaisir de se retrouver soi-même dans les images projetées, d'y retrouver la diversité et la beauté, malgré tous ces problèmes qui semblent détruire la beauté du monde. Ce film combine donc les deux aspirations des films africains cités ci-dessus : construire son propre imaginaire et se réapproprier son espace.

Il est significatif que la femme violée, issue d'une famille pauvre, arrive à se libérer de son traumatisme dans un village de montagne en reprenant contact avec les traditions. De même, c'est dans un village perdu que Taoufik, fils d'une famille riche, est confronté à son passé et à ses objectifs en tant que médecin quand il soigne un garçon. Le contact avec la population autochtone et la campagne permet aux deux personnages principaux de trouver des réponses à leurs interrogations et de soulager leurs inquiétudes.

La fuite de ce couple aux quatre coins du pays a donc plusieurs significations : premièrement, ils tentent de se soustraire au contrôle d'un système corrompu et, deuxièmement, ils fuient les mirages modernes qui n'ont plus de point d'ancrage dans la réalité vécue dans ce pays. Ainsi, de même que le personnage principal de *Niiwam*, le couple commence son voyage en voiture, le continue en bus et le termine à pied. Le voyage se ralentit au fur et à mesure que les voyageurs s'éloignent de la grande ville, qui représente la modernité, telle que définie par le modèle européen, modèle qui semble étranger et imposé à ce pays. Parallèlement, ils se rapprochent graduellement du pays profond, de sa population qui vit toujours selon les coutumes et les traditions ancestrales. Cette redécouverte de leur propre passé les confronte avec leurs souvenirs individuels, qui semblent maintenant liés au destin du pays. Le voyage commence donc dans une ville maritime orientée vers un ailleurs, mais leur fait parcourir tout le pays pour se diriger vers les montagnes et le désert du pays central où sont préservées leur histoire et leur identité. Même si le mouvement dans l'espace permet de traverser les vastes régions qui représentent les divers aspects de cette société — des plans d'ensemble accompagnés du motif musical du film invitent à une identification avec ce pays et ses habitants —, ce film raconte surtout un voyage intérieur qui pose la question du sens de la vie.

L'utilisation du genre du road movie dans ces deux cas semble permettre aux cinéastes africains de se situer dans une tradition générique et de profiter des éléments constitutifs du genre qui correspondent à la quête initiale du cinéma africain : recherche d'identité, miroir et critique de la société. La rencontre avec des populations autochtones, qui décrit une rencontre interculturelle à l'intérieur du pays, est le déclic à partir duquel les personnes concernées remettent en question la modernité, incarnée par les villes. Les villes représentent donc le point de départ et d'arrivée, mais le chemin pour y accéder passe par la brousse ou la campagne, par les traditions et par les préoccupations humaines. Les cinéastes africains vont au-delà des règles génériques préétablies en y ajoutant le retour aux traditions africaines, ce qui leur permet de se réapproprier l'espace et les modes de vie propres aux pays respectifs. Ainsi, ces voyages sont toujours des voyages entre la tradition et la modernité, et les cinéastes esquissent ainsi un chemin à suivre qui devrait prendre en considération les deux pôles.

Reste maintenant la question de savoir si les voyages en Afrique dans un contexte historique ou légendaire proposent la même conception.

III. Voyage dans une Afrique historique ou légendaire

Dudley Andrew (2003, p. 17), dans son article intitulé « Enraciné et en mouvement : les contradictions du cinéma africain », a déjà attiré l'attention sur cet aspect du nomadisme dans quelques films africains, aspect qui est étroitement lié à la volonté de témoigner d'une réalité vécue : « [En effet,] depuis 1980, deux générations de cinéastes africains ont voyagé à travers le paysage africain avec une caméra qui explore plutôt qu'elle ne diffuse. » Comme exemple de ce nomadisme, il cite le film *Yeelen* du cinéaste malien Souleymane Cissé : « Si le héros de *Yeelen* est un nomade, il n'est pas un individualiste rebelle. Il est davantage un étudiant appliqué de la terre qu'il sert, et à laquelle il appartient au vrai sens du terme » (p. 19). Ce film combine les éléments d'un voyage d'initiation, d'une quête d'identité et d'une fuite qui amènent le jeune héros à découvrir son histoire, son pouvoir et son identité qu'il transmettra à son fils. Pendant ce voyage, il rencontre plusieurs ethnies et apprend les différentes possibilités de répondre aux contraintes de la nature et aux besoins des hommes. Mais il le fait surtout parce qu'il a accepté d'être le successeur de son père, le porteur des savoirs religieux et traditionnels, donc le représentant de la communauté et le garant de ses valeurs. Le voyage traditionnel est lié à une initiation qui dirige l'individu vers l'assurance d'une continuité de la vie communautaire.

Le protagoniste du film *Buud Yam* (Burkina Faso, 1997) de Gaston Kaboré, Wend Kuuni, doit parcourir le même chemin d'apprentissage que le héros de *Yeelen*, en quelque sorte un précurseur du genre. Wend Kuuni est un enfant trouvé qui part à la recherche d'un guérisseur pour sauver sa sœur souffrante. Ce voyage lui fait parcourir toutes les régions du Burkina Faso actuel. Il expérimente les différents espaces naturels, rencontre plusieurs ethnies pour apprendre que la survie dépend de l'entraide et de la solidarité. Ainsi, il arrive à trouver le guérisseur et à sauver la vie de sa sœur. Bien que ses origines soient toujours incertaines, il arrive quand même à s'accepter et à se faire accepter parce qu'il a pu prouver qu'il est un membre utile de la communauté, et parce qu'il peut se voir lui-même, ainsi que le village, comme une partie d'un tout plus vaste.

Ces films thématisent donc des voyages en recourant à des éléments de récits initiatiques ou traditionnels. Ils utilisent le voyage comme motif qui permet de mettre en scène la quête de soi-même, la rencontre avec l'autre pour se trouver soi-même, mais surtout dans le but d'assurer la survie et la consolidation de la communauté.

Keita. L'héritage du griot (Burkina Faso, 1998) de Dani Kouyaté est un film qui combine les légendes et l'époque contemporaine. Un griot se rend en ville pour transmettre l'histoire de la famille au dernier descendant, ce qui déclenche à son tour la légende de Soundjata, récit initiatique et de voyage. Le voyage du griot qui quitte son village pour parcourir une grande partie du pays jusqu'à son arrivée à la capitale souligne l'interconnexion entre le nomadisme et le monde traditionnel. Le passé et le présent se retrouvent face à face dans la rencontre du personnage du griot — conservateur de la mémoire — et du fils de la famille Keita. Le récit initiatique invite le garçon à un voyage dans le passé qui le ramène toujours au présent, deux époques indissociablement liées. Par conséquent, le film de Kouyaté met surtout en scène le voyage dans le temps, le mouvement dans l'espace semble secondaire. Le réalisateur arrive à illustrer cette dichotomie entre la tradition et la modernité sur un axe temporel, ce que les autres films démontraient sur le plan spatial.

Dans le cas du cinéma maghrébin, on peut constater une nouvelle tendance qui met l'accent sur le spirituel et le fantastique. *Le cheval de vent* (2001) du Marocain Daoud Aoulad Syad raconte le voyage d'un vieil homme qui veut visiter la tombe de sa femme avant de mourir. Un jeune homme à la recherche de sa mère l'emmène sur sa moto. Avec en toile de fond des paysages marocains, ce road movie met en scène un voyage quasi spirituel à la recherche du sens de la vie et de la mort. Dans *Le grand voyage* (2004) du Marocain Ismaël Ferroukhi, un père part avec son fils pour le pèlerinage à La Mecque. Pendant qu'ils surmontent d'innombrables problèmes tout au long du trajet, les deux générations se rapprochent graduellement. À la mort du père, le jeune homme assume l'héritage culturel et religieux pour la suite de son voyage. Et en Tunisie, avec *Bab'Aziz* (2005) de Nacer Khemir, l'errance dans le désert invite à une réflexion sur la vie, suggérant que le désert n'est plus seulement frontière naturelle et espace hostile, mais lieu de méditation, souvent sous des formes poétiques.

Des road movies en Afrique?

Les road movies africains témoignent d'une volonté des réalisateurs de décrire leur propre espace et ses habitants, et ceux-ci le font sur le palimpseste des récits de voyage et de films ethnographiques européens. Les films étudiés ci-dessus mettent aussi en scène une quête de soi-même, d'une identité propre, donc un voyage initiatique vers les mondes ancestraux, traditionnels ou tout simplement africains. Cette quête ramène toujours le voyageur au point de départ ou à sa terre. On retrouve ici plutôt la structure circulaire des récits traditionnels, contrairement à ce que Shari Roberts (1997, p. 45-69) avait souligné au sujet du road movie, notamment qu'une structure linéaire serait une caractéristique de ce genre. On y retrouve la notion, avancée par Dudley, du nomade qui retourne à sa terre.

Selon la définition citée au départ, le «road» représente l'élément constitutif du road movie (Roberts 1997), ce qui est également le cas pour le road movie africain. Mais tout en empruntant ce cadre, les cinéastes le comblent de leur imaginaire et de leurs quêtes, qui souvent se présentent comme un mélange de quêtes légendaires et de quêtes actuelles. Ils semblent donc adopter ce genre pour deux raisons principales: premièrement, la préconisation d'un certain genre confère de la «visibilité» au cinéaste africain, car la critique peut alors classer le film dans une catégorie standardisée pour les cinématographies américaines et européennes, ce qui facilite la réception par un public plus large; deuxièmement, cette adoption d'un genre signifie aussi que ces cinéastes entrent en dialogue avec d'autres cultures cinématographiques en proposant leur(s) propre(s) version(s) de genres devenus communs.

Cette préconisation d'un genre précis qui, à l'origine, véhicule une certaine idée de l'Amérique avec ses connotations de liberté individuelle, de mobilité et de liberté d'expression, entre par l'entremise de ce transfert de genre, dans un dialogue «intertextuel» (peut-être devrait-on dire «intergénérique» dans ce cas?) dans le sens bakhtinien du terme: la pluralité des voix qui entrent en jeu et subvertissent le discours dominant. Malgré la structure circulaire qui pourrait suggérer une certaine tendance au conservatisme, le dialogue des genres introduit de nouvelles idées. Le film pourrait servir de champ d'essai pour une certaine évaluation de la valeur des idées dans un contexte africain, ce qui serait le cas de Wend Kuuni dans *Buud Yam*, où l'identité individuelle est mise à l'épreuve. Mais cela vaut aussi dans *TGV* où, sur un ton satirique, les propositions du leader de la révolte semblent beaucoup plus raisonnables que les propos de l'ex-ministre. Le genre offre donc un cadre de données génériques liées à des données thématiques qui permettent une remise en question de valeurs traditionnelles. En même temps, le road movie est motivé par le déplacement qui entraîne des rencontres avec différentes manifestations culturelles.

Le road movie se prête particulièrement bien à l'illustration de l'état de sociétés en mutation ou en voie de développement, ce qui se manifeste par l'abondance des lieux de transit et des mouvements en suspens. Mais en même temps, ce genre fait également écho aux récits traditionnels, si bien que ces road movies africains s'inscrivent plutôt dans une tradition propre de récits de voyage et d'initiation — grâce aux types de narration que suppose le road movie —, où les destins individuels sont au premier plan. Mais l'adoption de ce genre semble être aussi une réponse des cinéastes africains aux critiques et publics des cinémas africains : l'adoption d'un genre reconnu et propre au cinéma « majeur » garantit éventuellement une réception plus large.

Le vocabulaire du road movie ne permet donc pas seulement de décrire la société en mutation et de mettre en question ses processus actifs et leur impact sur les communautés, il permet aussi de faire dialoguer des sujets africains avec les autres cultures cinématographiques par l'intermédiaire d'un genre transculturel.

Université de Bayreuth

NOTES

1. Traduction par l'auteure de l'article de la phrase suivante : « Road Movies bezeichnen also ein Genre, in dem das Personal sich fortbewegt, äußerlich und innerlich. Ein filmischer Entwicklungsroman mit dem Ziel, bei sich selbst oder irgendeiner Konfliktlösung anzukommen. »

2. Pour plus de détails sur ce film de Sissako, voir Fendler 2005.

3. Un exemple antérieur est le court métrage *Borom Sarret* d'Ousmane Sembène que Luisa Zappulli (1998) aborde comme une métaphore de voyage dans son article « Migrer de la périphérie au centre de la ville ».

RÉFÉRENCES BIBLIOGRAPHIQUES

Andrew 2003 : Dudley Andrew, « Enraciné et en mouvement : les contradictions du cinéma africain », *CinémAction*, n° 106, 2003, p. 16-24.

Fendler 2005 : Ute Fendler, « "Cinémas mineurs" und die Ästhetik der Langsamkeit : Abderrahmane Sissakos Filme », dans Ute Fendler et Mechtild Gilzmer (dir.), *Grenzenlos*, Aachen, Shaker, 2005, p. 167-180.

Garneau 2002 : Michèle Garneau, « Zur Ästhetik und Kreativität des quebekischen Kinos », dans Michel Larouche et Jürgen E. Müller (dir.), *Quebec und Kino. Die Entwicklung eines Abenteuers*, Münster, Nodus, 2002, p. 114-117.

Mandelbaum 1999 : Jacques Mandelbaum, « Culture-cinéma nouveaux films. *Mektoub* » dans *Le Monde*, 15 septembre 1999, p. 35.

Moine 2002 : Raphaëlle Moine, *Les genres du cinéma*, Paris, Nathan, 2002.

Roberts 1997 : Shari Roberts, « Western Meets Eastwood. Genre and Gender on the Road », dans Steven Cohan et Ina Rae Hark (dir.), *The Road Movie Book*, London/ New York, Routledge, 1997, p. 45-69.

Saada 1996 : Nicolas Saada, « Circulation des genres », dans Jacques Aumont, *Pour un cinéma comparé. Influences et répétitions*, Paris, Ministère de la Culture, 1996, p. 223-240.

Samie 2001 : Amale Samie, « *Mektoub*, c'est beau et marocain ». http://www.maroc-hebdo.press.ma/MIIinternet/Archives298/html_298/MEKTOUB.html 2001

Schulz 2002 : Berndt Schulz, *Lexikon der road movies*, Berlin, Lexikon Verlag, 2002.

Zappulli 1998 : Luisa Zappulli, « Migrer de la périphérie au centre de la ville », dans Romuald Fonkoua (dir.), *Les discours de voyages. Afrique-Antilles*, Paris, Karthala, 1998, p. 317-322.

ABSTRACT

The Road Movie in the Intercultural Context of Africa
Ute Fendler

Since the 1990s there has been an increase in the number of films that could be described as road movies produced in French-speaking Africa. But how is this genre of American origin, whose most striking features are its experience of space in both a spatial and a symbolic sense and its search for identity, transferred into the context of Africa? Certain thematic and aesthetic tendencies are apparent in these films made in French-speaking West and North Africa, in particular migration from the south to the north in search of a better life and journeys in the opposite direction in search of one's lost roots. Apart from migratory journeys, those carried out within a single country highlight Africa's ethnic and cultural diversity, providing opportunities for intercultural encounters. We also see historical, mythical and mystical films in which a search for identity or even the meaning of life is central. In fact the road movie lends itself particularly well to descriptions of rapidly-changing or developing societies in French-speaking Africa, as seen in the abundance of transient spaces and suspended movements in its films. But the genre also reflects the region's traditional narratives in such a way that African road movies, because of the kind of narratives that the genre implies, belong more to a tradition of travel and initiation stories in which individual destinies are at the forefront. Because the genre gives the films a degree of visibility among critics and audiences, the appropriation of the road movie by French-speaking African filmmakers therefore also represents the possibility of becoming a part of film history and calling attention to films made in so-called "minor" film-producing countries.

Road movie et construction d'un discours interculturel dans *The Adventures of Priscilla, Queen of the Desert*

Adama Coulibaly

RÉSUMÉ

L'émiettement du corps social et la constitution d'un espace et d'un *temps des tribus* (Maffesoli 2000) sont les signes d'une décomposition et d'une recomposition des univers culturels ainsi que des rapports que ceux-ci entretiennent entre eux. *The Adventures of Priscilla, Queen of the Desert* (1994) de Stephan Elliott peut se lire comme une mise en scène de ce dynamisme social par la convocation d'une culture de la périphérie, la culture *gay*, dans le canevas d'un genre typé : le road movie. Cet article tente la lecture de la problématique culturelle par le prisme technique du road movie et de ses aménagements esthétiques et sociaux. En effet, dans ce film, la culture homosexuelle est livrée *on the road*, mais aussi dans ses rapports à la société. Si le road movie permet une allégorisation du parcours, il met surtout en évidence les rapports interculturels, dont les manifestations se placent sous le sceau du conflit mais aussi sous celui d'une complémentarité dont il faut analyser les modalités et les performances pour comprendre qu'en définitive, questionner cette (inter)culture révèle combien la culture est de nature sédimentaire.

For English abstract, see end of article

Paru sur les écrans en 1994, *The Adventures of Priscilla, Queen of the Desert* part d'une idée originale inspirée à Stephan Elliott (le réalisateur) par un défilé de *gays* auquel il a assisté lors d'un Mardi gras sur Oxford Street, à Sydney. Parmi les différentes pistes de lecture que suscite ce film, l'une d'entre elles nous semble être la possibilité d'une réflexion sur la place de la culture *gay* dans la société à la lumière du genre du road movie. Ce film australien intègre le *driving vision on the road* (Laderman 2002) comme une modalité majeure de connaissance et d'accomplissement du parcours de Priscilla et de ses trois passagers.

« Bougres », « bardaches », « antiphysiques », « uranistes », « gens de la manche » ou « gens de la jaquette flottante », « belettes », « tribades », « bougresses », « fricatrices », tels sont quelques appellations et sobriquets qui, à travers les âges, ont marqué ceux que nous désignons aujourd'hui par le terme d'« homosexuels » et qui, au tournant des années 1970, ont commencé à élaborer un discours identitaire. Ainsi Jean-Louis Bory, une des premières figures *gays* dans les médias français, affirmait-il le 21 janvier 1975, dans l'émission télévisée *Les dossiers de l'écran* :

> Il y a une réalité homosexuelle et si je suis là, c'est parce que l'homosexualité existe. Je n'avoue pas que je suis homosexuel, parce que je n'en ai pas honte. Je ne proclame pas que je suis homosexuel parce que je n'en suis pas fier. Je dis que je suis homosexuel parce que cela est » (cité dans Martel 2002).

De la sorte, on peut aujourd'hui parler de culture *gay* dans un sens anthropologique, soit telle une culture admise comme une construction qui, dotée d'un niveau cognitif et idéologique, s'ajoute à l'état de nature. Une telle notion de culture est fondée sur le postulat qu'un groupe d'individus observe un certain nombre de faits et de pratiques reposant sur une certaine vision du monde, vision qui en retour homogénéise ce groupe et affirme son altérité par opposition à d'autres ensembles. Ainsi, la vie de la culture serait une tension permanente entre un socle (ce que l'on nomme l'altérité radicale, irréductible) et un mouvement de sédimentation, d'enrichissement par des apports divers. Aussi, la constitution des homosexuels en « société », en culture ou en sous-culture au sein même d'une urbanité moralisatrice contre laquelle ils s'affirment, les intègre dans la problématique d'une « globalisation » dont on peut interroger la forme et les nuances.

Si la culture se construit dans l'épreuve aux autres (« l'enfer, c'est les autres », dit Sartre), sa lecture pose d'emblée la question du regard, activité délicate démêlant l'écheveau de ce qui appartient en propre à la culture et de ce qui, lui étant extérieur, entre en contact avec elle. Parlant du road movie, dans un contexte et une perspective toute postmoderne, Laderman (2002, p. 32-174) y décèle un effet de « blurring the Boundaries ». Ainsi, l'on peut se demander dans *Priscilla, Queen of the Desert*, quels types de rapport la société dite normale et la culture *gay* entretiennent et quel rôle le road movie peut jouer dans une analyse des rapports interculturels.

Plus qu'une relation ou qu'une rencontre des hommes, l'interculturel est bien une rencontre de leur culture, de leur vision du monde. De là peuvent découler des précisions quant à la mobilité (celle de l'inter), précisions relevant de l'échange, du mélange (au cours duquel les objets culturels perdent une partie de leur matérialité pour laisser entrer d'autres valeurs) et du métissage[1], la phase achevée de l'échange où l'on serait conscient que chacun a donné et pris dans l'altérité. Notre avis, fondé sur une sémiotique des objets, est que *Priscilla, Queen of the Desert* peut fournir un exemple de cet éclatement des frontières. Dans ce film, les aménagements du road movie (comme mise en scène de la route, de la voiture, d'une certaine esthétique de la vitesse, par sa spécificité comme média) permettent un questionnement des rapports interculturels.

I. L'histoire d'une construction en parallèle

À bord d'un bus (nommé Priscilla), trois « folles » (Bernadette, Felicia et Mitzy) traversent l'Australie pour aller donner un spectacle à Alice Springs. Leur parcours se construit en parallèle avec le départ d'une sportive qui va traverser seule le continent. Si les trois travestis roulent à bord de Priscilla, cette sportive court les routes, seule, accrochée à son traîneau pour enregistrer le temps de sa performance. Ainsi la voit-on aux « chapitres » 5, 11 et 20 avec le bruit insolite de son appareil et son accoutrement qui n'est pas sans rappeler celui des trois « hommes/femmes[2] ». Dans un mouvement *on the road*, elle traverse le film dans un mutisme dérangeant. L'organisation du lancement officiel de son départ par les sponsors (*Time* et *Classiques Philips*) duplique le trajet suivi par les trois homos pour se rendre à Alice Springs et confère un double enjeu à la traversée, soit d'une part une éventuelle axiologisation de l'action et, d'autre part, la distinction afférant aux deux groupes de femmes, les normales et les fabriquées.

La dimension figurative même des voyageurs et du compétiteur n'est pas simple. Métaphoriquement, tels deux escargots[3], les départs s'effectuent avec des kits de survie. Le traîneau léger que l'athlète tire sert à cela ou peut-être sert-il plus simplement à mesurer sa performance. Priscilla, quant à elle, abrite entre autres choses produits d'entretien (les pilules de Felicia) et réserve alimentaire. Une forme d'humour et même d'ironie est liée à la présence de cette femme, à son attirail d'athlète émettant des sonorités bizarres et des feux de position lorsque, telle une extraterrestre, celle-ci passe de nuit à côté de l'équipage de Priscilla qui bifurque en pleine nature. «Venue d'ailleurs», l'athlète suit le sillon d'une modernité toute tracée alors que les homos dévient. «The fact of being on the road» porte une forte charge allégorique.

La traversée de l'Outback peut ainsi se lire comme une performance sportive ou un chemin pour arriver à Alice Springs, lieu du spectacle. Spectacle, performance sportive, le jeu ou la représentation semble être le but de ces parcours, si l'on excepte qu'à partir du chapitre 13, Priscilla s'installe dans une logique d'affirmation, en acceptant de porter l'attribut chromatique symbolique de ses occupants (le rose est la couleur rattachée à la culture *gay*). Ce faisant, elle se rapproche un peu plus du décor lunaire que les trois ami(e) s traversent, mais aussi donne un fondement plus profond au passage de ces hommes (ils) en femmes (elles). Au chapitre 11, au moment où les trois folles décident de couper par un raccourci, l'on voit cette sportive continuer sur le bitume dans une rationalité, une rigueur qui, en définitive, oppose sa performance (guidée par le profit et la normalité) à la mise en avant de la subjectivité, de l'émotivité, de l'instinct des voyageurs/voyageuses à bord de Priscilla. À la réflexion, le rire que crée cette interculture (comprise ici comme un rapport *entre*) mettant en relation cette femme autant solitaire que bizarre et les homos en déplacement est bien lié au niveau discursif et thématique du film.

Les moyens de transport utilisés, de part et d'autre, rappellent le souci de la performance de la sportive (enregistrer ce qui a été produit) et dans le cas des trois «folles», la locomotion en commun. Priscilla (le bus) conjugue proximité, convivialité et commensalité. Selon Pamela Robertson (1997, p. 271), le genre du road movie « est obsédé » par la maison : « If the road movie is in some deep sense about the road itself, and the journey taken, more than about any particular destination, it is still a genre obsessed with home. Typically, the road takes the traveler away from home. » Priscilla n'est pas seulement un véhicule, il/elle est aussi un gîte, un lieu de conversation, de socialité, de discussion, de communication. On y coud, même. Bref, on y vit. Dans une métaphore de la maison, Priscilla vit, comme on dirait qu'une maison vit. Elle est la maison des trois folles. Ainsi, dans le contexte global de la mobilité, Imbert (2004, p. 210-215) parle aussi des hôtels, lieux communs des road movies comme des « maisons en déplacement ». Si le souci premier du nomadisme moderne est une tentative de quitter la maison et d'aller voir du pays, Priscilla, comme mode de transport en commun, crée un espace de convivialité, de commensalité (permis par le bus) soulignant le paradoxe de la combinaison du sédentarisme et du nomadisme que pratiquent les tentes-roulottes, les *mobile homes* sur les routes nord-américaines. Ce faisant, Priscilla (le bus) favorise une écriture de la tolérance dans les limites mêmes de cette société d'homosexuels. Une maison qu'on traîne avec soi et non vers laquelle on court, image d'une mobilité moderne tout autant que d'un manque de repères propre à ses occupant(e) s, si ce n'est l'acceptation de soi.

Le parallélisme va plus loin. Autant la sportive est discrète (ne répondant jamais aux propos que les trois lui adressent), concentrée sur son sujet, autant les trois travestis sont caractérisés par leur exubérance, à l'image de ce pari perdu dont le prix à payer pour Tick consiste à descendre la rue principale de Broken Hill habillé en travesti, chamarré à l'excès, en pleine journée.

La représentation achevée de l'extravagance (ou de l'exubérance) est sans doute l'image de Felicia juché(e) sur Priscilla. Lovée dans un escarpin géant, exposée à la lumière crue du jour, celle-ci est vêtue d'un costume brillant flottant dans l'air du désert bariolé par le fumigène. Lyrisme et démesure se lisent dans les interstices de ces scènes surréalistes où le bus est saisi dans son mouvement sur la route (le désert à perte de vue en toile de fond) dans des travellings avant en légère plongée de plan panoramique. L'image d'ensemble donne le sentiment que

Priscilla a des ailes. Dans sa lecture des ailes de voiture dans *Le système des objets*, Baudrillard (1968, p. 83-85) précise que, pour qui voit passer une voiture, l'impression que donnent ses ailes est celle d'une liberté infinie, d'une victoire. « Il s'agit d'une victoire sur l'espace. Mobilité et technique se sursignifiant ici en fluidité absolue », dit-il. Le costume flottant au vent tout comme les flux abondants de fumigène conduisent effectivement à une symbolique de la liquidité. Sans avoir une incidence sur la vitesse réelle, l'aile artefact, comme le souligne Baudrillard, signifie une vitesse sublime, sans mesure. Pour couronner le tout, la voix de la Callas sur une musique de Giuseppe Verdi (*E strano! Ah fors E, La Traviata*) se fait entendre. Cocktail étonnant, « qui suggère un automatisme miraculeux, une grâce » (Baudrillard 1968, p. 85), une liberté longtemps poursuivie et qui se livre dans le mouvement permis par la route peu fréquentée et la nue beauté du désert. Cette construction des rapports interculturels présente deux formes dans ce film, l'une violente, l'autre plus apaisée.

II. Violence et périphéricité d'une culture *gay*

Nos trois travestis représentent la culture *gay* dans toute sa diversité d'homosexuels (Felicia), de transsexuels (Bernadette) et de bisexuels (Mitzi, qui a déjà été marié et est même père d'un petit garçon). Ils (elles) la représentent dans sa dimension la plus fragile, la féminité[4]. Elles sont le résultat d'une certaine modernité qui rime avec sophistication, artifice et scientisme. Le bar dont est pourvu le bus (par les commodités qu'il offre) comme la forte consommation d'alcool tout le long du trajet le rappellent effectivement, de même que l'ironie des habitudes gastronomiques de Bernadette (le transsexuel), obligé(e) de se nourrir de pilules pour maintenir ses atouts féminins. Par leur différence culturelle permise et admise du fait de la modernité et d'un certain changement des mentalités, les trois homos se mettent d'emblée, en empruntant la route, sur le terrain de la rencontre, de l'adversité. Et de fait, leur traversée des bourgades de l'Outback est fortement marquée du sceau de l'adversité, du mépris, de la violence liée à la rencontre.

Le chemin même parcouru par les trois *folles* entre dans un schéma insolite. Dans *Réflexions sur la question* gay, Didier Eribon

94

(1999) observe que le mouvement général du déplacement des *gays* est la recherche d'une certaine urbanité, la fuite vers la ville. *Priscilla* offre un déplacement de la métropole vers une petite ville en passant par le désert et des petites bourgades. Or, la « petite ville, c'est l'endroit où il est difficile d'échapper au seul miroir disponible, celui qui est tendu par la vie familiale […], d'échapper aux "interpellations" à se conformer aux modèles affectifs, culturels, sociaux de l'hétérosexualité » (Eribon 1999, p. 43).

La traversée prend pour eux la dimension d'un retour sur le lieu de la mise à mort symbolique, car si symboliquement la métropole donne l'abri à l'homosexuel, la bourgade et le village sont des lieux de sa mise à l'index. On se refuse à faire commerce avec eux, à leur venir en aide (comme en témoigne un vieux couple dont la Jeep part en trombe). On leur lance des obscénités marquées où se confondent image d'Épinal (la question du sida) et vulgarité. Que le bus (leur maison et leur moyen de locomotion) porte l'injure « Aids fuckers go home » est révélateur des reproches qu'on leur fait et du peu d'estime dans laquelle on les tient. Pour Didier Eribon, dans ce milieu, les injures — trait le plus commun de l'existence *gay* — sont des traumatismes qui en plus de choquer et de blesser sur l'instant, s'inscrivent dans le corps et dans la mémoire, rappelant à ces marginaux qu'ils ne sont pas comme les autres. Là se lit un des codes les rappelant à leur étrangeté, leur anormalité, leur être *queer*.

Sur la route d'Alice Springs, Broken Hill et Copper Pedy sont bien des micro-représentations de la modernité bien-pensante dans sa forme de violence inhibitrice et d'intolérance. Les attitudes des habitants de ces bourgades restituent les normes d'une relation urbaine liée à une culture de normalité mais aussi à une culture de la périphérie, sur laquelle le reste de la société jette un regard négatif et désapprobateur. Ce préjugé caractérise l'accueil qu'Alice Springs fait à la représentation tant attendue (par la mollesse des ovations de l'auditoire), bien que le jeu de scène ait été des plus fabuleux.

Lorsque Felicia manque de se faire violer à Copper Pedy par une bande de mineurs ivres qu'elle avait provoquée, Bernadette analyse en termes réalistes la violence qui régit leur rapport à la société dite normale :

C'est curieux, nous passons notre temps à nous plaindre des conditions de vie inhumaines dans les banlieues et de la violence dans nos villes, mais finalement l'absence de contacts humains nous protège. Je ne sais pas si les affreux murs qui nous séparent des banlieues ont été mis là pour les empêcher d'entrer ou pour nous empêcher de sortir[5].

Le constat, dans ce premier niveau de rapport, est une bipolarisation qui rejette à la périphérie ces êtres étranges, « ces êtres venus d'Uranus », comme dit Felicia. Dans l'histoire de l'onomastique homosexuelle, les homos étaient effectivement appelés « uranistes » au XIXe siècle pour marquer l'anormalité presque extraterrestre de leur sexualité. La périphéricité des banlieues est aussi hostile que la ville est cruelle.

III. Une rencontre des minorités

Dans le contexte de la mobilité actuelle des personnes et des objets, le road movie offre la possibilité de saisir la relation, la rencontre : « [...] l'interpénétration qui permet l'épanouissement et la multiplication de la diversité et non l'enfermement dans des positions défensives aux territoires visant la permanence d'une pureté imaginaire » (Imbert 2004, p. 66).

Ainsi, le chapitre 13 (« Where are we ? ») ouvre une sorte d'horizon de prise de conscience qui débouche sur ce qui paraît être l'un des moments forts de ce film. En effet, échouées au « milieu de nulle part », avec Priscilla mal en point, les trois « folles » se posent les questions les plus alarmantes. Moment critique du film, moment de la question existentielle, « where are we ? », « où sommes-nous ? » Si le lecteur peut répondre qu'elles sont en plein désert, le niveau métaphorique de cet espace de solitude rattrape encore la thématique de l'interculturalité qui traverse le film.

Bernadette part à la recherche de secours, tandis que Tick entame ses répétitions et que Felicia s'attaque au « venin » barrant le flanc du bus : peindre Priscilla pour lui donner une couleur exubérante, parlante. Démarche d'affirmation identitaire, l'acceptation de soi et l'ouverture se lisent dans ce toilettage de Priscilla en rose bonbon ou lavande (couleur des *gays*[6]). Ce trajet de trois travestis qui traversent un désert nu, hostile, imperturbable dans un bus à la couleur exubérante, « folle », est intéressant et montre comment le road movie pose en termes métaphoriquement justes, sans forcer, la question de la culture *gay*.

Le chapitre 14, « Aboriginal rites », livre la relation interculturelle la plus harmonieuse de ce film. Autour d'un feu de camp au milieu du désert, Mitzi, Bernadette et Felicia donnent un spectacle auquel participe un groupe d'aborigènes. Un tel épisode souligne bien une des formes de résurgence liée au phénomène du néotribalisme[7] tel que Michel Maffesoli l'aborde dans *Le temps des tribus*. Tribu de *gays*, tribu d'aborigènes, gens de la périphérie. La représentation la plus vivante du spectacle des trois *gays* a lieu dans ce désert (dans un décor à la clarté lunaire auquel se mêle encore une fois un feu de bois) où, habillés comme des extraterrestres (avec une chromatique arc-en-ciel), sur une chanson de Gloria Gaynor (*I Will Survive*, chanson qui réactualise le discours du féminisme et de l'émancipation), ils se racontent et donnent toute la mesure de leur talent. Pour rappel, au milieu des années 1980, *I Will Survive*[8] était l'un des cris de ralliement des fêtes disco données dans les pubs *gays*. Ainsi, la route poussiéreuse, non officielle, sans asphalte, a-t-elle conduit à la rencontre de deux groupes, deux cultures dont l'une, la culture aborigène, est donnée pour la plus ancienne de la planète. La rencontre est impromptue ; le mélange, instantané, sans jugement ni préjugé. Ralliement de l'ancien et du nouveau.

Interculturalité au sens plein puisque les aborigènes aident les trois folles à évacuer leur tristesse, leur *bad mood* du moment. Autour du feu de camp, les trois folles intègrent l'aborigène à leur spectacle et toute la bande s'en donne à cœur joie au milieu de nulle part, sur une musique disco soutenue par le son du didgeridoo (ou Yidaki), la grande flûte des aborigènes. La musique disco se colore d'accent de *world music* où chacun se reconnaît. Cette scène est l'un des rares moments du film où les barrières s'estompent et où l'instant se vit dans sa plénitude, sans formalisme de classe ni de genre. Osmose au fond de la nuit, entente entre deux cultures brimées qui rappelle les ingrédients de l'intimité, du partage que l'on retrouve dans la notion de « socialité élective » de Maffesoli (2000, p. 156-164).

Priscilla, comme road movie, genre de la route, est bien une mise en discours de l'éclatement de la frontière, de la liminalité. Le road movie actualise le discours du genre/gender (comme éclatement de la frontière, comme effacement d'une masculinité immuable, irréversible). Comme genre et technique, le road movie facilite la mise en crise d'une écriture de la frontière, confirmant l'ère du nomadisme, de la mobilité, du déplacement. Ainsi, il accompagne une thématisation de la problématique *gay* à laquelle sa technicité offre les moyens d'une écriture identitaire nuancée. En effet, comment qualifier ces êtres à la recherche d'eux-mêmes : des hommes ? des femmes ? Des êtres de la liminalité, dirait-on.

Au moment de conclure notre brève lecture de ce film monumental, rappelons ces propos de Marc Augé prononcés lors de sa conférence intitulée « Culture et déplacement » :

> La vie de la culture, sous quelque angle qu'on l'envisage, est animée par le déplacement qu'elle ne cesse d'effectuer entre les pôles extrêmes où elle ne se fixerait qu'au risque de se figer ou de se dissoudre, le conservatisme et le snobisme. Ce déplacement, c'est le double déplacement de soi vers l'autre et de l'autre vers soi, faute desquels il n'y a plus ni soi ni autre[9].

L'histoire des trois travestis montés à bord de Priscilla rappelle que la route est un moyen de souligner la culture éclatée actuelle, telle que l'envisagent les anthropologues postmodernes, c'est-à-dire la revendication d'une diversité éclatée où chacun aurait sa place tant qu'il tolère les autres et ne les opprime pas.

L'interculturalité prend le sens d'une altérité intérieure, qu'il s'agit d'accepter pour s'accepter. Parce que le road movie est fait d'un mouvement raconté vers l'inconnu, vers l'altérité, il porte une forte potentialité interculturelle. Or, la critique postmoderne pose comme l'une des premières formes altéritaires le jeu éclaté des formes subjectives du moi. Prendre en compte une telle donne, c'est vivre en harmonie avec soi-même, la première forme de tolérance étant celle qu'on a pour soi.

Plus qu'une simple mise en scène du nouveau nomadisme, le road movie, dans *Priscilla*, est un rapport entre l'espace et le temps que caractérisent définition identitaire et quête du bonheur. On dit souvent que la culture *gay* est passée de la nuit au jour à partir des années 1980. Priscilla évolue en sens inverse, dans une dynamique de confrontation pour aller au bout de soi. Voyager pour aller donner un spectacle (ou pour se donner en spectacle), c'est pouvoir réaliser le projet commun. Le réduit du bus résume et condense à la fois les vies des trois *gays* avant de les livrer, dans une forme unique, à l'adversité sociale. Mais chacune d'elles a une ambition, un rêve, un trajet personnel.

Celui de Felicia (escalader le King's Canyon en costume de scène avec des escarpins et paillettes de chez Gaultier) se réalise, mais c'est pour constater que l'immensité de l'espace ne finit jamais. Et pendant que Bernadette décide de tenter l'expérience d'une union avec Bob, Tick se rend compte qu'il peut vivre avec son fils (que sa mère a élevé dans le respect de la différence et de la vérité). Un *happy end* qui facilite le retour à Sydney et axiologise positivement la route comme facteur de rencontre de l'autre, comme de soi.

Université de Cocody-Abidjan

NOTES

1. Nous passons sous silence l'étymologie du métissage frappée du sceau de la corruption, de l'abâtardissement, de l'impureté pour le percevoir aujourd'hui comme une notion de tolérance.

2. Ces chapitres et les sous-titres que nous convoquons correspondent au découpage de la version DVD du film. Quoiqu'ils n'apparaissent pas sur la bande originale du film, nous les utilisons pour faciliter le repérage de scènes et de séquences dans le film, cependant que la coïncidence thématique entre leur formulation et le contenu filmique légitime et facilite cette exploitation.

3. L'escargot se déplace avec sa maison, dit l'adage. Le nomadisme moderne du road movie permet de voir comme une reprise des débats liés à la problématique du déplacement et de la survie.

4. Ainsi, certains critiques de la question homosexuelle, dont George Chauney dans *Gay New York, 1890-1940*, soulignent que la mauvaise réputation de violence pédéraste que l'on attache aux homosexuels est liée à la masculinité alors que ceux que l'on appelle les « tapettes » sont perçus comme des faibles par leur maniérisme féminin.

5. C'est nous qui traduisons.

6. Les *gay pride parades* (défilés géants organisés par les communautés homosexuelles pour s'affirmer) sont effectivement nommés « défilés roses ».

7. Par « néotribalisme », Maffesoli (2000) parle surtout des événements de masse (concert rock, rave party, disco) ayant lieu dans une société dite individualiste dans un contexte souvent urbain et hautement technologisé.

8. On peut ajouter à ce titre d'autres succès comme *It's Raining Men* des Weather Girls, *So Many Men, So Little Time* de Miquel Brown, *I Feel Love* de Donna Summer ou *Think* d'Aretha Franklin.

9. Pour l'avènement du nouveau millénaire, l'Université de tous les savoirs a organisé une série de conférences (366 en tout) parmi lesquelles on retrouve celle de Marc Augé, «Culture et déplacement», disponible sur Internet: < http://www.tous-les-savoirs.com/index.php >.

RÉFÉRENCES BIBLIOGRAPHIQUES

Baudrillard 1968: Jean Baudrillard, *Le système des objets*, Paris, Gallimard, 1968.

Cohan et Hark 1997: Steven Cohan et Ina Rae Hark (dir.), *The Road Movie Book*, New York/London, Routledge, 1997.

Chauncey 2003: George Chauncey, *Gay New York, 1890-1940*, Paris, Fayard, 2003.

Eribon 1999: Didier Eribon, *Réflexions sur la question gay*, Paris, Fayard, 1999.

Imbert 2004: Patrick Imbert, *Trajectoires culturelles transaméricaines*, Ottawa, Presses de l'Université d'Ottawa, 2004.

Laderman 2002: David Laderman, *Driving Visions: Exploring the Road Movie*, Austin, University of Texas Press, 2002.

Maffesoli 2000: Michel Maffesoli, *Le temps des tribus*, Paris, La table ronde, 2000.

Martel 2002: Frédéric Martel, *La longue marche des gays*, Paris, Gallimard, 2002.

Robertson 1997: Pamela Robertson, «Home and Away. Friends of Dorothy On the Road in Oz», dans Cohan et Hark 1997, p. 271-285.

ABSTRACT

The Road Movie and the Construction of an Intercultural Discourse: *The Adventures of Priscilla, Queen of the Desert*
Adama Coulibaly

The breakdown of the social body and the creation of a space and a *time of tribes* (Maffesoli 2000) are the signs of a decomposition and a recomposition of cultural worlds and the relations between them. Stephan Elliott's *The Adventures of Priscilla, Queen of the Desert* (1994) can be read as the staging of this social dynamic through the depiction of a peripheral culture—gay culture—within a typical genre: the road movie. This article attempts to read cultural issues through the prism of the road movie and its aesthetic and social constructions. In this film, gay culture is rendered on the road, but also is its relations with society. While the road movie makes it possible to allegorize the journey, it reveals above all the intercultural relations whose manifestations take the form of conflict but also of complementarity, whose forms and performances must be analysed in order to understand that, without a doubt, enquiring into this (inter) culture reveals the extent to which culture is sedimentary.

Road Sickness: The Case of Oliver Stone's *Natural Born Killers*

Ryan Fraser

ABSTRACT

The "violent" road movie is unique in the panoply of the genre. Under discussion here is Oliver Stone's controversial *Natural Born Killers* (1994), a piece that the director has described as a commentary on violence as the American social ill. Using this notion of illness, of organic pathology, as a central thematic node, the article proceeds to examine the violent modes of cultural mobility present in the film's themes, its narrative arc and finally, in its editing techniques. At the thematic level, Stone's equation of the cultural and the biological taps into modern currents of reflection on violence proposed by theorists such as Michel Foucault (1975) and Yves Michaud (2002). At the narrative level, Stone's killers are expelled like diseased bodies, consigned to the highways and back roads configuring the synaptic space between the fixed cultural centre that rejects them and the two emphatically mobile cultures that allow their malignancy to metastasize: an American frontier culture of human cast-offs and native nomads defined by the locomotion of the car, truck, trailer or caravan (Rapping 1999); and an international media culture that disseminates their image to the remotest corners of the globe. Finally, at the levels of cinematography and editing, an ethical question is asked with reference to the work of Baudrillard (1995): could the pathological "locomotion" prevailing in Stone's narrative be read in tandem with a cinematic "media-motion" that is equally pathological and violent? Does *Natural Born Killers* draw the spectator into a flux of images and sounds that is artfully constructed to offend, to induce sickness? Can a flux of images and sounds be pathological, violent or criminal?

Voir le résumé français à la fin de l'article

Oliver Stone's *Natural Born Killers* (1994) makes a spectacle of mass murder. A road film about two lovers on a homicidal spree, with the sensation-hungry media helping instead of hindering them, it follows in an American movie tradition of violent couples fleeing the law and murdering as they go—Arthur Penn's *Bonnie and Clyde* (1967); Terence Malick's *Badlands* (1973); Tony Scott's *True Romance* (1993). Like the characters of these previous films, Stone's Mickey and Mallory Knox are overblown caricatures. The type of violence that they perpetrate is one of Hollywood artifice at its most transparent, occurring at a hysterical pace and interspersed with surreal imagery intended to reveal what the viewer already suspects from the film's blunt title: these are natural born killers. Just what does Stone accomplish? Is this a postmodern vision of violence in American culture? Is it a morality tale or simply another action movie made to abuse the nerves? Such were the questions that divided critics—both in academe and the popular press—at the time of the film's release.[1]

It may have been an error to insist on finding a rational motivation behind this film when what makes it unique in the Hollywood repertoire, and invaluable in an academic exploration of the road movie genre, is most likely its pathos: specifically its expression of one of the deregulatory effects—and affects—of living in a violent culture. This is, quite plainly, "illness." Social violence equated with physical illness, with symptoms of nausea, with the insidious, creeping pathology of cancer, forms a thematic node or core that disseminates both in the discourse surrounding *Natural Born Killers* and in the film itself. The United States, Stone explains in an interview with Charlie Rose, suffers from a violence "metastasized" by the media, the police and the prison system: "Overkill has developed a loss of perspective. It is not just the media. It's the prisons, the police. We are all kicking in to the violence.... We're becoming metastasized... a cancer. The prevention elements are part of the committing elements." [2]

Out of this cultural illness, Stone would later insist, came an act of illness: "*Natural Born Killers* comes from those two years that I really felt disgusted; everything was coming up. I just felt sick, and I just expressed it as a kid would." [3] Stone has recourse to a potent biological metaphor to explain both the film's central theme and the technique underlying its editing.

The metaphor is intriguing and offers a line of enquiry into the film. First, how might this equation of the cultural and the biological tap into modern currents of reflection on violence? Second, how might it inform the modes of cultural mobility present in the film? Under examination here are three of these modes, the first two implicit in the film's themes and the third concerning itself with Stone's technique as a filmmaker. The Knoxes themselves exhibit two pathological modes of being in movement. As they travel down the highway in their Challenger convertible, the tabloid media follow in their wake, capturing and disseminating their image. This metastatic media-motion, with its alienating effect and trans-cultural sprawl, will be the first mode of mobility under investigation. The second is the Knoxes' locomotion, their actual physical displacement through the narrative arc. Stone portrays his killers as a diseased body expelled from the cultural centre, consigned to roam the periphery until it finally crosses into an inter-cultural space where it becomes disenfranchised, isolated and vulnerable. It is in this space that Mickey and Mallory have their moment of clarity and ultimately succumb, quite literally and physically, to the social ill that they personify. The third and final pathological mode of mobility concerns itself with the formal aspects of the film, with the media-motion generated by Stone's editing. Under scrutiny here is the film's flux of images and sounds, a flux that is at once a violent assault on the senses and an unspoken indictment against a criminality of a metaphysical order. This is the crime of "acting out," a term used by Baudrillard (1995) to indicate the pathological projection of the self through the techniques of cinematic and televisual media into a morally bankrupt "univers spectral et sans problèmes" (p. 61).

Cultural Violence in Biological Terms

> — Mickey Knox, when did you first start thinking about killing?
> — Birth, I was thrown into a flaming pit of scum forgotten by God... I came from violence. It was in my blood. My dad had it. His dad had it. It was just my fate.
> — No one is born evil. It's something you learn.

At the centre of this bit of prison interview between Mickey Knox, one of the film's killers, and a tabloid television host, seems to be confusion between the terms of the nature-nurture debate, or better yet an unwillingness to distinguish between them. Is the propensity for violence genetic? Does it emanate from within? Or is it more like a virus that slips in from the cultural outside? Mickey seems to affirm both hypotheses at once, or perhaps to reject the question as futile. A violent culture, he explains, invades the blood at the moment of birth and integrates at the cellular level, becomes a genome passable from father to son. There is no point in drawing a distinction between nature and nurture, for the behaviour is assimilated so rapidly and at such a foundational level of character that it becomes the subject's nature either way. The interviewer, for his part, is quick to re-establish the normative line: nobody is born evil. Violent behaviour is learned, an illness impinging from without, one that can be managed, controlled, perhaps cured by proper rehabilitation.

This simple exchange of views, directed towards a tabloid television audience, nevertheless points up important trends in modern scholarship addressing the questions of culture, criminality and violence. Mickey identifies himself ontologically with his violent culture, which he equates quite simply with natural law. There is no conflict for him, but rather a symbiosis between nature—as killer red in tooth and claw—and her most natural offspring: "It's just murder, man. All God's creatures do it in some form or another. I mean, you look in the forest, you got species killing other species.... The wolf don't know why he's a wolf; the deer don't know why he's a deer. God just made it that way." The interviewer, on the contrary, thinks in clinical terms. A violent culture is a pathological environment that the subject assimilates through defective relationships forged in any number of socio-cultural spheres. What this brief exchange reveals, to sum up, is a conflict between a view of essentialist evil and the clinical view of the subject "pathologized" by violent culture.

This syntagm between essentialist and clinical conceptions of violent behaviour is at the centre of Foucault's reflection in *Surveiller et punir* (1975) and in his subsequent seminars at the

Collège de France (1997), where he takes Hobbes's political philosophy to task.[4] Violence and criminality, he suggests, have been the subject of a global and democratic re-thinking in modern culture. The essentialist absolutes of good and evil that prevailed until modernity, as well as Hobbes's notion that power relations in the social realm describe a linear movement downward as the stronger impose their will upon the weaker, have been replaced with a clinical and diagnostic mode of thinking and a conception of society as bio-political whole, an organic system in which aggressive relations of dominance and submission play out at the most diffusive, capillary levels. Criminal violence, in other words, is now seen as a pathology circulating in the living tissue of the social. The role of institutions such as the police and the prisons is to diagnose, treat and ultimately contain it, perhaps forcing it into latency and remission. They cannot hope to eradicate it, however. Yves Michaud (2002, p. 217) follows the thread of Foucault's thinking to its open ended conclusion: "Le social est traversé et pénétré par la violence et on ne peut plus se raccrocher à une miraculeuse perspective eschatologique pour échapper à cette situation. Il faut se résoudre à un monde social et politique habité par la violence, polarisé par les stratégies de pouvoir et la stratégie tout court."

How might this biological metaphor be conducive to the type of violent road movie that is *Natural Born Killers*? Put more simply: why a road movie about a killing spree? An answer may well be Stone's choice of the word "metastasis." He uses it to posit violence, the American social ill in terms of an aggressive, destructive mobility, and in this sense it could very well intersect with the notions of "mobility" and "transfer" implicit in the road movie genre. "Metastasis" means "transfer"—from its root in the Greek "methistanai" (to remove or change place) to its sixteenth-century rhetorical sense of a "rapid shift from one point to another" to its modern pathological sense of malignant spread. A metastasis involves a body abandoning its docile state and becoming pathological. It mutates, disjoins and roams through the system, destroying healthy tissue. The pathogen's destructiveness is tied to its flight, its dislocation and movement. Its containment, on the contrary, is tied to the restoration of stasis—the cancer is localized and excised, or it is immobilized through radiation and chemotherapy; the criminal is localized, arrested and either held under surveillance in prison or diagnosed and subjected to rehabilitative treatment. The type of violence perpetrated by Mickey and Mallory Knox is one that can only be sustained "in transit." Olivier Mongin, in *La violence des images* (1997, p. 34), characterizes their particular mode of being in transit as a "fuite en avant." The killers flee forth, forever outpacing and outdistancing the institutional forces that would neutralize them, restore them to stasis.

Metastatic Media-motion, or the Killer as Television Nomad

"The prevention elements are part of the committing elements," were Stone's words to Charlie Rose. The institutions that once contributed to the resilience of the social tissue, that were once instruments of repression, are now abetting the proliferation of violence. Of all these institutions, it is the television media that get the lion's share of criticism in *Natural Born Killers*. As Mickey Knox and his wife Mallory flee forth, tabloid television scavenges along behind, reporting their every move to a worldwide television audience. In this important sense, the killers' mobility describes not only a south-bound vector from Texas to New Mexico, but also a globally diffusive one carried by electronic signals through the ether. Their actual physical displacement will be discussed shortly. Under examination first, however, is this metastatic media-motion. How does it represent the Knoxes? How does it disseminate their image inter-culturally in a swath from the United States to Europe to Japan?

The media, Elayne Rapping (1999) suggests with reference to the biological metaphor set out by Foucault, enter into one of two possible relationships with violent social behaviour. The first type is designed to vilify and cast criminals out. The media represent violence as a disease pervading the social tissue. The disease, however, is also terminal, untreatable and impinging from a place forever on the outside of so-called "normal society." Infected by a cultural environment that is essentially alien to well-socialized people, violent perpetrators are portrayed as irredeemably other, as monsters or freaks (p. 256). Violent crime—

like African killer bees or the Asian bird flu—is something exotic, always generated by cultural circumstances beyond those of the law-abiding, always impinging upon the latter along vectors that must be tightly controlled.

In this paradigm of representation, violent criminals are essentially nomads. The deserted strip of highway where they are pulled over by the state trooper, the fleeing automobile out of which they are summoned or forcibly removed, the trailer that they call home, the way station, gas pump or roadside diner where they steal, kill or incite a brawl: these are their landmarks. It is the paradigm fostered by *echt-vérité* tabloid television series such as *COPS* and *America's Most Wanted*, series that reinforce the incorrigible otherness of their subjects by expelling them into the fringes of society to offend randomly. They are monsters, explains Rapping (1999, p. 257), because they are deliberately situated in a "political imaginary... far from any community in which traditional family life might thrive.... This is a landscape of highways, strip malls, trailer parks, and convenience stores, where churches, schools and office buildings—the institutions that make up normal society—have no place."

The places listed by Rapping—highways, trailer parks, roadside *cafés*—are precisely those of transfer, where Mickey and Mallory Knox move, commit their crimes and are aggressively pursued by the press. Tabloid journalist Wayne Gale follows them from one crime scene to the next with a television van, a hand-held camera and a microphone. Framed by nothing but an endless, deserted highway, he provides his running commentary on their crimes and stages mock re-enactments. The latter have an over-hyped, circus-like quality, the actors a baroque assemblage of movie stars, famous athletes and unwitting extras. Gale manufactures interviews with the absurd denizens of this outer-space: overfed truckers and cowboys, suspicious-looking loiterers, scantily clad waitresses, police officers who appear to be on the wrong side of the law. What results is a television news program that delivers both a comforting reassurance and a threat: the reassurance that these killers are not like you or me, that they circulate in a counter-culture of aliens and misfits; and the threat that both they and their counter-culture are forever pressing on the limits of normal society. *They may be headed to your community next* is the implicit message of each episode.

Stone makes singular cinematic use of these barren landscapes of transfer, transforming them periodically into whirling dream pools where violent images springing from the characters' memories, desires and emotional states stream by in a nauseating flux. In other words, this alien space outside of culture is periodically re-cast by Stone as his characters' subjective inner space, one that consistently and compulsively interrupts the narrative arc in a way that imitates the channel surfing of commercial television. Marsha Kinder comments on this dual mobility constructed by Stone. At times the killers in their automobile are seen travelling the no-man's-land of the interstate highway. At other times they and their automobile are "strangely suspended (usually at a slanted angle and with artificial lighting) in front of a fake dream screen on which a wild *mélange* of images from their cultural and personal reservoir of memories is rear-projected" (Kinder 2001, p. 77). The monstrosity of the outer landscape as framed by Gale's television camera parallels that of Mickey and Mallory's inner landscape, which Stone himself frames as a composite of galling television images.

There is a second type of relationship between the media and violent social behaviour, however, and it is particularly apt for describing the type of malignant media-motion that broadcasts the killers' image inter-culturally, making them a global phenomenon. This second type perverts the tenets of the Foucauldian bio-political paradigm by over-extending them in their natural direction. One of the effects of the modern clinical view, suggests Rapping (1999), has been a democratization of criminal behaviour. Everyone is susceptible to transgress violently much like everyone is susceptible to the flu: "Murderers, muggers, inner-city drug dealers, and gang members are very much like us, only they have given in to their dangerous and antisocial impulses." Rapping examines television series such as *Law and Order*, where the criminals are portrayed as acting on "emotions that we all share but manage to keep in check." One of the criteria of shows such as these is the explicability of criminal behaviour: "'Who dunnit?' is answered with sociological, psychological, and moral analyses that make sense to us all" (p. 255). Reading and understanding the criminal's motivation and *modus operandi* is like reading and understanding the symptoms of a documented illness. Criminal behaviour in social systems is henceforth identifiable with organic pathologies occurring and recurring within biological systems. The media represent these criminals as integrated within the same system as normal, well-behaved citizens: "The city, from its highest social reaches to its lowest, is portrayed as an organically unified community in which all members, regardless of race, class, or gender, share a common human nature," Rapping remarks (p. 254).

"In the perverse manner of modern times," Stone says of his characters, "they become pop heroes... because people relate to them... because they feel the same way about their own lives." [5] Foreseeable here is a mode of media representation that takes this propensity to identify with the criminal to a pathological place. The media can exchange the cloak of abomination for an aura of desirability, can represent the criminal as a figure of adulation. Homicide becomes the ritual sacrifice performed by the romantic hero striving to slough off the bonds of a repressive system. The hero is identified at the beginning of his or her trajectory as human, but gradually evolves in the public eye to something higher, "super-human." Indeed, Stone's characters finish by entertaining delusions of *grandeur*: "You'll never understand, Wayne. You and me, we're not even the same species. I used to be you, then I evolved. From where you're standing, you're a man. From where I'm standing, you're an ape."

How does this fame-seeking mode of media-motion manifest in terms of inter-cultural mobility? First of all, it makes the malignancy of American cultural violence global. Stone cuts regularly to street interviews in London, Paris and Tokyo, where fans hail Mickey and Mallory as heroes, inscribing them in the pantheon of American movie celebrity. Inexplicably, during Mickey and Mallory's arrest at a remote highway pharmacy, a Japanese news reporter is on the scene communicating the details of their arrest live, in Japanese, to Tokyo. The most obvious effect of this global cult of American violence is a pathological homogenizing of youth culture, which increasingly marches to Hollywood's drum. Kinder (2001, p. 76) describes this media-motion as an agent corroding inter-cultural differences:

> What does it mean to grow up in a culture that is saturated with a constant flow of violent images from personal memory and media and constantly remixed into new kaleidoscopic combinations? This question is seen with respect not only to the film's notorious outlaw couple... but also their legions of teenage fans all over the world, who are increasingly homogenized by the same corrosive images.

The "corrosion" in question is that of inter-cultural difference. Despite their nations and languages of origin, these youths are carbon copies of each other in their American dress, their mannerisms and their aspirations to follow in the footsteps of their heroes.

This corrosion of inter-cultural difference is of course tied to notions of American cultural hegemony, and ultimately to colonial expansion. More than one scholar has interpreted the killers' mobility as Stone's homage to the American killer/warrior, whom he identifies with certain potent cultural *ethoi*. The road movie apparatus, designed for rapid mobility, mass murder and global media dissemination, is equated with the apparatus of conquest in colonial times. The Knoxes, in their automobile, become the perverse, postmodern machinery of Manifest Destiny. According to Jane Caputi (1999, p. 153), "*Natural Born Killers*... delivers a conventional sermon about the beauty, erotic thrill, freedom, masculinity, and sacred character of American violence." Stephen Schiff (1994) likens Mickey and Mallory to American colonists slaughtering their way westward. They are the courageous Indian killers of old. In the film's opening credits, Cara Mariana (quoted in Caputi 1999, p. 153) observes, they can be seen in their Challenger convertible "crashing unconcernedly through a series of signs that read 'Road Closed.'" Around their automobile flash images of galloping horses foaming at the mouth, and indeed at a crucial turning point in the film, they do murder a native. "In *Natural Born Killers*," Mariana concludes, "the doctrine of Manifest Destiny, which inspired and justified the conquest of the land and indigenous people of North America, is turned inward... to conquer the human spirit and soul."

Metastatic Locomotion, or the Killer as Ailing Nomad

The second mode of malignant mobility under examination is that of Mickey and Mallory's actual physical displacement through the narrative arc. Malignant pathologies need a propitious culture to survive. They inevitably fail once the culture that compels and sustains them is removed or radically altered. For Mickey and Mallory, this propitious culture is a North American modernity defined by the freedom of the road and the automobile, by mass media saturation, and by a premium placed upon violent modes of transcendence. The turning point in the film is where the killers cross an inter-cultural boundary, conflict with a foreign people and way of life that isolate them, and turn their "fuite en avant" into a reflexive self-questioning and ultimately a pathological self-devouring. This conflict with the cultural other leads them for the first and only time in the film to a certain wisdom regarding their own nature and to a sincere sentiment of guilt and self-doubt.

Their illness manifests in a subtle evolution. First they lose their pursuers. The towns that they traverse on the edge of the desert are strangely without media presence or police protection. "Is there such a thing as a copless town?" asks Mallory. Then they lose their orientation and deadly focus and begin driving in circles in the middle of the desert. Frustrated at being lost, Mickey lashes out at his wife with the same epithet that he had killed Mallory's father for using: "All I see is desert... Turn left! Turn left to what, *you stupid bitch!*" While they quarrel, they run out of gas and their automobile comes choking to a halt. Disoriented and nauseous, Mickey stumbles out of the car and vomits while Mallory continues ranting. They set off together on foot and eventually find themselves surrounded by Native American sheepherders. From automotive modernity, the killers are suddenly thrown back into a nomadic culture where the car reverts back to walking and the highway to grazing land.

The pivotal scene begins when they knock on the door of a Navajo shepherd's hut and ask for gasoline. Here they experience a failure of the most rudimentary of communicative channels, language itself—not to speak of the smooth technological channels of communication that allowed them to spread their criminality to the four corners of the globe. Neither the Navajo nor his young grandson speaks English, so they are reduced to an exchange of simple gestures, which includes the invitation to take food and shelter. Having lost a son in Vietnam, the Navajo himself is hard bitten by violence. He is the figure of the reclusive misanthrope who has retreated both geographically and psychologically to the horizon of a culture that he abjures, "horizon" both in the sense of a vantage point just beyond the outer limit, and of expectation and prophecy. The Navajo is appropriately named "red cloud," and indeed he acts as a specular surface in which modernity can see both its pathological present and its doomed future. Mickey and Mallory see themselves here for what they are and become illuminated with the signs of their pathology. Alternately, the words "sick," "sad," "ghost" and "demon" flash across their chests as they eat in uncomfortable silence across from their host. The young boy looks at Mallory and asks his grandfather in Navajo:

— Is she crazy?
— She has sad sickness. She is sad, lost in a world of ghosts.
— Can you help them, Grandfather?
— Maybe they don't want to be helped.

The killers sense through this contact with the impervious other the weight of their own crimes. "You feel demons here, Mallory?" Mickey asks. "I think we're the demons," Mallory replies. That night while sleeping, Mickey has a fever dream about his violent father. In a reflexive, half-conscious gesture of defence against this ghost from his past, he grabs his rifle and murders the Navajo.

This is the intolerable transgression: "You are dead!" Mallory cries out, "You killed life! He took us in there! He fed us!" Following its nature, the pathogen has destroyed the host life which sustains it. For the first and only time in the film, the protagonists are struck with remorse and self-loathing, and they get a taste of their own poison, quite literally. Stone exercises a rather commonplace, yet no less effective, type of poetic justice. He sends his killers stumbling out of the Navajo's hut and into a pit of rattlesnakes. From here, they begin their self-devouring gesture; the malignant body succumbs to its own pathology. Poisoned, feverish and vomiting, they manage to steal a truck and drive on blindly until they come across a pharmacy. Stone suffuses the edifice in green light—the colour of sickness—in order to force his characters' medical crisis to the fore. Before they can find anti-venom, however, an employee trips the alarm and the police arrive. The scene outside the pharmacy is eerily reminiscent of the snake pit. In the latter, nature's mechanisms of defence and repression surround and strike at the killers. Now it is society's antibodies, state troopers, which surround and strike at them with stun guns and billyclubs. The killers are beaten into submission and brought to jail.

The following questions were raised at the beginning: Is this a postmodern take on violence in American culture, or is it a morality tale? The first tenet of postmodern thought is the fundamental instability of all epistemological and ontological constructs. Torturous suspension, a lack of closure, is its hallmark. What cannot be overlooked, however, is that in Stone's film a most traditional, Biblical episteme is evoked: the Cain and Abel myth. Those who are born evil are cast out to roam in the Land of Nod ("Wandering"). Mickey and Mallory's physical displacement through a world of highways and strip malls could be interpreted as a form of atonement or expiation (Mallory murders her family; they both murder an Abel figure in the character of the Navajo shepherd, and are genuinely remorseful for it). It appears, then, that *Natural Born Killers* conforms to an Old Testament view of morality, and in this sense provides a type of closure in the formula of the morality tale.

However, there are also many fundamental points of disjunction from the Cain and Abel parable. Mickey and Mallory's remorse over the Navajo's death is in the end fleeting and superficial, and they return ultimately to their homicidal "fuite en avant." Cain's transgression is marked by self-consciousness and remorse. In the Old Testament account (Genesis 4-16), he hides his face from the world. Mickey and Mallory do the diametric opposite. It is by mobile mass murder that they show their face to the world both literally and figuratively, that they establish their presence. Cain's transgression is a submission to impulses that he knows to be "savage" and "base." The Knoxes are convinced that their ability to prey randomly upon humanity is a sign of divinity. It is perhaps this paradoxical co-existence of the Biblical parable along with everything that overtly contradicts it that allows us to consider *Natural Born Killers* as Stone's inversion of the Cain and Abel parable, one that satisfies an American cultural need for closure while remaining at the same time appropriately, and in a "postmodern" way, unresolved.

The biological metaphor of the malignant and mobile pathogen—as invoked by Stone and developed with reference to Foucault—is better able to account for both Mickey and Mallory's temporary submission to remorse and for the subsequent recovery of their metastatic mobility. For their trial, conviction and prison sentence constitute only a temporary remission. They regain their strength and effect yet another violent disjunction. Helped by media-induced adulation, they succeed in inciting a riot, escaping from prison and "hitting the road" once again. As pathogens, they are now more resilient for having resisted the organism's repressive measures. They invade the tissue at a more insidious level and proliferate. The killers have gone underground, and as the credits roll, the spectator sees the inside of a Winnebago full of children, all under the watchful eye of a very pregnant Mallory.

Media-motion Sickness: Violence and the Image Flux

The third and final mode of malignant mobility concerns itself with the media-motion generated by Stone's editing. "Media-motion" describes the situation where the subject, in the relatively immobile—although by no means passive—stance of spectator or auditor, attends the unfolding of a motion produced by the media. In this particular case, it would describe the relationship between the seated spectator and the flux of images and sounds produced by Stone's film. Here arises the question of a possible parallelism between the notions of loco-motion (or human mobility as it is represented thematically in the road movie) and media-motion (or the mobility implicit in cinematic projection itself). Could the violent and pathological locomotion forming Stone's thematic parallel an equally violent and pathological media-motion artfully constructed to offend, to induce sickness? Can a flux of images and sounds be patho-logical, violent or criminal?

One could easily get a visceral sense of an editing style that Stone himself has described as bulimic. The typical Hollywood motion picture, in its temporal unfolding, counts well under five hundred cuts paced over two hours. *Natural Born Killers* compresses over three thousand cuts into the same time frame. The typical picture attempts to conceal its cuts, to make them flow seamlessly together in service to the narrative. *Natural Born Killers*, on the contrary, makes them brashly explicit by inter-spersing heterogeneous and non-diegetic film shots into the sequence, some at near subliminal speed. The same principles of profusion and disparity also apply to Stone's shot composition, which makes a "vertigo" of Sergei Eisenstein's (1987) principle of "vertical montage." Playing with rear projection and digitally superimposed graphics, he stacks single frames with multiple contrasting image and sound tracks unfolding synchronically. When all of this is combined with the constant canting of cam-era angles and the rapid shifting of colour schemes and film stock, the overall effect is nothing short of a motion sickness induced by visual and acoustic over-stimulation. Eisenstein was an advocate of the single shot composed of multiple layers of contrasting elements. Stone, in this film, forces this principle to an extreme.

Equating this image flux with the violent mobility of the film's themes, however, requires a step beyond this sort of impressionistic "gut response." Olivier Mongin makes an attempt in this direction, suggesting a connection between cul-tural violence and the image by way of the Foucauldian think-ing discussed earlier. The latter, just to recall, posits violence as a pathogen pervading the social tissue at the capillary level, one subject to positivist modes of diagnosis and repression.

Violence, in other words, has evolved from an essentialist to an existentialist conception. It has entered, Mongin suggests, a "deuxième âge" where it can no longer be framed in static dichotomies like good and evil, or in the socio-political contexts that justify its escalation. Violence just *is*. "Un état de nature," it forms a continuum with all conceivable types of natural flux, including that of the cinematic image:

> La violence "à l'état de nature" ne connaît ni origine ni fin. Ce premier constat invite à comprendre un double phénomène: le rapport entre le flux de la violence et le flux des images.... Quand la violence apparaît brusquement comme une déferlante et s'emballe indéfiniment, l'image du flux s'impose: elle exprime l'indé-termination de l'état de nature. En ce sens, il n'est pas interdit de voir un lien entre le flux des images visuelles.... et le flux indiffé-rencié de la violence.... On est d'emblée pris dans la violence, on n'y tombe pas, on n'y chute pas, la violence est déjà là.... Tel est le nouveau "cercle de la violence," une violence "tourbillonnante" dont on ne peut sortir (Mongin 1997, pp. 28-29).

The all-permeating and self-sustaining mobility of the new violence meets an art form created out of the permeation of light through film stock and the self-sustaining mobility of twenty-four frames per second. The locomotion of Stone's roaming killers now seems to find its most suitable expression in a vertiginous media-motion that, like the new violence itself, "apparaît brusquement comme une déferlante et s'emballe indéfiniment."

Criminalizing Media-motion: Baudrillard

Mongin's metaphor—and of course it is just that—has a certain appeal, especially in the context of the violent road movie, where the pandemic "déferlante" of roaming violence is free to associate not only with the cinematic image flux, but perhaps as well with the spinning and un-spooling film reel, and further still with the spinning wheel of automotive locomotion. One can follow this path of associations as far as one wishes, but it would seem that any substantial connection between violence and the cinematic image would necessarily involve a questioning, an accusation, perhaps even a criminalization of the filmmaker's motivation and his medium. Is there something "criminally violent" in Stone's bulimic motivation—"everything was coming up. I just felt sick, and I just expressed it as a kid would"—or in the medium through which he purged his illness?

Stone refers to his directorial style as a vomitus, a predominantly intuitive projection of the self through the techniques of the cinematic medium. There is a connection here between this admission by Stone and what Baudrillard (1995) has referred to as "le crime parfait." For Baudrillard (2000, p. 63), this act of purging oneself through technical media, or of losing oneself in motion created by media, constitutes a crime against the Real, which he posits as a vital illusion:

> For reality is but a concept, or a principle, and by reality I mean the whole system of values connected with this principle. The Real as such implies an origin, an end, a past and future, a chain of causes and effects, a continuity and a rationality. No real without these elements, without an objective configuration of discourse.

What humanity considers real, in other words, is a constellation of concepts sustaining a delicate illusion. For this reason, he calls it "the concept of the Real."

This concept of the Real keeps humanity at a safe distance from what he calls the "perfect reality," which is non-continuity both rational and temporal, which is in fact the non-entity of a universe that he casts in atomistic terms, as nothing more than pure mobility, pure energy flux. The virtual landscapes that modern media create are made to unmoor—Baudrillard goes as far as to say "to murder"—the concept of the Real and to bring humanity closer to this perfect reality, which is beyond conception, an "ex-terminate" reality—for all intents and purposes an oblivion. The artist expressing himself through his or her technical medium, or the spectator in thrall to it, is in fact expelling him or herself toward a "horizon de disparition," that of both the concept of the Real and the self. "C'est se projeter dans un monde fictif et aléatoire, qui n'a d'autre mobile que cette violente ab-réaction à nous-mêmes" (Baudrillard 1995, p. 60). Baudrillard evokes this enthrallment and expulsion in terms of the same nauseous metaphor that Stone uses to describe the motivation of *Natural Born Killers*. He calls it "acting out," "l'éjection la plus radicale, le rejet quasi biologique," of the self "dans d'inombrables prothèses techniques" (p. 60).

In "acting out," the subject extends naturally into the virtual worlds in which he or she loses him or herself. In his convulsive creative outpouring, Stone extends himself into a film that makes an ostentatious display of its cinematic technicity. More importantly, he makes his characters "act out," he extends their bodies into and through the technicity of the virtual world into which they have irremediably expelled and lost themselves: that of commercial television. Mickey and Mallory are wraiths, lost in a television world that they no longer distinguish from reality, expelled into a superconductive ether of static signals and erratic channel-surfing. The reason for their hollowness and cartoon-like quality is Stone's deliberate strategy of making them virtually indistinguishable from tabloid television characters. He casts their tragic childhood as an absurd television sitcom. He punctuates their trajectory with all manner of meta-discursive signals—channel switching, Coca-Cola commercials and docile families watching them on their living room televisions—indicating that they have very much become part of this virtual world from which they have long alienated themselves.

It is a world where they have found a comforting refuge from morality, from any sentiment of guilt or remorse. Baudrillard levels an indictment against virtual worlds, not only those of television but of cinema as well, projected in all of its "fascinating"—in the sense of riveting or transfixing—mobility across vast screens in the solitude of dark theatres. Bound up in the concept of the Real are the anguish-causing dichotomies of good and evil, right and wrong, self and the other, subjectivity and objectivity. Media-motion can erode the structures permitting the identification of these dichotomies, which are alone responsible for stigmatizing violent urges and confining humanity to an ethos that abjures criminal behaviour:

> Car le concept de réalité, s'il donne force à l'existence et au bonheur, donne encore plus sûrement force de réalité au mal et au malheur. Dans un monde réel, la mort aussi devient réelle, et sécrète un effroi à sa mesure. Tandis que dans un monde virtuel,

nous faisons économie de la naissance et de la mort, en même temps que d'une responsabilité tellement diffuse et accablante qu'elle en devient impossible à assumer. Sans doute sommes-nous prêts à payer ce prix pour ne plus avoir à exercer perpétuellement cette tâche écrasante de distinguer le vrai du faux, le bien du mal (Baudrillard 1995, p. 62).

Explicit here is a signal ethical disconnect on the part of those who vent their anguish in virtual worlds. Stone, who accuses his characters—and of course through them American culture—of this disconnect, has been obliged to defend himself against those who accuse him of it as well. After all, he himself admits having expelled himself in the virtual world of his own film. Ironically enough, in his film Stone delivers an indictment against the artificial world of television and its nefarious effects, yet he uses the artificial world of cinema as a loophole to escape indictment himself. This is only a movie, he contends to Charlie Rose, mere artifice. The pertinence to Baudrillard is perhaps most striking here. In the artifice of media-motion lies the crime, Stone argues through his vicious killers. Yet in this same artifice lies the exoneration from ever having to assume responsibility, he insists when confronted about his own acting-out.

Stone's film, with its Hollywood sensationalism, nevertheless offers up a nexus of themes—criminality and violence, illness and mobility—susceptible to analysis at a number of intriguing levels. At the socio-cultural level, it suggests an interface with Foucauldian thinking on criminality. At the narrative level, it informs the malignant and therefore self-defeating locomotion of the killers on their homicidal spree. Finally, at the metaphysical level, it suggests a potential indictment against the media-motion of television and cinema. It is perhaps at this last level that the contribution of this dark film is best measured. Created to accuse the virtual world out of which it is itself composed, it must necessarily commit the same crime that it condemns and then find a way to artfully extricate itself from criticism. Whether he justifies this paradox by calling his film a hyperbolic satire reminiscent of Swift, or whether he resorts to the Baudrillardian loophole where the virtual world is at once the crime and its exoneration, the very fact that Stone must have recourse to this reflexive and self-critical gesture—one that hooks into complex currents of reflection on criminality, violence and the metaphysics of the media-generated image—takes him and *Natural Born Killers* beyond the realm of the one-dimensional action film. It is perhaps fitting that the judgment of this unique film remains torturously suspended, unresolved, like the fate of the characters themselves, who persist in their mobility long after the closing credits.

University of Ottawa

NOTES

1. See Barker 1995, 1995a, 1995b.

2. Oliver Stone, from a television interview with Charlie Rose on *The Charlie Rose Show*, 16 August 1994.

3. Oliver Stone, from an interview with Charles Kiselyak, *Chaos Rising: The Storm around Natural Born Killers*, Pioneer Entertainment, 2001.

4. If I have chosen French (instead of American) theory to read *Natural Born Killers*, it is because it uses biological and pathological metaphors in its discourse on criminality and violence within social systems. Because the present article springs from Stone's use of the same metaphor to justify this film and describe its creation, theorists such as Foucault, Michaud and Baudrillard seemed a natural choice. It has been pointed out to me that *Natural Born Killers* may be one of a number of Hollywood films from the 1990s (*The Matrix, The Truman Show, Wag the Dog*) tailor-made both to confirm and be validated by Baudrillard's theories. As such, they may exist with Baudrillard in a closed dialogue that does not speak to American cinema at large. The point is valid and accepted with gratitude although the extent of Baudrillard's influence on these films and on *Natural Born Killers* in particular is difficult to ascertain.

5. Cited from the director's commentary accompanying the film.

BIBLIOGRAPHICAL REFERENCES

Barker 1995: Martin Barker, "Violence," *Sight and Sound*, Vol. 5, no. 6, pp. 10-13.

Barker 1995a: Martin Barker, "Violence and Make Believe," *Sight and Sound*, Vol. 5, no. 7, p. 64.

Barker 1995b: Martin Barker, "Violent Critics," *Sight and Sound*, Vol. 5, no. 8, p. 64.

Baudrillard 1995: Jean Baudrillard, *Le crime parfait*, Paris, Galilée, 1995.

Baudrillard 2000: Jean Baudrillard, *The Vital Illusion*, New York, Columbia University Press, 2000.

Caputi 1999: Jane Caputi, "Small Ceremonies: Ritual in *Forrest Gump, Natural Born Killers, Seven*, and *Follow Me Home*," in Christopher Sharrett (ed.), *Mythologies of Violence in Postmodern Media*, Detroit, Wayne State University Press, 1999, pp. 147-175.

Eisenstein 1987: Sergei Eisenstein, *Nonindifferent Nature*, Cambridge/New York, Cambridge University Press, 1987.

Foucault 1977: Michel Foucault, *Discipline and Punish: The Birth of the Prison*, trans. Alan Sheridan, New York, Random House, 1977.

Foucault 1997: Michel Foucault, *"Il faut défendre la société." Cours au Collège de France (1975-1976)*, Paris, Seuil/Gallimard, 1997.

Kinder 2001: Marsha Kinder, "Violence American Style: The Narrative Orchestration of Violent Attractions," *Violence and American Cinema*, New York, Routledge, 2001.

Mariana 1996: Cara Mariana, *Initiatory Themes in Popular Film: The Mythic Roots of a National Destiny*, unpublished master's thesis, University of Mexico, 1996.

Michaud 2002: Yves Michaud, *Changements dans la violence. Essai sur la bienveillance universelle et la peur*, Paris, Odile Jacob, 2002.

Mongin 1997: Olivier Mongin, *La violence des images, ou comment s'en débarasser*, Paris, Seuil, 1997.

Rapping 1999: Elayne Rapping, "Aliens, Nomads, Mad Dogs, and Road Warriors: Tabloid TV and the New Face of Criminal Violence," in Christopher Sharrett (ed.), *Mythologies of Violence in Postmodern Media*, Detroit, Wayne State University Press, 1999, pp. 249-263.

Schiff 1994: Stephen Schiff, "The Last Wild Man," *New Yorker*, August 8, 1994, pp. 40-55.

RÉSUMÉ

Mal des transports : le cas de *Natural Born Killers* d'Oliver Stone

Ryan Fraser

Le road movie à caractère violent occupe une place unique au sein du genre. *Natural Born Killers* (1994), le film controversé d'Oliver Stone dont il sera question ici, se présente, aux dires du réalisateur, comme un commentaire sur la violence en tant que véritable « mal social » de l'Amérique. À partir de cette notion de maladie, de pathologie organique, cet article se propose d'examiner les différents modes de mobilité culturelle engrangés par cette violence, à la fois dans les thèmes du film, dans sa trame narrative et dans son emploi du montage. Sur le plan thématique, le rapprochement qu'effectue Stone entre le culturel et le biologique fait écho aux réflexions modernes sur la violence, entre autres celles qu'ont proposées Michel Foucault (1975) et Yves Michaud (2002). Sur le plan narratif, les assassins, tels deux corps malades, se voient confinés aux autoroutes et aux ruelles, qui configurent l'espace synaptique entre un centre culturel les rejetant et les deux cultures foncièrement mobiles grâce auxquelles le cancer qui les habite pourra se répandre : d'une part, une culture de l'Amérique frontalière, celle des laissés-pour-compte et des nomades, définie par le déplacement des voitures, camions et autres caravanes (Rapping 1999) ; d'autre part, une culture médiatique internationale qui dissémine l'image des tueurs aux quatre coins du globe. Enfin, le traitement de l'image et du montage soulève une question qui fait référence au travail de Baudrillard (1995) : cette locomotion « pathologique » qui prévaut dans le récit de Stone ne témoigne-t-elle pas d'une médiamotion tout aussi pathologique et violente ? *Natural Born Killers* cherche-t-il à plonger le spectateur dans un flux d'images et de sons savamment construit de manière à l'offenser, à lui transmettre une maladie ? Un flux d'images et de sons peut-il devenir pathologique, violent, voire criminel ?

Le road movie interculturel comme voyage mystique : *Le voyage* de Fernando Solanas

Walid El Khachab

RÉSUMÉ

Le voyage de Fernando Solanas est un road movie interculturel oscillant entre deux tendances opposées : souligner la diversité et la multiplicité irréductibles, et penser l'ultime unité au sein d'une même culture. Les images montrent l'extrême diversité géographique, ethnique, sociale et culturelle de l'Amérique latine, à travers le voyage du jeune Martin qui parcourt le continent sud-américain à la recherche de son père. La transparence du montage participe d'une utopie de l'homogénéité, renforcée au niveau narratif par l'unicité du thème de la quête du père. Cependant, l'hétérogénéité des espaces filmiques et la narration épisodique introduisent tension et hétérogénéité au sein du film. Ainsi, *Le voyage* réunit deux tendances majeures du genre road movie : la construction d'une utopie de l'unité nationale, grâce à la mystique de la nation imaginée, et la production d'une dystopie critique, soulignant les tensions, diversités et discontinuités.

For English abstract, see end of article

Unité et multiplicité

Le voyage (*El Viaje*) de Fernando Solanas se rapporte génériquement au road movie et en particulier au road movie interculturel. Le « moteur » narratif du film est celui d'autobus, de camions, d'automobiles, de bateaux à moteur, à défaut de quoi, bicyclette et marche à pied portent le mouvement, montré par une caméra qui arpente alternativement routes, espaces urbains et autres sites vierges d'Amérique latine. Ce « film de la route » montre l'extrême diversité culturelle du continent sud-américain et, par son agencement des images et des espaces, il produit un effet interculturel. L'oscillation du film entre les deux pôles de la réflexion sur l'interculturel permet de souligner ici la diversité et la multiplicité irréductibles et de penser l'unité ultime des éléments divers ; laquelle oscillation ne manque pas de rappeler l'une des devises des États-Unis, soit *E pluribus unum*.

En effet, dans *Le voyage*, il existe un double mouvement révélant la diversité mais tendant vers l'unité des cultures sud-américaines célébrées par le réalisateur argentin. René Prédal (2001, p. 184-185) décrit ce mouvement dans les termes suivants :

> Se déroulant sur cinq pays — Argentine, Chili, Pérou, Brésil, Mexique — l'œuvre fixe au passage des cultures très anciennes, de la Patagonie (limites sud du continent) au Mexique (frontière nord de l'Amérique latine) : Mapucho, Guarani, afro-latino au Brésil, Inca du Pérou, Zapotèque et Mixtèque du Mexique… *Le voyage* rassemble aussi de superbes paysages naturels (l'Amazonie) ou urbains (São Paulo) et des sites étonnants (San Grogorio près du détroit de Magellan, Rio Gallegos en Patagonie), mais aussi l'immense mine de charbon de Rio Turbio, la plus grande mine d'or du monde en Sierra Pelada, ou encore Machu Picchu, Oaxaca, les pyramides de Monte Alban… On y parle en outre tous les dialectes (caribéen, portugnol, quechua ou aymara) et l'on y entend de nombreuses musiques dont beaucoup se dansent […].

Malgré l'hommage rendu à la diversité et à la pluralité raciale, ethnique, linguistique et de classe, le film tend à s'orienter dans le sens de l'unité, celle d'une Amérique latine reconstituée comme sujet de l'histoire, momentanément asservie et objectivée par l'efficace de l'impérialisme. Cette reconstitution résulte de gestes combinés : celui de la caméra à celui du voyage, à travers la diversité sud-américaine. Le concept de l'interculturel s'avère ainsi particulièrement approprié à une lecture du film, car la littérature sur cette question met l'accent sur l'interaction entre différentes cultures (ou sous-cultures), cohabitant dans le même espace géographique ou social, sur la base d'une dynamique d'unification et de symbiose.

Autorité en la matière, le sociologue Jaques Demorgon (2002, p. 35) observe que l'interculturel est un terme qui décrit, au sein d'une société, des procédures d'unification culturelle : « L'interculturel qui part davantage de situations d'ouverture, les entraîne [ces sociétés], dans ses formes factuelles extrêmes, jusqu'à l'assimilation réductrice, voire exterminatrice de l'autre. » Cette observation porte sur les politiques culturelles et sociales de l'État, s'appuyant sur ce que d'autres sociologues appellent « démarche volontariste » visant à établir un « épicentre culturel » unificateur (Pinto 1995, p. 19). Solanas ne s'inscrit pas dans une action étatique, bien au contraire, puisque son film se veut, dans l'immédiat, une critique de la politique du gouvernement de Carlos Menem, le président argentin contemporain de la réalisation du *Voyage*. Cependant, son efficace cinématographique vise à créer un sujet culturel unifié — malgré sa diversité — par une identité culturelle et nationale sud-américaine.

Martin, le protagoniste de ce film, est un enfant terrible qui se rebelle à la fois contre l'autorité de son beau-père et contre celle du directeur de son école. Renvoyé de l'école, réprimandé par le mari de sa mère, il décide de faire une fugue, à la recherche de son « vrai père » biologique. Il quitte Ushuaïa, dans l'extrême sud de l'Argentine et parcourt cinq pays d'Amérique latine, à la recherche de son père, faisant au passage l'expérience de la multiplicité culturelle foisonnante de son continent, rencontrant paysans et ouvriers, ruraux et citadins, Amérindiens, Noirs, métis et Sud-Américains d'origine européenne. *Le voyage* est le récit de cette quête du père et de ces rencontres multiples.

L'ambiguïté du rapport unifié/multiple, homogène/hétérogène, dans *Le voyage* renvoie à une conception mineure de l'interculturel, une approche théorique qui valorise la multiplicité — même au sein d'un projet d'unification des diversités culturelles —, telle que décrite par Mustapha Bencheikh (1995, p. 28) : « Dès lors que commence véritablement la quête de soi, l'on se rend compte combien sa pensée est habitée par celle des autres et, cherchant une identité nationale on découvre une identité internationale tout aussi précieuse. »

L'interculturel selon Solanas semble être celui de l'intégration et de la recherche d'un centre ainsi que de la fuite de l'origine coloniale de l'Amérique latine : toutes ses références tiennent pour acquis les mythes de l'union nationale face à un occupant ou à une hégémonie étrangère, notamment étatsunienne, sans faire une critique radicale de l'histoire de l'esclavage et de l'extermination qui entache la constitution de l'Amérique du Sud, bien avant l'hégémonie des États-Unis. Dans un moment bref, au cours d'une séquence qui unit Martin à un camionneur excentrique, la critique de l'esclavage est faite, mais elle n'occupe pas une place centrale dans le film. Le voyage géographique de Martin, parcourant l'Amérique latine à la recherche de son père, se double d'un « voyage historique [...] par lequel Martin découvre son identité de Latino-Américain », affirme Fernando Solanas (Prédal 2001, p. 189). La diversité se résume ou se fond en une unité identitaire latino-américaine.

Cependant, presque à l'insu du réalisateur, l'expérience du voyage interculturel vécue par le jeune homme Martin remet en question ses propres évidences et lui fait découvrir une identité sinon internationale, du moins transnationale. Martin ne s'identifie jamais verbalement en tant que « latino-américain », ni comme « argentin ». Le réalisateur « utilise » Martin pour dessiner une carte de l'Amérique du Sud unifiée par son américanité latine, mais le personnage, par l'entremise de la caméra, trace toujours des lignes de fuite et fait déraper la cartographie unificatrice, à cause de la multiplicité ethnique et linguistique qui sépare les Amérindiens des Européens ; et de l'extrême disparité des classes sociales qui sépare les classes moyennes des paysans dans les montagnes.

Le « sens » du voyage

Solanas (Prédal 2001, p. 125-126) situe *Le voyage* dans « le débat sur la célébration du cinq centième anniversaire de la découverte de l'Amérique ». Le voyage de Martin est contre-colonial dans le sens littéral, puisque le personnage principal, dont le nom évoque celui du héros de l'indépendance argentine San Martin, remonte l'Amérique latine dans le sens inverse de celui des migrations et invasions coloniales espagnoles venues du nord. C'est aussi un voyage initiatique dans le sens littéral, celui de l'apprentissage : voyage de la nature vers la culture, de la virginité de l'espace et de l'esprit vers une connaissance des hommes et de la société — qui prend la forme d'une « prise de conscience » identitaire.

Martin quitte les deux premières institutions de la socialisation et de la connaissance dans la vie d'un humain moderne : la maison et l'école. Il entame le voyage tout seul au contact de l'immensité de la nature au détroit de Magellan, dans des plans généraux montrant la solitude et les limites de la taille de l'humain sur l'échelle de la nature. Progressivement, il fait des rencontres avec d'autres personnes : il réintègre des processus de socialisation, tout en réapprenant la latinité de l'Amérique, et le défi qui la met aux prises avec l'exploitation coloniale et capitaliste. Sa première halte, après le début de son voyage dans la Terre de feu, est dans les hangars d'une ferme d'élevage de moutons, où les plans d'ensemble serrent Martin dans un espace quadrillé, qui contraste avec la liberté associée à la nature sauvage produite en plans généraux, au début du voyage. Le premier contact de Martin avec la culture, depuis le début de son processus initiatique, a lieu avec des ouvriers qui l'informent des activités de nouveaux colonisateurs capitalistes qui ont chassé les producteurs de moutons (qui eux-mêmes avaient chassé les Amérindiens). À mesure que se parachève l'initiation de Martin, il se fond davantage dans la masse sociale des hommes exploités, tel qu'on le voit travaillant dans la mine, intégré à l'ensemble des ouvriers, et introduit dans le ventre de la terre, dans une situation où nature et culture — terre et mine — ne font qu'un.

Martin découvre de première main les ravages causés par la globalisation capitaliste sur la vie des petits producteurs sud-américains, mais c'est seulement en filigrane que l'on remarque qu'il s'agit d'un processus indissociable de la formation de l'Amérique latine dès ses origines : une nouvelle hégémonie chasse une ancienne présence plus traditionnelle, les colons européens chassant les autochtones, les grandes compagnies chassant les petits producteurs.

Le dessein narratif du film s'avère la constitution d'un sujet latino-américain géohistorique, qui se forme au contact des divers espaces urbains et ruraux, montagneux et dans des plaines, qu'il unifie par son passage. La dimension historique de ce sujet est construite par la parole, par exemple celle d'Américo, le camionneur caribéen qui raconte à Martin l'histoire des hauts faits des libérateurs du continent, tels que le personnage de Libertario. Ainsi, dans le film, Américo est une référence inversée à Vespucci, le cartographe italien qui aurait été le premier à envisager que les terres d'Amérique, « découvertes » par Colomb, étaient un nouveau continent et qui était au service d'une monarchie (espagnole) impériale. Il devient chez Solanas, *a contrario*, un Noir, le premier qui fait découvrir à Martin une Amérique alternative, celle de la résistance aux forces hégémoniques et impériales.

Américo, dit « l'inclus » dans le film, est l'incarnation du mythe du métissage : sa mère est guatémaltèque, son père, caribéen et lui est né au Panama. De par la multiplicité de ses origines, il baigne dans la diversité culturelle, mais comme icône du métissage, il est le premier Américain, Américo, image vivante de l'unité des multiplicités sud-américaines. Dans ses entrevues, Solanas dit sentir qu'il appartient à cette « grande patrie » qu'est l'Amérique latine. Ailleurs, le réalisateur définit en termes géopolitiques clairs le noyau de cette patrie : l'Argentine, le Brésil, l'Uruguay et le Paraguay. Les commentaires métafilmiques du réalisateur confirment ce projet de production d'un sujet culturel et politique unifié par le geste du voyage.

En plus du voyage unificateur, un autre facteur tend à neutraliser la diversité culturelle dans le film : l'unicité de l'opposant, du « méchant », dans ce récit, à savoir l'impérialisme et le capitalisme, contre lesquels se construit une identité latino-américaine unifiée par l'adversité. La variété des cultures et des paysages, des dialectes et des « races » est résorbée dans un lyrisme panlatino-américain cimenté dans un anti-impérialisme et un anticapitalisme hauts en couleur. En voici deux exemples frappants, malgré leurs différences stylistiques : le premier est la scène jouée sur un ton comique et absurde, montrant le « Congrès de l'Organisation des Pays agenouillés (devant les États-Unis) ». Le président du pays est montré dans un plan d'ensemble très grand, qui marque le contraste entre, d'une part, l'ampleur du pavillon où se tient la réunion, le nombre important de présidents sud-américains invités, à genoux, rivalisant de salamalecs à l'adresse de l'ambassadeur des États-Unis, et d'autre part celui-ci, en position centrale, apparaissant ainsi comme le seul à causer l'agenouillement de tout le monde.

L'autre exemple est plus anticapitaliste qu'anti-impérialiste : les gros plans des ouvriers de la mine d'or de Sierra Pelada et les plans d'ensemble qui les montrent, le visage noirci, épuisés, écrasés par le travail dans la mine, opposent la présence d'une masse humaine, prolétarienne, oppressée, à l'absence omniprésente des capitalistes propriétaires de la mine, cause de tant de misère humaine, et qui bénéficient pourtant de grandes richesses, fruit du labeur des ouvriers. Le contraste entre la présence/absence spectrale des propriétaires et la présence massive, noircie des ouvriers renforce l'unification de l'entité peuple latino-américain travailleur, face à l'entité capitaliste exploiteur.

Un autre contraste amplifie l'unification de l'entité latino-américaine, par-delà la diversité ethnique et culturelle, face à une entité opposée : celui que l'on observe entre la partie inférieure des cadres, toujours occupée par la masse des ouvriers dominée par le noir, l'éclairage sombre, et la partie supérieure des cadres, toujours baignant dans une lumière écarlate, marquée par le bleu du ciel. L'enfer de la mine opposé au paradis du ciel : cette métaphore est accentuée par les plans généraux des échelles qui relient le fond de la mine à la surface, filmées de telle sorte qu'elles donnent l'impression de lier le gouffre creusé dans la terre au ciel, telle une multiplicité d'échelles de Jacob.

Le souci tiers-mondiste d'indépendance et d'affirmation d'une identité unitaire face aux hégémonies du Nord est clairement formulé par Fernando Solanas (Prédal 2001, p. 124), comme caractéristique générale de son œuvre :

> Ma génération est née de la volonté de réagir contre une histoire déniée et contre la dépendance intellectuelle envers des modèles idéologiques « importés » de droite ou de gauche [...]. Tout cela constitue le point de départ fondamental pour analyser mes films dans leur travail thématique et esthétique : un travail de recherche d'identité, un besoin de tout questionner.

Le réalisateur semble fidèle au programme qui anime *Vers un troisième cinéma* (Prédal 2001, p. 96-114), où il appelle à la destruction de l'image que le néocolonialisme donne des peuples sous domination et à la construction d'une réalité palpitante de ces peuples. Le besoin de tout questionner se traduit dans *Le voyage* par la narrativité épisodique : le récit est une chaîne de microrécits, des brisures narratives successives, qui n'ont en commun que le corps de Martin et la terre d'Amérique latine. L'épisodicité rompt avec le principe d'un métarécit officiel expliquant le monde et organisant l'image que la société se fait d'elle-même.

L'absurde et le fantastique, notamment dans les images de la capitale argentine inondée mais toujours habitée, ou dans celles des cercueils qui quittent le cimetière en flottant ou du président circulant en complet, chaussé de nageoires, participent à une entreprise de « destruction » d'une image cohérente donnée de la société, en en critiquant la rationalité supposée. Malgré cette esthétique de l'éclatement qui corroborerait une vision pluraliste des cultures latino-américaines, cette entreprise de critique négative s'inscrit dans un paradigme homogénéisant, celui de la résistance de toutes les diversités à une menace commune, le néolibéralisme du nouveau pouvoir en Amérique latine, incarné particulièrement par le président argentin de l'époque, Carlos Menem.

Dans cette reconstitution de la réalité, selon le mot d'ordre du Tiers cinéma, le traitement de la diversité — malgré son originalité dans la « parataxe » de l'ensemble — s'appuie sur des clichés. Les personnages qui accompagnent Martin dans son parcours ou que celui-ci rencontre sont des types déjà produits par l'historiographie militante aussi bien que par le mélodrame : la pauvre paysanne andine, la domestique amérindienne abusée par le fils de ses employeurs, le Caribéen fou et festif, le héros de la résistance populaire dont la voix résonne partout. Le recours au cliché fige la diversité dans la figure toute faite des « types populaires » (lire « folkloriques »).

Cependant, le cliché bifurque parfois, en ramenant Martin du « sens » d'un processus de constitution d'un sujet historique et politique vers l'assomption du désir. Dans une petite ville, le vélo de Martin est volé. Forcé de marcher à pied, il rencontre une fille amérindienne, enceinte, et entame avec elle une relation amoureuse presque silencieuse, abandonnant son voyage et restant avec sa nouvelle partenaire. Sa voix hors-champ dit que son père voulait lui apprendre qu'il fallait aussi être heureux et ne pas penser seulement à accomplir quelque chose. Le film semble ici échapper à l'intentionnalité affichée du réalisateur. Il s'agit alors d'un moment où le film ne porte pas exclusivement la recherche d'une figure positive de leader, d'une quête du père. C'est un moment où le parcours est animé par le désir et non le « sens de l'histoire ».

Voyage mystique : quête et reconstitution du père

La théorie du road movie insiste sur son efficace investie dans la production de l'image d'une nation, notamment aux États-Unis. Cohan et Hark (1997, p. 3) soutiennent que ces films « use the road to imagine the nation's culture, that space between the western desert and the eastern seaboards, either as a utopian fantasy of homogeneity and national coherence, or as a dystopic nightmare of social difference and reactionary politics [1] ».

La production d'une image de la nation dans un road movie peut en effet procéder de l'homogénéité comme de la différence, et ces tensions se retrouvent souvent au sein d'un même film. Cette vision de la complexité du genre nord-américain est plus adéquate que celle, manichéenne, exprimée par Mazierska et Rascaroli (2006, p. 5), opposant un road movie américain qui construirait une homogénéité culturelle unifiée par l'immensité du paysage, à un road movie européen qui insisterait sur la diversité culturelle au sein du vieux continent :

> [...] the open spaces of North America, with their straight boundless highways and the sense of freedom and opportunity to reinvent one's life, are in clear contrast with the European reality of a mosaic of nations, cultures, languages and roads, which are separated by geographical, political and economic boundaries and customs.

Cette thèse s'applique plutôt à deux types de construction des rapports interculturels dans le road movie, sans que cette distinction ne recoupe nécessairement celle entre l'Amérique du Nord et l'Europe. *Le voyage* de Solanas construit une image de la nation à travers les différents espaces explorés par la caméra, mais il donne à voir une diversité culturelle comparable à une mosaïque.

Ainsi, le road movie peut être compris à partir des deux modèles narratifs opposés du voyage-quête, orienté vers un but, et de la balade, déambulation sans but ou sans destination précise. Dans les deux cas, dès lors qu'il s'agit de produire une image de la nation, le corps imaginaire de cette nation ou de son territoire (à recomposer ou non) en est toujours l'horizon.

Le voyage de Fernando Solanas est une quête du père s'effectuant dans la recomposition mystique du corps d'une certaine Amérique latine. L'impossibilité de retrouver le père au bout de la quête relatée par le film est compensée par le corps de l'Amérique retrouvée lors du voyage. La caméra fait du road movie le résidu d'une opération de reconstitution du *corpus mysticum* de la nation par la technique. Toute quête est à la fois un voyage et une reconstitution imaginaire d'un corps mystique. La quête du Graal était la reconstitution mystique du corps du Christ comme les croisades en étaient l'équivalent géopolitique, le « récolement » (Lacan) imaginaire du corps de la chrétienté.

Cette mystique de la « patrie » rejoint par ailleurs un autre modèle de récit fondateur de l'Amérique latine moderne : le journal de voyage du jeune Martin parcourant montagnes et vallées, déserts et forêts, villes et campagnes, dont on entend des bribes en voix hors-champ, ne manque pas de rappeler celui tenu par le jeune Ernesto Guevara lors de son tour de l'Amérique du Sud, et qui a d'ailleurs lui-même donné lieu à une adaptation cinématographique : *Carnets de voyage* (*Diarios de motocicleta*) de Walter Salles.

Voyage exploratoire ou voyage mystique ? *Le voyage* de Solanas semble hésiter entre la mystique du nationalisme pan-latino-américain tiers-mondiste et le culte nostalgique des héros populaires et révolutionnaires, d'une part, et la politique du sujet moderne qui agit en dehors des grands récits, d'autre part. Dans l'un et l'autre cas, la roue du jeune voyageur et la bobine du moins jeune réalisateur participent d'une *unio mystica* : un panthéisme unissant jeune homme et terre d'Amérique ou une union entre le jeune rêveur et le saint-esprit de son père imaginé.

La présence d'éléments mélodramatiques dans *Le voyage* ne manque pas de rappeler la pertinence de la réflexion d'Althusser (1965) sur la signification culturelle de l'absence du père, thématique récurrente dans le mélodrame. Selon le philosophe, l'absence du père signale un déséquilibre né d'une chute d'un ordre moral représenté par le père, ou bien d'une transformation des systèmes de valeurs. Le voyage raconte un moment de chute d'un certain ordre social, dont l'équivalent matériel est la chute des tableaux des grandes figures paternelles de la nation, dans l'école de Martin. Mais, contrairement au mélodrame, le film ne se situe pas dans le déchirement provoqué par la négociation et l'effet de la transformation des systèmes de valeurs à un moment donné de l'histoire de la modernité. C'est une entreprise optimiste moderniste de recherche du père, autrement dit, d'une figure de l'ordre moral qui garantirait une nouvelle stabilité des valeurs.

Du point de vue du projet conscient du réalisateur, il s'agit d'un film d'unification et d'harmonisation des différences, précisément parce que celles-ci se rapporteraient à une origine unique, soit le père. La multiplicité des cultures traversées géographiquement participe moins d'une reconnaissance de la pluralité et de l'exploration du mal connu que d'un geste de suture, comme ce que connaît le corps remembré — souvenu et reconstitué — d'Osiris. Le voyage recoud le corps d'une Amérique latine imaginaire, en redonnant vie à un père qui serait le signifiant de cette Amérique.

Suivant le modèle de la quête, le geste de voyager unifie le film. Mais l'unicité du corps de Martin n'est pas l'ultime agent de l'unité du film — puisque ce jeune homme se métamorphose constamment — comme tout héros de quête mystique, et comme tout sujet au centre d'un road movie[2]. L'unicité de l'Amérique imaginaire est produite par le geste de reconstitution du corps imaginaire du père, à travers le passage de la caméra dans des espaces divers de la sud-américanité, motivé par la quête du père.

La reconstitution du corps de la patrie latino-américaine par le montage cinématographique — soit le collage de bris, de morceaux d'images — équivaut à la suture de ce corps imaginaire démembré. Narrativement, la caméra traverse une multiplicité de paysages latino-américains parce qu'elle suit la quête du père. Ces paysages sont harmonisés dans l'économie globale du film par un montage majoritairement transparent. Le film présente des tensions au niveau des échelles de plans (plans généraux de la Terre de feu, plans rapprochés de la mine d'or) ; de la luminosité (montagnes et rivières baignant dans la lumière du soleil, villages sombres) ; et de la fermeture/ouverture de l'espace (hameaux et villages étouffants, paysages naturels à ciel ouvert). Au niveau de la matérialité du médium, la transparence du montage, qui résorbe ces tensions inscrites dans les plans, correspond au mouvement de la constitution d'une image unifiée de la sud-américanité qui prétend résorber la diversité géographique, ethnique, culturelle, de classe au sein de l'Amérique latine.

Mais *Le voyage* paraît moins une recherche d'identité, une quête de la latinité, comme le propose Solanas, qu'une quête de la figure paternelle. La production du territoire et celle de l'identité sont inextricablement liées à la quête du père. Le film, surtout dans sa partie la plus cocasse, à Buenos Aires, est clairement contre Carlos Menem — le président porté au pouvoir par le parti péroniste — parce qu'il est jugé trop proche des États-Unis. Pourtant, le réalisateur affirme que « le meilleur des idées du péronisme [est] cette grande vocation sociale, antioligarchique [...]. La vocation latino-américaine » (Solanas, cité dans Prédal 2001, p. 143) [3]. On pourrait se demander si la critique de Menem et le récit de la quête du père n'indiquent pas que le film est une quête de Juan Perón, fondateur du parti péroniste, voire de l'Argentine moderne, vers le milieu du XXe siècle. Dans d'autres films précédant *Le voyage*, Solanas était conscient de son projet d'exprimer l'équivalence entre nation latino-américaine et Perón, comme incarnation de celle-ci. Commentant un autre de ses films, *Les fils de Fierro*, le réalisateur n'hésite pas à dire que le personnage du héros populaire de Fierro est une sorte de Perón et qu'il est l'« incarnation de la nation » (p. 128). Si les images du *Voyage* ne confirment pas clairement une nostalgie pour la figure spécifique de Perón, il n'en demeure pas moins que le film contribue à édifier un culte du père, en en faisant l'objet d'une quête.

Il est ironique que le théoricien du cinéma de guérilla, auteur de *L'heure des brasiers*, qui se battait contre les figures patriarcales du pouvoir dictatorial en vienne à réaliser un film qui soit le lieu du culte du père (de la nation ?). Il semble ne pas remettre en question la fonction de père, mais voudrait s'assurer que celle-ci soit remplie par un père qu'il accepte, qui partage ses valeurs antioligarchiques et démocratiques, à l'image de Perón. Quand bien même Solanas prétend que le souci primordial de son film est la quête identitaire, celle de «l'héritage» — de qui hérite-t-on, sinon du père? —, et la recherche par la jeunesse de voies alternatives à la corruption — celle des nouveaux pères —, *Le voyage* tend vers la reconstitution du père et de ses atouts symboliques et par là même politiques.

Œdipe, père, phallus

Solanas (Prédal, 2001, p. 126) a beau protester que «*Le voyage*, c'est la jeunesse, la nouveauté, la recherche d'un chemin à travers la corruption des nouvelles démocraties. Partir sur les chemins à la recherche de notre héritage. La quête du père n'est qu'un prétexte», l'on se demande quelle est la véritable finalité de la quête du père. Je prétends que la quête du père n'est au fond qu'une quête du phallus et que cette dernière s'avère le principal objet du film.

La quête du père, en vue de reconstituer le corps mystique de la nation, est une recherche du phallus, si on l'examine à la lumière du récit osirique remontant à l'Antiquité égyptienne, soit à l'un des premiers moments de l'histoire de l'humanité où la constitution d'un État central et d'une nation s'organisait (autour de la figure paternelle). Dans une des versions majeures du mythe d'Osiris, Isis, sœur et épouse du roi-dieu, parcourt les quatorze provinces de l'Égypte à la recherche du cadavre de son mari, découpé par son propre frère en autant de morceaux, chacun jeté dans une province. Isis retrace le territoire et le ressoude comme elle coud le corps de son mari. Cette opération n'est achevée que lorsque la quatorzième partie du corps est retrouvée. Il s'agissait, bien entendu, du phallus[4].

Chez Lacan (1998), le phallus est le signifiant des signifiants, une figure de l'ordre de l'imaginaire et du symbolique plutôt que du réel. Dans la théorie lacanienne du désir, si le père est le représentant de la culture et de la loi, c'est parce qu'il incarne le phallus, et si l'enfant choisit de pencher du côté du père, c'est pour satisfaire son désir par la médiation de celui-ci. Ainsi, un récit de la recherche du père est aussi une quête du phallus. Cette quête, dans *Le voyage*, est inscrite au niveau de la narration filmique et de son contenu et non pas dans les images proprement dites.

La littérature sur le road movie tend majoritairement à associer ce genre à la masculinité, voire au machisme, comme le soutient Corrigan (1991, p. 143-145) et comme le rappelle Mills (2006, p. 120-121) dans sa récapitulation de la politique des rôles sexuels génériques dans le road movie[5]. Corrigan estime que l'un des traits caractéristiques du genre est qu'il répond à l'effondrement de la cellule familiale, qui est la pièce œdipienne centrale du récit classique selon lui. On prend la route et on y reste pendant la majeure partie du film, parce que les attaches traditionnelles à la famille et à une maison sont rompues et que le rapport traditionnel avec l'autorité paternelle éprouve des tensions. Mills souligne que l'un des conflits au centre des road movies est celui de la rébellion des jeunes contre un ordre (patriarcal) ancien. Mais elle critique cette rébellion comme étant parfois « an Oedipal view of the succession of power within a patriarchal hierarchy » (p. 121).

Le voyage se démarque de cette structure œdipienne simple dans laquelle le récit culmine dans des scènes violentes fondées sur le conflit œdipien entre une figure de la jeunesse cherchant la reconnaissance ou la prise du pouvoir et une génération plus âgée, jouant le rôle paternel répressif. Ce conflit se solde tantôt par la victoire des jeunes (*The Wild Angels* de Roger Corman), tantôt par leur défaite (*Easy Rider* de Dennis Hopper). La scène violente marquant la révolte œdipienne de la jeunesse a lieu au milieu du *Voyage*, lorsque les jeunes se rebellent contre l'autorité de l'école. Mais le reste du film est le contraire d'un conflit œdipien : il s'agit plutôt de la confirmation de l'autorité du père absent par l'investissement continuel du désir de père. Il s'agit d'une révolte contre le faux père — l'école fossilisée et stérile et le beau-père usurpateur —, non contre le principe d'une figure paternelle.

La révolte pousse le voyageur sur la route, comme dans tout road movie, mais elle n'est plus un objectif poursuivi par le voyageur. Ainsi, si le road movie est souvent une tentative d'appropriation du rôle de représentant du phallus par le jeune qui lutte contre une figure paternelle, *Le voyage* est essentiellement une recherche de ce dernier. C'est sans doute pourquoi *Le voyage* n'exhibe pas d'indices visuels du phallus absent. Ainsi, Corrigan (1991, p. 145-146) soutient que le genre porte sur les moyens de locomotion modernes : motocyclettes, voitures, camions, etc., et lie la technologie à une masculinité qui produit sa subjectivité dans le rapport à la machine. Par contre, *Le voyage* ne rend hommage ni à la machine ni à la technologie. Bien au contraire, les moyens de locomotion sont toujours vétustes et « primitifs » dans le film : bicyclette, autobus en piteux état, vieille navette fluviale... *Le voyage* est loin d'un masculinisme chauvin et d'une « fantasmation » de la machine comme ersatz du mâle.

En décrivant le film comme étant un « voyage initiatique (road movie aux étapes épreuves) », René Prédal (2001, p. 189) ouvre une piste de comparaison additionnelle qui éclaire davantage la signification politique de la quête du père, car *Le voyage* peut se lire à la lumière du récit de la quête du Graal. La recherche qui recompose le corps perdu du père ressemble, en effet — par ses implications théologico-politiques —, à une quête du corps du Christ, à une conception volontariste et activiste du messianisme. Le film est clairement anticlérical, dans la pure tradition des nationalismes progressistes du XIXe siècle, comme en témoigne la séquence où l'on voit un pasteur trafiquant de drogue. Toutefois, l'inconscient du film demeure marqué par le mythe de l'eucharistie.

Dans *Excalibur* de John Boorman, le Graal et le roi sont plus une affaire d'unité du royaume que de recherche d'un Graal en Palestine, justifiant l'entreprise militaire des croisades. L'idée du voyage pour effectuer le « récolement » du moi, pour reconstituer le Saint-Empire — soit en ramenant à l'empire son versant oriental — est l'idée motrice des croisades. Mais le film de Boorman résume plutôt l'efficace de la quête dans la régénération imaginaire et politique à la fois d'une terre et d'un père de la nation.

Dans une scène capitale du film, Lancelot et Guenièvre, après s'être unis physiquement en dehors du mariage, se réveillent nus et voient l'épée d'Arthur plantée entre eux. Lancelot crie, dans une situation de péché originel, mais aussi d'état total de « nature », contraire à la civilisation : « Le roi sans épée, la terre sans roi », et se lance à la recherche du roi, entamant ainsi la quête du Graal. Un fondu enchaîné, vers la fin du film, montrera que le Graal n'est autre que le roi, lorsque l'image du premier est dissoute dans celle du second. Perceval dira au roi : « Bois et la terre revivra et tes forces reviendront. » La quête du père qui reconstitue le territoire produit les figures phalliques du Dieu et du roi, pour ensemencer la femme terre. Il s'agit ici d'un mouvement narratif comparable à celui du mythe d'Isis et d'Osiris : une quête du phallus qui se conclura par la fertilisation de la Terre mère, grâce au père de la nation reconstitué ou retrouvé.

Deux récits, un voyage

Il existe en réalité deux films dans *Le voyage*. Le premier est le récit de la mort de tous les pères, constaté par Martin à Ushuaïa. Un récit postmoderne, où le thème de l'école en décrépitude sert d'allégorie de l'écroulement des institutions traditionnelles du pouvoir dans la société. Le film rejoint ainsi une longue série remontant à *Zéro de conduite* de Jean Vigo, aux *Enfants terribles* de Jean Cocteau et à *If* de Lindsay Anderson. Dans tous ces films, la rébellion contre l'ordre établi se produit au niveau microcosmique d'une bataille entre les élèves ou entre ceux-ci et les surveillants, et souvent se conclut par la déchéance physique des bâtiments scolaires.

Le premier récit est celui de la mort-absence du père, de tout père : la conclusion est marquée par les photos des grandes figures de l'histoire qui tombent, et par la statue du libérateur de la patrie qui s'envole au vent, alors que le second récit est celui de la résurrection métaphorique de la figure du père. Il commence avec la quête du père. Étonnamment, c'est une véritable tentative de ressusciter le père, qui va dans le sens contraire du constat fait dans le premier récit. Le premier est dystopique ; le second, nostalgique.

Mais le film regorge de pères absents ou morts, à commencer par le grand-père de Martin et par Martin lui-même, dont le premier enfant sera avorté. Le grand-père est mort, mais son cercueil revient à la maison, comme les morts d'Ionesco et de Buñuel[6]. La grand-mère est sans doute la seule qui ne se laisse pas prendre au piège de la nostalgie ni à celui de l'utopie. C'est elle qui « laisse les morts enterrer leurs morts » en enjoignant avec insistance au cercueil de retourner au cimetière. Il s'agit ici d'un des rares moments non nostalgiques du film, où un sujet assume la mort du père et agit conséquemment, sans vivre cette expérience comme le bouleversement d'un ordre moral ni comme un manque à combler par la recherche d'une nouvelle figure patriarcale.

Le voyage est plus qu'un film sur la mort symbolique du père (ou celle d'un péronisme « authentique »). Comme quête du phallus, son présupposé est nostalgique, mais son geste est « positif » : c'est la jeunesse à la recherche d'une avant-garde. Le problème est que cette recherche ne prend pas la mesure du constat du début : l'école, les pères, les figures de la nation s'écroulent : il n'y a plus de pères, d'où l'ouverture du champ des possibles en dehors de l'autorité phallique.

D'après sa lecture de Nietzsche, Paul de Man (1983) conclut que le geste moderne par excellence est celui du meurtre du père : passer au moderne nécessite un parricide, une rupture radicale avec la tradition incarnée par le père. Dans un sens, *Le voyage* — bien qu'inachevé comme un projet d'Amérique inachevé, ou une modernité inachevée, comme Américo l'inachevé — restera toujours dans les limbes de la modernité, puisqu'il y a constamment cette recherche du Messie et cet effort de reconstitution du corps du père et non plus la rupture radicale découlant du meurtre du père. Ce n'est pas un film d'ouverture sur les possibles, sauf peut-être à la fin, quand Martin l'impossible — son nom étant Martin Nunca, soit « Martin Jamais » — admet qu'il n'est plus important que son père revienne. C'est un film d'attente messianique ou alors de nostalgie née du constat qu'en attendant Godot, personne n'arrivera.

Même si ce film est un hommage à l'hybride et au grotesque, les facteurs de restitution des récits majeurs, comme celui du père-guide, le renvoient aux paradigmes modernistes. Bien qu'il fasse un constat postmoderne, sa suite — comme l'action politique du député Solanas — se situe dans la modernité. *Le voyage* est un film d'une modernité qui n'en finit pas d'espérer parvenir à un stade d'achèvement, d'un projet utopique qui ne peut que susciter la joie, mais sa vision du bonheur demeure étroitement liée à une quête messianique.

York University

NOTES

1. Sur la «quête» de l'Amérique dans le film emblématique du road movie : *Easy Rider*, *cf.* Miller 1993 (p. 17). Sur les idéologies sous-tendant la construction de l'image de la nation dans le road movie, *cf.* Laderman 1996 (p. 41-57). Sur le corps imaginaire de l'Amérique, cf. Perón 1990 (p. 400) : «[...] l'Amérique n'est pas seulement un continent géographique, ni l'ensemble des réalisations matérielles des hommes qui la peuplent. L'Amérique est plus, c'est un seul corps d'idées et de doctrines, de droits et de sentiments, d'aspirations et d'espoirs enfin, que toutes les Républiques du continent sont toujours disposées à défendre avec solidarité et enthousiasme afin de réaffirmer les sentiments éternels de la liberté, de l'unité et de la concorde.»

2. Katie Mills (2006, p. 188), par exemple, affirme que : «With *Easy Rider*'s facile critique of capitalism and *Rain Man*'s facile celebration of it, the road genre film runs all over the ideological map of rebellion, yet holds fast the theme that being on the road is transformative» (*cf.* aussi p. 22). Mazierska et Rascaroli (2006, p. 9) rappellent que l'expérience du voyage implique des transformations au sein de l'identité des protagonistes du road movie.

3. Naturellement, ni le péronisme ni la gauche latino-américaine ne sont les seuls à prôner la lutte contre l'oligarchie ou à œuvrer à promouvoir le pan-américanisme. Ces idées sont débattues au sein de plusieurs discours idéologiques. Sur l'évolution du péronisme, ses contradictions et la complexité de ses courants, *cf.* Moreno 2005 et Guillerm 1989 (par exemple p. 185-189 ; sur Carlos Menem, *cf.* p. 180-182).

4. *Cf.* Spence 1986. Félix Guattari dans *Psychanalyse et transversalité* établit l'histoire de la constitution de l'Égypte comme exemple de la territorialisation. D'après son analyse, la constitution du territoire produit Pharaon : l'organisation d'un État pour gérer un territoire constitué rend nécessaire l'émergence d'une figure despotique agissant comme représentation de ce territoire. De même, chez Solanas, le voyage produit le père. Mon analyse de la reconstitution de la figure paternelle à partir de la métaphore de la reconstitution d'un cadavre mutilé aurait pu se complexifier par une comparaison avec l'épisode historique de l'exhumation du cadavre d'Evita Perón par les putschistes qui ont renversé Perón, son envoi en Espagne, son retour au pays, ainsi que tout le culte «madonal» voué à Evita depuis son décès. *Cf.* Sobel 1975 (p. 13-14).

5. Cependant, comme le remarquent Cohan et Hark (1997, p. 10-12), le genre fait de plus en plus de place depuis les années 1990, notamment depuis le succès de *Thelma and Louise*, aux marginalisés, femmes, gais, lesbiennes, ethnies minoritaires, etc. Il perd ainsi son rapport automatique avec le machisme et la masculinité.

6. Dans *Amédée ou Comment s'en débarrasser ?*, la pièce d'Eugène Ionesco, un cadavre grandit dans la chambre d'un couple. Malgré leur tentative de le jeter dehors,

il finit par revenir. Souvent lu comme une métaphore d'une mauvaise conscience — le cadavre serait celui de l'amant de l'épouse —, cette image semble aux antipodes de celle utilisée par Solanas. Chez lui, le retour du mort souligne plutôt une nostalgie critiquée, et une critique de l'État incapable de garantir la paix aux vivants comme aux morts. Dans *Le fantôme de la liberté*, le film de Luis Buñuel, un homme mort revient à la vie.

RÉFÉRENCES BIBLIOGRAPHIQUES

Althusser 1965 : Louis Althusser, *Pour Marx*, Paris, Maspero, 1965.

Bencheikh 1995 : Mustapha Bencheikh, « L'interculturel comme nouvelle dissidence », dans Abdel Kabir Khatibi *et al.* (dir.), *L'interculturel. Réflexion pluridisciplinaire*, Paris, L'Harmattan, 1995.

Cohan et Hark 1997 : Steven Cohan et Ina Rae Hark (dir.), *The Road Movie Book*, New York/London, Routledge, 1997.

Corrigan 1991 : Timothy Corrigan, *A Cinema Without Walls: Movies and Culture After Vietnam*, New Brunswick, Rutgers University Press, 1991.

De Man 1983 : Paul De Man, *Blindness and Insight: Essays in the Rhetoric of Contemporary Criticism*, Minneapolis, University of Minnesota Press, 1983.

Demorgon 2002 : Jaques Demorgon, *L'histoire interculturelle des sociétés*, Paris, Anthropos, 2002.

Guattari 1972 : Félix Guattari, *Psychanalyse et transversalité. Essai d'analyse institutionnelle*, Paris, Maspero, 1972.

Guillerm 1989 : Gérard Guillerm, *Le péronisme. Histoire de l'exil et du retour*, Paris, Publications de la Sorbonne/Éditions et matériels scientifiques, 1989.

Lacan 1998 : Jacques Lacan, *Le séminaire, livre V. Les formations de l'inconscient*, Paris, Seuil, 1998.

Laderman 1996 : David Laderman, « What a Trip: The Road Film and American Culture », *Journal of Film and Video*, vol. 48, nᵒˢ 1-2, 1996, p. 41-57.

Mazierska et Rascaroli 2006 : Ewa Mazierska et Laura Rascaroli, *Crossing New Europe: Postmodern Travel and the European Road Movie*, London/New York, Wallflower Press, 2006.

Miller 1993 : Angela Miller, *The Empire of the Eye: Landscape Representation and American Cultural Politics*, Ithaca, Cornell University Press, 1993.

Mills 2006 : Katie Mills, *The Road Story and the Rebel: Moving Through Film, Fiction, and Television*, Carbondale, Southern Illinois University Press, 2006.

Moreno 2005 : Hugo Moreno, *Le désastre argentin. Péronisme, politique et violence sociale 1930-2001*, Paris, Syllepse, 2005.

Perón 1990 : Juan Perón, *Doctrine péroniste*, Paris, Éditions du Trident, 1990.

Pinto 1995 : Diane Pinto, « Volontarisme culturel », dans Abdel Kabir Khatibi *et al.* (dir.), *L'interculturel. Réflexion pluridisciplinaire*, Paris, L'Harmattan, 1995.

Prédal 2001 : René Prédal, « Le voyage, l'espoir d'un cinéaste en colère », dans René Prédal (dir.), « Fernando Solanas ou la rage de transformer le monde », *CinémAction*, n° 101, Paris, Corlet/Télérama, 2001.

Sobel 1975 : Lester A. Sobel, *Argentina and Perón 1970-1975*, New York, Facts on File, 1975.

Spence 1986 : Lewis Spence, *Egypt*, London, Bracken Books, 1986.

ABSTRACT

The Intercultural Road Movie as Mystic Journey: Fernando Solanas's *The Journey*
Walid El Khachab

Fernando Solanas's *The Journey* is an intercultural road movie, oscillating between two opposite trends: underlining diversity and multiplicity; and thinking the ultimate unity within the same culture. The images show the extreme geographic, ethnic, social and cultural diversity of Latin America, through the travels of young Martin who is searching for his father across the South American continent. The transparency of editing proceeds from a utopian homogeneity, reinforced on the narration level by the unifying theme of the search for the father. Yet, the heterogeneity of cinematic spaces and the episodic narration introduce tension and heterogeneity in the film. Thus *The Journey* combines two major trends in the road movie genre: the construction of a utopia of national unity, thanks to the mystique of the imagined nation, and the production of a critical dystopia, underlining tensions, diversities and discontinuities.

Des rumeurs d'une culture mondialisée. Réflexions sur le film *Historias Mínimas*

Ludmila Brandão

RÉSUMÉ

Historias Mínimas, du cinéaste Carlos Sorín, a pour cadre la Patagonie argentine, et narre trois histoires qui se croisent légèrement entre des habitants de la région se déplaçant du petit village de Fitz Roy vers la ville de San Julián. L'objet de cette étude a pour but d'analyser, d'un côté, le genre cinématographique connu comme road movie et de l'autre, le phénomène d'interculturalité que le genre semble favoriser. En dépit du fait qu'*Historias Mínimas* ne résiste pas aux deux analyses — du point de vue de l'échelle des déplacements, le film ne peut pas être considéré comme un road movie « classique » et du point de vue des situations de l'interculturalité, il ne peut pas non plus être entièrement classé comme road movie interculturel —, le film se révèle compatible avec le genre, dans la mesure où il présente la même matrice compositionnelle et permet de plus l'analyse du phénomène interculturel dans sa forme moderne provoquée par les processus « globalisateurs » et leurs flux mondiaux d'images, d'idées et de technologies, outre les flux classiques d'argent, de marchandises et de personnes.

For English abstract, see end of article

Un film, tout comme un livre ou n'importe quel objet d'étude (objet du monde), est, par principe et par définition, inépuisable, quels que soient les efforts fournis pour le déchiffrer. Notre capacité à le décrire, à l'expliquer ou à l'interpréter est, et sera toujours, insuffisante face à sa complexité. Devant cette impossibilité définitive du travail scientifique, il nous reste à donner des limites à notre réflexion ou, plus modestement, à savoir (et à expliciter) jusqu'où nous pouvons aller.

La présente étude prétend aborder, par le truchement d'un film — *Historias Mínimas* (Sorín, 2002) —, le phénomène d'interculturalité que le genre du road movie paraît favoriser, et que nous voulons contribuer à démontrer. Le parcours road movie-interculturalité-étude de cas n'est pas linéaire, ni en aucun cas, simple. Nous avons choisi d'aborder le statut du road movie exclusivement au moyen de l'analyse de quelques affiches de films de ce genre, où nous pensons rencontrer une espèce de matrice compositionnelle. Bien qu'il ne soit pas un road movie typique, le film choisi peut être traité comme tel en raison de sa matrice compositionnelle.

Quant aux situations d'interculturalité qui, dans l'immédiat, peuvent être identifiées dans les road movies qui rendent performants les grands déplacements géographiques et culturels (comme le voyage vers l'Autre), ici aussi, le film *Historias Mínimas* ne peut pas être considéré comme « typique », puisque cette interculturalité, comme nous le verrons dans l'analyse du film, est tissée de façon cachée, presque de façon invisible, dans la narration du film que nous prenons comme une présentation, totalement plausible, de processus interculturels effectifs. Cette « atypie » du film tant du point de vue du genre que du point de vue du phénomène abordé, au-delà de la difficulté qu'elle pose, contribue à approfondir notre compréhension du monde contemporain.

De l'affiche au genre

Les affiches de films ne sont pas les films, mais des textes destinés à inviter de possibles spectateurs à voir un film. On peut imaginer que le créateur d'une affiche, avant de la concevoir, a visionné le film ou, tout au moins, qu'il a lu l'histoire avant de sélectionner ce qu'il estime être décisif en ce qui concerne la fonction attractive que l'affiche doit exercer. *A priori*, il n'y a aucune proximité entre le cinéaste et le créateur de l'affiche pour que ce dernier puisse se dire le porte-parole (porte-image) sûr des promesses du film. Sans se substituer au film lui-même, l'affiche peut capter un trait singulier du film, un trait qui rend visible un détail peut-être secondaire. Cette potentialité de l'affiche peut être perçue comme une des caractéristiques des road movies — une matrice compositionnelle — mise en relief par les affiches elles-mêmes, mais presque toujours réaffirmée dans les films du genre. Contrairement à l'idée de recette, de formule ou de modèle qui implique une simple reproduction, la signification originale du terme « matrice » (*matrice* en latin) adopté ici, renvoie à l'endroit où quelque chose se conçoit ou se crée, à quelque chose qui est la source ou l'origine. Bien que l'ensemble des éléments qui la composent soit limité, la matrice, comme source, permet des combinaisons diverses et multiples[1].

Au cours du procédé créatif de la confection d'une affiche, deux choses doivent être identifiées : le genre et le film. On reconnaîtra l'efficacité de l'affiche dans sa capacité d'attirer l'attention des férus du genre mais aussi d'autres spectateurs. Certaines affiches dépassent l'utilisation des clichés visuels. Elles dépassent aussi la simple fonction communicative, superficielle et commerciale des promesses du film : amour, sexe, violence, peur, suspense, etc., en arrivant à produire ce qu'on peut considérer comme l'équivalent du film. Les affiches ne communiquent pas seulement : elles « transcréent », comme dirait le poète et traducteur/transcréateur Haroldo de Campos. À la différence de la traduction littérale — la transposition d'une langue à une autre, d'un code à un autre — qui mutile le texte original dans ce qui lui est impossible de traduire littéralement, spécialement dans la traduction poétique, la « transcréation » vise exactement à dépasser cette limitation ou cette impossibilité par la recréation du texte.

> « Nous aurons, [...] dans une autre langue, une autre information esthétique, autonome, mais toutes deux seront liées entre elles par un rapport d'isomorphisme : elles seront différentes en tant que langage, mais, comme corps isomorphes, elles se cristalliseront à l'intérieur d'un même système. » (de Campos 2004, p. 34)

L'affiche d'un film noir, par exemple, est toujours marquée par le contraste entre la lumière et l'ombre. Elle privilégie les ambiances urbaines intérieures, nocturnes, obscures et les personnages mélancoliques. Dans le cas du road movie, à l'inverse, les affiches présentent d'amples paysages naturels, la plupart du temps très bien éclairés, avec une rare présence humaine qui ne constitue qu'un détail du paysage.

Ces affiches arrivent à traduire/transcréer une « atmosphère », une « ambiance » subjective que nous rencontrons dans le film même.

Certains genres cinématographiques, comme le road movie, sont définis de façon expressive par l'ambiance subjectivement créée — une atmosphère inhérente au genre, presque un *ethos*[2] — qui est celle traduite graphiquement par le moyen des affiches. La force du genre se reconnaît, donc, dans sa capacité d'être exprimée graphiquement sur une affiche avant même que le film ne sorte en salle. Une telle affiche incarne et anticipe l'atmosphère qu'on souhaite trouver quand on pénètre dans une salle de cinéma : la fumée d'une cigarette qui monte d'un comptoir (en noir et blanc) ou le paysage (en couleurs) divisé entre ciel et terre coupés par une route vide traversant une plaine infinie et silencieuse.

L'« agencement » road movie

Qu'est-ce que le road movie ? La réponse la plus simple le présenterait comme le récit cinématographique d'un déplacement ; cependant, cette assertion est insuffisante. Pour mieux cerner notre objet, il serait peut-être nécessaire de reformuler la question : « Qu'est-ce qui fait d'un film un road movie ? » ou encore « Quel est l'"agencement" road movie ? » Pour répondre à ces questions, je partirai de trois affiches annonçant des films appartenant au road movie.

Paris, Texas (Wim Wenders). Une ligne horizontale — ligne d'horizon — coupe l'affiche à environ un huitième de sa hauteur. Le rectangle inférieur montre le désert. Le rectangle supérieur est occupé par des nuages épars dans un ciel bleu. Sur la ligne d'horizon, plus ou moins au milieu, un homme minuscule marche de gauche à droite.

The Straight Story (David Lynch). La ligne d'horizon coupe l'affiche presque au milieu, un peu en dessous. C'est le crépuscule. La lumière jaune du rectangle ciel est le fond sur lequel se détache un homme perché sur son tracteur se déplaçant sur la ligne de partage.

Historias Mínimas (Carlos Sorín). Le cadre est également divisé en deux parties (ciel et terre) par une ligne située un peu au-dessus du milieu. Le rectangle terre représente une route en perspective frontale qui commence sur toute la largeur de l'affiche et se termine sur la ligne d'horizon par un petit segment qui se superpose au point de fuite du paysage. Sur le côté droit, un homme de dos marche vers le point de fuite.

À partir de ces trois affiches, on peut avancer qu'un film du genre road movie nous place presque toujours devant un écran divisé horizontalement en deux parties par une ligne sans interruption, un écran sur lequel le ciel et la terre règnent seuls, comme des absolus, jusqu'au moment où quelque chose ou quelqu'un apparaît en mouvement sur cette ligne, défiant les grandeurs suprêmes du ciel et de la terre, ou les ignorant. Les différences d'échelle entre l'humain et la nature qui sont à la base de la conception de l'affiche créent la tension permanente de ce genre. On peut parler, ici, aussi bien d'une échelle temporelle (le temps de la terre et du ciel contre le temps de l'individu) que d'une échelle au sens propre — les proportions spatiales qui s'établissent entre les premiers (éléments de la nature) et le dernier (l'homme).

Il en résulte un problème philosophique formulé à partir d'un problème visuel. Que peut l'individu face à cette grandeur, face à cet absolu? Quand le road movie invente et maintient cette matrice compositionnelle qui rend visible le contraste d'échelle entre l'humain et le non-humain, il installe une atmosphère troublante issue de l'état de confrontation avec ce qui nous dépasse et échappe à notre contrôle.

Lorsque quelque chose émerge de manière imprévisible (l'atmosphère ou, en d'autres termes, une consistance expressive) d'une combinaison d'éléments matériels et immatériels, de consistance inédite (une forme qui se répète et se renouvelle avec chaque film du genre) malgré l'hétérogénéité des éléments (les histoires particulières, les langues, les paysages diversifiés, les saisons, l'âge des personnages, les manières de déplacement, etc.), nous avons affaire à un « agencement ».

Ce jaillissement de traits (de couleurs dans la peinture, de sons et de silences dans la musique, d'objets et d'habitudes dans la maison, etc.), ce plan collectif d'éléments différents qui fonctionne comme plan de création est un *agencement*.

Le road movie, à mon avis, est un agencement qui invente une atmosphère spécifique dont la base est une matrice compositionnelle qui déplie la tension issue de l'asymétrie entre les échelles de l'humain et du non-humain. Au-delà de la tension, l'agencement road movie est constitué aussi par la manière dont la tension est administrée, par les mouvements inhérents au film, en l'occurrence les mouvements de caméra :

1) quand la caméra cadre de façon serrée le visage du personnage, cela signifie qu'on abandonne les grands récits exigés par les absolus pour s'intéresser aux histoires intimes, personnelles, les plus petites ;

2) quand un mouvement débute par le déplacement d'un être humain (le personnage à pied, en voiture, à dos de chameau, à bicyclette ou à motocyclette, etc.) sans se soucier de l'endroit où il va (dans certains road movies les voyages sont sans destination).

Ces deux mouvements permettent de soutenir le contraste entre l'humain et le non-humain sans que la partie minuscule, transformée en vecteur de mouvement, soit avalée par les grandeurs. Cette tension et la manière dont elle est gérée par le film (les mouvements) produisent l'expérience esthétique singulière du road movie. Elles résument la poétique propre à ce type de film qui a su profiter de paysages comme le Sahara, le désert nord-américain, les Andes et, bien sûr, la Patagonie, où se déroule le film qui sera maintenant l'objet de mon propos.

L'interculturalité d'*Historias Mínimas*

La façon la plus simple de définir l'interculturalité est probablement de la comparer avec la multiculturalité. Tandis que cette dernière se distingue par l'imperméabilité des systèmes socioculturels distincts mis en contact, l'interculturalité se caractérise par le mouvement vers l'Autre, créant l'occasion de mélanges culturels [3]. Les situations interculturelles, contrairement aux situations multiculturelles, où les cultures, ou simplement les « structures ou pratiques sociales discrètes » (Canclini 2001, p. 14) gardent leurs distances entre elles, sont utiles dans la production de mélanges interculturels avec une typologie variée : hybridité, métissage, créolisation, fusion, mixage, etc. Pour Canclini, les modalités classiques de mélange interculturel dérivaient des migrations, des échanges commerciaux et des politiques d'intégration dans les États nationaux. Les processus globalisateurs, à leur tour, « accentuent l'interculturalité moderne en créant des marchés mondiaux de biens matériels et d'argent, de messages et d'émigrés » (p. 23).

L'interculturalité manifeste dans *Historias Mínimas* n'est pas à comprendre comme une interaction entre deux systèmes culturels distincts au sens anthropologique traditionnel — qui pense la culture comme une totalité. L'interculturalité, dans *Historias Mínimas*, renvoie à une interaction entre ce qui pourrait être considéré comme un système culturel ouvert et fonctionnant en Patagonie (dont les pratiques et les conceptions sont singulières, sans jamais être « pures », sans frontières visibles et définitives) et un phénomène culturel issu de la mondialisation, comme Canclini le montre.

Pour que nous localisions, dans le film, ces situations d'interculturalité et leurs conséquences, nous devrons y suivre les deux mouvements décrits ci-dessus, qui forgent la tension caractéristique des road movies — le mouvement de la caméra en gros plan pour capter les histoires intimes et le mouvement du déplacement des humains. En rapprochant des personnages par l'entremise de la caméra, le réalisateur Carlos Sorín se penche sur les drames intimes qu'il retravaille à une échelle humaine, c'est-à-dire dans l'échelle temporelle et spatiale de l'individu ainsi que dans son insertion socioculturelle particulière. En les suivant à tour de rôle dans leurs déplacements singuliers, il convoque des éléments, tels que la culture, la région, l'Occident, qui font apparaître d'autres déplacements dépassant les histoires individuelles surgies du film.

Au premier plan, *Historias Mínimas* raconte explicitement et de manière entrecroisée trois histoires simples dans lesquelles les protagonistes doivent se déplacer le même jour, entre le petit village de Fitz Roy et la ville de San Julián. En toile de fond et implicitement, le film raconte une autre histoire actuelle d'envergure mondiale.

Don Justo, un vieux de quatre-vingts ans, presque aveugle, se rend à San Julián pour un règlement de compte. Il détient un secret qu'il partage avec Malacara, son chien, et qui sera révélé à la fin. Il y a maintenant trois ans que Malacara a quitté la maison et, selon Don Justo, le chien ne s'est pas perdu, il a simplement décidé de partir — *él se fue* — pour montrer son désaccord avec Don Justo. Pour pouvoir mourir, et mourir en paix, Don Justo doit retrouver Malacara et s'expliquer avec lui, et peut-être même lui demander pardon.

Le deuxième personnage est Roberto. Son voyage a pour but une conquête. Ce commerçant de quarante ans veut retrouver une jeune veuve qu'il a connue lors de son dernier passage à San Julián et pour qui il a eu le coup de foudre. Roberto élabore un curieux plan de conquête amoureuse qui s'inspire des stratégies de séduction des clients du monde des affaires.

Maria Flores, quant à elle, fait un voyage de découverte. Elle a su par une amie que la lettre qu'elle a envoyée à une émission télévisée en vue de participer à un concours a été sélectionnée. Maria doit aller à San Julián pour la finale et concourir au tirage au sort d'un robot de cuisine de dernière génération. Elle aura, en plus, l'occasion de connaître de l'intérieur le surprenant monde de la télévision.

Chaque histoire se développe, indépendamment l'une de l'autre, avec certains points éphémères de contact quand un personnage en croise un autre, soit physiquement pendant le voyage, soit au moyen du média télévisuel. Aux points de rencontre des voyageurs, nous trouvons toujours un téléviseur allumé. Que ce soient les protagonistes ou les autres personnages du film, tous finissent par se retrouver dans l'espace virtuel télévisé (celui que constituent les innombrables communautés de téléspectateurs) grâce à la simultanéité des émissions vues dans des points différents de l'espace physico-géographique. Ce contact atteint son paroxysme quand les deux hommes (Don Justo et Roberto), chacun dans son petit coin du monde, assistent à l'émission *Casino Multicolor*, où l'on voit Maria Flores concourir avec les autres candidates pour remporter le premier prix.

Malgré leur fragmentation, les trois histoires sont reliées entre elles par la narration qui, elle, dépasse les personnages, le village et la ville en question, la Patagonie et même l'Argentine. Cette

ligne narrative se rapporte au monde où nous vivons et est
« souterrainement » tissée. Comme l'aiguille noyée à un endroit
spécifique du tissu, et qui réapparaît peu après, des traits/
rumeurs/signes d'une autre manière de sentir/penser/agir,
appelée ici « culture mondialisée », peuvent être vus, entendus,
aperçus dans les interstices des trois petites histoires de ce film.
Nous sommes donc face à la culture mondialisée qui irrigue le
quotidien d'un endroit quelconque de l'Occident et s'infiltre
dans les pratiques, les mœurs et les perceptions subjectives du
monde.

Il s'agit encore une fois d'une différence d'échelle, d'une
asymétrie de puissance qui situe l'individu dans le champ de
tension entre deux autres grandeurs différentes, cette fois-ci dans
l'ordre de la culture : le local et le « global ». Au fil des trois récits
imbriqués, le spectateur repère en fait un flux de matériaux
culturels (images, objets, subjectivités), discret, dispensé presque
goutte à goutte, mais systématique, incessant, qui va s'infiltrer
dans le local, modifiant et incorporant à une culture mondialisée la Patagonie qui paraissait être une île de culture authentique, comme le rêvaient les anthropologues classiques[4].

Le terme « culture mondialisée » utilisé ici est proposé par
Renato Ortiz (2003). Il distingue des flux économiques et
technologiques qui caractérisent la mondialisation — qui ont
tendance à supplanter les flux locaux — et des flux culturels
« globaux » qui, contrairement aux flux économiques, n'entraî-
neraient pas nécessairement l'effacement des manifestations et
des pratiques locales. Au contraire, la culture mondialisée
« cohabite » avec la localité dont elle se nourrit par ailleurs. C'est
le cas de la langue anglaise, nous dit Ortiz, qui s'est mondialisée
et a pénétré presque toutes les autres langues de l'Occident, les
transformant mais aussi s'en nourrissant, ce qui lui confère de ce
fait une dynamique extraordinaire.

Mais cette possible cohabitation entre des éléments d'une
culture mondialisée et les modes locaux d'existence culturelle ne
peut pas ignorer la tension qui s'établit dans certaines circonstances chez l'individu soumis aux deux univers. Le film présente
certaines de ces tensions. Les manières dont chaque individu,
groupe ou communauté réagit et gère cette tension permanente

et fondamentale dans le monde contemporain, comme dans l'agencement road movie, suggèrent aussi une sorte de double dynamique, soit vers les processus de mondialisation, soit vers une défense de la « localité » selon les paramètres des identités qui font aussi partie du monde contemporain, revendiquées par plusieurs groupes antimondialisation. Entre les extrêmes — de la résistance à toute transformation jusqu'à la « conversion » totale —, toute une variété de combinaisons (hybridité, métissage, créolisation, mixage, etc.) pourra être observée.

Pour cela, les appropriations, les processus de traduction, les modes anthropophagiques de dévoration de l'autre[5], et beaucoup d'autres modalités d'interaction, loin d'être de simples cohabitations, entraînent des transformations du local avec divers degrés d'acceptabilité ou de refus, dans la direction de ce qui s'impose, avec comme résultat la production de nouvelles réalités culturelles.

Cette tension parcourt tout le film *Historias Mínimas*. Ce que nous voyons (les programmes télévisés mondialisés[6], quoique de facture et de qualité locales), ce que nous entendons (la chanson *Strangers in the Night*, par exemple) sont encore des rumeurs d'un autre mode de vie, d'une autre façon d'appréhender le monde. Les informations et les bruits de cet autre monde arrivent aux personnages principalement par la télévision, bien que cette dernière ne soit pas dans le film le seul moyen de transmission. Ce que l'on peut percevoir aussi, c'est la puissance de ce nouveau mode de sentir/penser/agir qui s'installe, quelquefois très discrètement, dans les interstices du quotidien.

Historias Mínimas nous permet de visualiser le phénomène de la mondialisation en trois étapes. Nous comprenons le film en suivant un processus dans lequel chaque histoire parle d'un moment particulier. Le plus intéressant, ici, c'est que ces trois étapes apparaissent dans une unité d'espace — la Patagonie — et de temps objectifs — les mêmes jours d'une année récente non spécifiée dans le film. Si à chaque personnage correspond un moment particulier de la mondialisation ou un mode différencié d'interaction avec la culture mondialisée, on peut affirmer, sans doute, que partager le temps et l'espace objectifs n'est pas suffisant pour garantir l'expérience d'un même monde.

Don Justo apparaît au moment zéro du processus de la mondialisation. Chez lui, on voit son fils installer une antenne parabolique, passeport fondamental, quand on n'habite pas en ville, pour participer à ce qu'Arjun Appadurai appelle le « médiascape » contemporain, terme qui, par moments, dialogue avec le concept de culture mondialisée d'Ortiz. Toutefois, tandis que le concept d'Ortiz (2003) englobe tout ce qui n'est pas exclusivement économique ou technologique[7], le terme « médiascape » d'Appadurai (2001, p. 71) se restreint à désigner le grand paysage médiatique mondial, défini comme étant

> à la fois la distribution des moyens électroniques de produire et de disséminer de l'information (journaux, magazines, chaînes de télévision et studios cinématographiques), désormais accessibles à un nombre croissant d'intérêts publics et privés à travers le monde, et les images du monde créées par ces médias. [...] Le plus important à propos de ces médiascapes, c'est qu'ils fournissent — en particulier sous leurs formes télévisées, cinématographiques et vidéographiques — à des spectateurs disséminés sur toute la planète de larges et complexes répertoires d'images, de récits et d'ethnoscapes, où sont imbriqués le monde de la marchandise et celui de l'information et de la politique.

Mais Don Justo fait partie d'un autre monde. Il ignore le parabolique. Dans son monde, les relations importantes et prédominantes sont établies par le contact immédiat. Les personnages font partie de la famille, du voisinage, du quartier, de la ville et, au fur et à mesure que la distance physique devient importante entre eux, leur intérêt pour la vie quotidienne diminue. Dans un monde comme celui-là, même si les nouvelles, les images et les idées reçues de points éloignés par l'intermédiaire du parabolique nourrissent l'imagination, elles sont moins significatives au moment « zéro » et ont une répercussion limitée. Dans le monde de Don Justo, la vie s'organise selon la philosophie : « un pas après un autre ». C'est une vie linéaire, où l'on ne contracte une dette qu'après avoir payé la dette précédente. Le vieux et « juste » Don Justo, pour aller de l'avant et pouvoir mourir en paix, a besoin de retrouver son chien Malacara, d'être face à lui pour régler ses comptes avec lui.

Contrairement à Don Justo, Roberto est totalement installé dans la société mondialisée. Ici, les relations ne s'établissent pas de la même manière que dans le monde de Don Justo, marqué par la « présentialité ». On peut être intime sans être à côté et l'on peut aussi bien ignorer tout de celui qui, chaque jour, nous vend le journal. Les moyens par lesquels nous établissons des contacts — non seulement avec le voisinage mais avec le monde entier — sont devenus une possibilité de contact, et nous créons des liens sociaux qui se multiplient et transforment les possibilités du corps individuel, les limites spatiales et temporelles. Au linéaire se substitue le rhizome, comme Gilles Deleuze et Félix Guattari (1995, p. 15) le conçoivent, spécialement dans ce qu'ils définissent comme étant leurs principes de connexion et d'hétérogénéité : « n'importe quel point d'un rhizome peut être connecté à n'importe quel autre et doit l'être ». Aux pas assurés l'un après l'autre succède la répétition de plusieurs pas faits en même temps. Cette substitution ouvre, en lieu et place des voies abandonnées, plusieurs chemins pour se construire pour soi-même et sans crainte une dette immense et impayable. Tel est l'espace modulaire où nous nous déplaçons d'une condition/ situation/lieu à l'autre sans aucun rituel de passage (le paiement de la dette antérieure, par exemple). Ce que ce monde privilégie, c'est surtout la capacité d'être flexible, d'opérer en soi-même (dans les mœurs, la pensée, mais aussi dans le corps) les transformations exigées par les situations neuves. Ce que ce monde privilégie, c'est de fonctionner d'après la logique de la modulation, telle que définie par Gilles Deleuze (1990, p. 221) : un moulage auto-déformant qui change continuellement à chaque instant, un état de métastabilité perpétuelle. Comme exemple de cette logique qui marque le monde contemporain, Gilles Deleuze indique la substitution de l'usine (sa façon de fonctionner, de créer des liens, de rémunérer) par l'entreprise. Alors que dans l'usine les ouvriers formaient un seul corps, facilement représenté par le syndicat qui fonctionnait comme un corps compact de résistance, dans l'entreprise, le principe qui module le « salaire selon le mérite » introduit tout le temps et entre tous une rivalité sans précédent. Cela rend impossible le corps unique antérieur (et sa représentation).

Historias Mínimas regorge d'autres types de modulations :

1) Le cas du représentant de commerce. Le collègue de Roberto exprime sa difficulté à s'adapter aux transformations de l'entreprise où il travaille depuis que, à la suite de la mort de son ancien patron, la nouvelle direction a été confiée à son fils. Habitué à vendre des outils — qui lui fournissaient une identité liée à l'utilisation des marchandises —, il est obligé de vendre, maintenant, des objets de plastique fabriqués en Chine (petites étoiles, petits poissons, etc.). Pour lui, les outils qu'il vendait auparavant semblaient avoir plus de valeur. Quelle valeur peut avoir et transmettre une petite étoile de plastique ?

2) La veuve et la transformation de son petit établissement commercial d'une pharmacie à une boutique d'artisanat pour touristes. Le changement a été opéré pour une raison plus commerciale que professionnelle. On n'a pas l'impression que la veuve a un désir professionnel spécifique qui pourrait, d'après un régime « identitaire », indiquer qui elle est. Elle peut être ici ou ailleurs.

3) Le porte-bijoux transformé par l'usage en porte-monnaie. Il s'agit ici d'une espèce d'improvisation utilitaire (modulation de l'utilisation, malgré la forme), où le projet initial (être un porte-bijoux) est ignoré en fonction d'un changement défini extérieurement à l'objet (le besoin ou le désir d'un porte-monnaie). Cet exemple banal peut être employé pour penser des situations importantes dans les villes, en l'occurrence l'appropriation improvisée des espaces pour des usages répondant à des besoins exceptionnels. À titre d'illustration, on pourra évoquer le cas du Brésil, où plusieurs salles de cinéma ont été transformées en temples religieux pentecôtistes. Du point de vue de la modulation, il n'y a aucun problème ; les deux espaces sont des temples.

4) L'ambiguïté du sexe de l'enfant de la veuve dont Roberto est tombé amoureux. Le nom, qui en espagnol s'écrit et se prononce René(e), indépendamment du genre, n'est pas suffisant pour affirmer qu'il s'agit d'un garçon ou d'une fille. D'abord Roberto l'imagine garçon, ensuite, il considère la possibilité qu'il s'agisse plutôt d'une fille. Enfin, il

conclut qu'on ne peut pas le savoir. Ce doute l'oblige à revoir le choix du cadeau d'anniversaire (le gâteau, qui au début est un ballon de football/soccer) qu'il veut offrir à l'enfant avec l'intention de surprendre la mère. L'exemple ici sert de plate-forme pour penser les conditions de l'exercice et de la représentation de la sexualité dans le monde contemporain et met en échec toute la crédibilité de la classification des genres.

5) Les transformations successives du gâteau (cadeau de Roberto pour René/Renée) qui commence comme ballon de football et finit comme tortue. Exemple banal, mais qui peut représenter (peut-être plus comme une métaphore que comme un exemple proprement dit) la logique de la modulation : la forme est changée sans changer la nature. Le gâteau/cadeau est toujours gâteau/cadeau. C'est comme la pharmacie transformée en magasin d'artisanat (toujours un établissement commercial) et le cas du porte-bijoux transformé en porte-monnaie (toujours un porte quelque chose). Il faut noter ici encore les résistances des confiseurs aux transformations proposées par Roberto.

Le corollaire de cet impératif modulateur est le discours du représentant de commerce dans une société en proie à la mondialisation. Son discours et ses stratégies de marketing comprennent les traits de subjectivité exigés par le nouveau mode de vie. Il a des opinions bien arrêtées à propos de la créativité, de l'improvisation, de la flexibilité. Roberto est lui-même l'agent de transformation et il est le seul capable d'interagir avec toutes les nouveautés imposées par ce monde, sans crise de conscience, sans doute et sans s'être totalement abruti, comme dans le cas de la femme du confiseur devant la télévision. Roberto est un converti.

Maria Flores est à mi-chemin entre Don Justo et Roberto. Elle vit dans ce monde d'une manière marginale : elle habite dans une maison sans électricité, sans télévision, mais malgré cela, son monde fait déjà partie du médiascape contemporain. À sa manière, elle sait ce qui se passe à la télévision grâce à la télévision de la place, à celle du voisin, ce qui l'a amenée à envoyer des lettres à un concours télévisé. Étrange et ironique est le fait que Maria Flores concourre pour le prix d'un robot de cuisine de dernière génération qu'elle ne pourra probablement pas utiliser là où elle habite — sans électricité — et dans les conditions précaires dans lesquelles elle vit. Mais cela ne préoccupe pas Maria (qui, par ailleurs, remporte le prix). Ceci n'est pas son objectif dans ce voyage à San Julián — contrairement à sa collègue de concours qui, gagnante d'un boîtier de maquillage, fait tout pour réussir à échanger son prix « moins important » contre le robot de cuisine. Il y a une espèce d'accord de mondes dans cet échange : la belle et jeune Maria — mais pauvre, pré-moderne et naïve — accepte d'échanger avec sa collègue de concours — pas aussi jeune ni belle, mais certainement plus riche — de la ville (et habile) le précieux robot de cuisine contre un boîtier de maquillage, visiblement de moindre valeur avec en plus une somme d'argent qui lui permettra de passer la nuit dans un hôtel et de payer son billet de retour. C'est précisément parce que Maria ne va pas à San Julián avec un objectif spécifique (malgré le concours), parce que son voyage est un voyage de découverte, parce qu'elle ne sait pas ce que l'avenir immédiat lui réserve, que tout devient possible.

Maria est donc le personnage dont l'avenir est le plus insondable. Nous ne pouvons pas dire ce qu'elle fera des nouveautés qui apparaîtront dans sa vie. La scène finale montre Maria dans l'autobus qui la ramène chez elle, ouvrant le boîtier de maquillage, se regardant dans le miroir.

Ce que nous voyons ne révèle rien d'autre qu'un regard interrogatif. On est placé là au point exact du présent où on ne peut pas imaginer l'avenir. Ce que Maria fera avec les images, les objets, les expériences qu'elle a vécues est indéterminé. On sait seulement que quelque chose se produira.

Road movie, interculturalité et transferts culturels

Si, d'un côté, nous pouvons localiser dans le film *Historias Mínimas* différentes étapes d'interaction (qui signifient divers niveaux d'engagement) avec la culture mondialisée principalement grâce aux trois protagonistes, d'un autre côté, le film donne aussi de la visibilité aux formes de résolution de cette irrigation de la vie quotidienne et des subjectivités par le processus de mondialisation.

Cependant, il faudra d'abord justifier l'importance qu'a pour l'analyse du road movie l'exposé que je ferai maintenant des différents transferts culturels présents dans le film, conformément à ceux qu'a définis Walter Moser. Si le road movie qui fait l'objet de notre analyse était classique et non excentrique, l'interculturalité se manifesterait au fur et à mesure que le voyage du protagoniste pénétrerait dans de nouvelles situations culturelles. On a comme exemple *Un thé au Sahara* de Bernardo Bertolucci. À l'arrivée des voyageurs en territoire africain, ils se trouvent dans un hôtel. Là, tout est européen, sauf les employés identifiables à leurs vêtements exotiques. À chaque étape, l'hôtel se transforme, jusqu'à ce qu'à un moment donné du voyage, il n'y ait plus un seul vestige de ce type d'espace propice à l'accueil. Ce qui apparaît ici, c'est que l'interculturalité dans le road movie des grands voyages est liée au déplacement du personnage d'une position culturelle à une autre position culturelle. Elle est liée à des parcours, où des rencontres effectives, des confrontations, des juxtapositions, des mélanges culturels peuvent avoir lieu.

Contrairement à ce que l'on observe dans le road movie classique, dans *Historias Mínimas*, ce ne sont pas les personnages qui, pendant leurs voyages, font l'expérience d'autres univers culturels et provoquent des situations/des flux d'interculturalité. Ce sont des flux culturels mondialisés qui les traversent[8], même lorsqu'ils sont arrêtés, entrant dans leurs vies, interférant avec leurs formes de sensibilité. Cela se produit au moyen d'innombrables types de transferts.

Une véritable sensibilité contemporaine mondialisée est forgée par divers cas de transferts culturels, comme l'a démontré Walter Moser dans plusieurs de ses écrits récents[9]. Quand il conçoit « le transfert » de nature culturelle comme une unité dynamique minimale, Moser rend possible le découpage de « la complexité de la dynamique culturelle en des processus analysables, c'est-à-dire [...] [le choix] dans la prolifération d'interactions multiples [de] la configuration méthodologiquement maniable d'un processus délimité ». À des fins clairement heuristiques, Moser propose alors « de ramener le transfert culturel à la forme grammaticale d'un énoncé nucléaire : il y a transfert culturel quand un agent (sujet) identifiable transfère un matériau culturel (objet) d'un système à un autre dans des conditions historiques concrètes ».

Il est clair que dans l'élaboration d'une grammaire du concept de transfert, l'apparente simplicité de l'énoncé nucléaire est immédiatement écartée, dans la mesure où Moser explore la complexité de chacun de ses composants, à savoir le sujet du transfert, l'acte de transférer et l'objet du transfert. Mais pour les objectifs de ce texte, je prendrai le concept dans sa forme la plus simple, m'abstenant de ponctuer chacune des réflexions faites par Moser, de façon à seulement indiquer les divers types de transferts qui peuvent être identifiés dans le film que nous sommes en train d'analyser :

1) Transferts sonores : le rock apprécié par le biologiste qui emmène Don Justo dans sa voiture ; la chanson *Strangers in the Night* mais aussi la voix mondialisée de Frank Sinatra qui chante à la radio dans la voiture de Roberto.

2) Transferts de modèles télévisés : les programmes clichés sur la médecine, sur les progrès technologiques, la retransmission du Carnaval brésilien mondialisé, les feuilletons, les jeux télévisés, etc.

3) Modèles moraux : la discussion entre la femme du confiseur et Roberto au sujet d'un personnage de feuilleton télévisé révèle des modes différents d'aborder les relations affectives et leurs situations problématiques (trahison, rejet, jalousie, etc.).

4) *Best-sellers* dans le domaine des affaires : les livres de marketing, mais surtout les idées que propagent plusieurs d'entre eux se trouvent incorporées dans le discours (pour les affaires et pour la vie) de Roberto.

5) Transferts matériels (objets en général) : le canapé, l'antenne parabolique, les bottes, le porte-bijoux musical, le gâteau, les *kits* d'amaigrissement, le livre de marketing, le robot de cuisine, le nécessaire de maquillage et bien sûr, le plus important d'entre eux : la télévision.

On pourrait continuer en examinant les répercussions du transfert, c'est-à-dire ce que la situation d'interculturalité provoquée par le transfert produit effectivement. Mais cela constituerait une autre réflexion très longue.

Happy (ou pas très happy) end : le métis

Pour terminer, j'aimerais indiquer un exemple, dans *Historias Mínimas*, de ce que des situations d'interculturalité peuvent produire, bien que de façon silencieuse et discrète. Parmi les innombrables dénominations de ce que nous pourrions appeler le processus de production d'un « tiers culturel », ou d'une « nouveauté » dans la culture — toujours dans le domaine d'une situation d'interculturalité —, comme le métissage, l'hybridation, la créolisation, le syncrétisme, la fusion, etc.[10], je choisis la situation culturelle qui m'intéresse le plus : le métis.

Serge Gruzinski (2001, p. 62) utilise le mot « "métissage" pour désigner les mélanges observés en sol américain dès le XVIe siècle entre des êtres humains, des imaginaires et des formes de vie issues de quatre continents — Amérique, Europe, Afrique et Asie ». Les objets métis qu'il analyse sont surtout les peintures dites « copies de la Renaissance » produites par les Indiens « apprentis » en terres américaines après la conquête, comme dispositif de la christianisation. Pour l'historien, la mondialisation a commencé déjà à cette époque. Mais, parmi les exemples actuels de métissage de l'image, il cite des films comme *The Pillow Book* de l'Anglais Peter Greenaway et *Happy Together* du Chinois Wong Kar-wai. Une phrase curieuse et imagée de l'écrivain brésilien Mário de Andrade est aussi invoquée pour définir et illustrer le métissage ou le monde mélangé : « Je suis un tupi qui pique un luth[11]. »

Le film de Carlos Sorín présente, à mon avis, un métissage aussi puissant que cette phrase : l'image (captée dans l'une des affiches du film) d'un sofa devant la maison de Don Justo, où l'on voit aussi l'antenne parabolique et la route qui coupe la plaine sans fin. D'abord le sofa : il s'agit d'un meuble conçu sur un modèle d'habitation moderne européenne où les espaces, les objets et les meubles de la maison sont organisés pour remplir des fonctions spécifiques (recevoir, dormir, manger, faire son hygiène, etc.). Ce qui est bizarre ici, ce n'est pas le sofa, désormais adopté en Amérique latine, mais la façon dont il est installé, c'est-à-dire en dehors de la maison.

À qui s'offre ce sofa ? À l'habitant qui observe la route presque déserte et au voyageur à la recherche d'un lieu de repos. On trouve facilement dans les fermes des bancs en bois, posés devant la maison principale. Mais ce lieu destiné à l'observation du propriétaire et au repos du voyageur est aussi un lieu de rendez-vous, d'interculturalité. C'est un espace de réception de l'idée ou de la personne qui vient de loin. Il est comme une antenne qui capte le monde extérieur pour Don Justo. Ainsi, avec ses rythmes, ses moyens, son mode de fonctionnement qui réside dans la proximité, la « collatéralité », la contiguïté spatiale, le monde de Don Justo établit ses propres connexions. L'antenne parabolique présente dans ce monde sert de médiateur entre ce dernier et le monde contemporain. À la différence du sofa, elle est « rhizomatique » et a pour fonction d'abolir les distances physiques.

L'intrigant, c'est cette combinaison sans précédent entre une maison rurale, un sofa moderne devant la maison, l'antenne parabolique et la route. Cet agencement « gratte » les agencements usuels, soit celui du sofa dans la maison, soit celui des bancs en bois à l'entrée des maisons de ferme, soit celui de l'antenne parabolique dans le paysage urbain et tant d'autres qu'on pourrait énumérer ici.

Les métis sont, presque toujours, perturbateurs : des résultats de différents et indéterminables croisements culturels.

Universidade Federal de Mato Grosso

NOTES

1. Le signifié attribué ici à la matrice s'inspire aussi de l'idée de Lucia Santaella de matrices sonores, visuelles et verbales dont les combinaisons et les mélanges donnent origine à toutes les formes possibles de langage et de processus de communication (Santaella 2001).

2. Dans le sens d'une espèce d'« esprit », de disposition intérieure, de nature émouvante qui animerait un certain genre cinématographique.

3. Bien qu'il admette que le mélange interculturel ne soit pas nécessairement productif — il peut gérer des conflits dans ce qui reste incompatible avec ou inconciliable dans les pratiques réunies —, Canclini (2001, p. 20) déclare sa sympathie pour l'hybridation, « comme processus [...] qui rend possible que la *multiculturalité* évite ce qu'elle a de ségrégation, et puisse se convertir en *interculturalité* ».

4. Il est bon de signaler que l'anthropologie contemporaine, à l'exemple de l'anthropologie transnationale dont parle Ulf Hannerz (1997), s'est déplacée de la traditionnelle position, qui privilégiait l'immuabilité de la culture essentialisée, en direction d'une approche qui admet le flux et le changement comme base dans les processus culturels. L'île de culture authentique n'a jamais existé.

5. Partant de l'épisode dans lequel le premier évêque du Brésil, Pero Fernando Sardinha, après son naufrage, est dévoré par les Indiens caetés sur la côte brésilienne, en 1556, Oswald de Andrade (1890-1954), auteur du *Manifeste anthropophage* (1928), propose dans ce texte, et dans d'autres textes ultérieurs, la réhabilitation du primitif et de sa pratique de dévoration de l'autre comme un mode de recréation de soi-même dans le contact avec le colonisateur. L'anthropophagie, à partir d'Oswald de Andrade, gagne un caractère productif et un statut de concept amplement utilisé et exploité par les penseurs et artistes brésiliens.

6. Une importante réflexion peut et doit être faite (mais à une autre occasion) sur la diffusion des modèles de programmes de télévision, depuis l'apparition de la télévision et sa participation dans l'alimentation de ce que l'on qualifie de «culture mondialisée». Ce que nous pouvons dire dans l'immédiat est que, si à l'origine de la télévision les modèles de ces programmes étaient principalement nord-américains (programmes d'auditoire, programmes de vente de produits «dramatisant» des situations d'utilisation, *talk-shows*, jeux télévisés, dessins animés, séries télévisées), ce que nous voyons maintenant est la diffusion de modèles issus d'autres parties du monde, comme les feuilletons latino-américains, les formats européens de *reality-show* (*Big Brother*) ou l'esthétique «mangá» japonaise des dessins animés actuels.

7. Pendant que Renato Ortiz (2003) ne distingue que les flux économiques et technologiques des culturels dans la mondialisation sans que cela soit vu nécessairement comme asymétriques et portant des préjudices à des minorités, à exemple des flux économiques en général, Appadurai (2001) introduit cinq cas de flux indépendants, mais qui entrent en relation de plusieurs manières pour penser le monde contemporain : *ethnoscapes*, *médiascapes*, *technoscapes*, *financescapes* et *idéoscape*.

8. Le cas de Maria Flores à la station de télévision, où elle se rend pour le tirage au sort, est éloquent à ce sujet. Maria Flores vit cet instant comme un voyage au cours duquel elle rencontre le monde.

9. Ce concept est exhaustivement développé dans le texte *Pour une grammaire du concept de «transfert» appliqué au culturel* (manuscrit).

10. Parmi les auteurs qui ont développé les différents concepts, j'aimerais citer Gilberto Freire et Fernando Ortiz, Ángel Rama, Édouard Glissant, Homi Bhabha, Massimo Canevacci, Néstor García Canclini, Serge Gruzinski, Ulf Hannerz.

11. Mário de Andrade a participé au mouvement moderniste brésilien (dans les années 1920) qui a abouti, parmi d'autres tendances, au mouvement anthropophagique qui propose un programme de métissage, de «dévoration de l'autre» ou de cannibalisation des valeurs de la civilisation. «Je suis un tupi qui pique un luth» est le dernier vers du poème «Le troubadour» présent dans l'œuvre *Paulicéia Desvairada*, de Mario de Andrade (1922).

RÉFÉRENCES BIBLIOGRAPHIQUES

Appadurai 2001 : Arjun Appadurai, *Après le colonialisme. Les conséquences culturelles de la globalisation*, Paris, Payot, 2001.

Canclini 2001 : Néstor García Canclini, *Culturas híbridas. Estrategias para entrar y salir de la modernidad*, Buenos Aires/Barcelone, Editorial Paidós, 2001.

de Campos 2004 : Haroldo de Campos, *Metalinguagem e outras metas*, São Paulo, Perspectiva, 2004.

Deleuze 1990 : Gilles Deleuze, *Pourparlers 1972-1990*, Paris, Les Éditions Minuit, 1990.

Deleuze et Guattari 1995 : Gilles Deleuze et Félix Guattari, *Mille plateaux — Capitalisme et schizophrénie 2*, Paris, Les Éditions de Minuit (coll. «Critique»), 1980.

Gruzinski 2001 : Serge Gruzinski, *La pensée métisse*, Paris, Fayard, 1999.

Hannerz 1997 : Ulf Hannerz, « Fluxos, fronteiras, híbridos : palavras-chave da antropologia transnacional », *Mana*, vol. 3, n° 1, 1997, p. 7-39.

Ortiz 2003 : Renato Ortiz, *Mundialização e Cultura*, São Paulo, Brasiliense, 2003.

Santaella 2001 : Lucia Santaella, *Matrizes da linguagem e pensamento : sonora, visual e verbal*, São Paulo, Iluminuras, 2001.

ABSTRACT

Murmurs of a Globalized Culture: Thoughts on the Film *Historias Mínimas*
Ludmila Brandão

Carlos Sorín's film *Historias Mínimas* is set in Argentina's Patagonia region and tells three somewhat interlocking stories about inhabitants of the mall village of Fitz Roy travelling to the city of San Julián. In this article, the author examines the film genre known as the road movie on the one hand, and on the other the phenomenon of interculturality that it seems to promote. Despite the fact that *Historias Mínimas* does not stand up to both analyses—from the point of view of the scale of the characters' travels, it cannot be seen as a "classic" road movie, and from the point of view of its intercultural situations, it can not be entirely classified as an intercultural road movie either—the film is compatible with the genre to the extent that it presents the same compositional matrix and makes possible an analysis of interculturality in its modern form, brought about by globalizing forces and their worldwide flow of images, ideas and technologies, in addition to the classic flows of money, merchandise and people.

On the road to *Kandahar*

Pierre Kadi Sossou

RÉSUMÉ

Voyage, rencontre de cultures, double identité du personnage Nafas constituent des éléments qui fondent *Kandahar*, le film du réalisateur iranien Mohsen Makhmalbaf (2001), comme road movie interculturel. Prenant pour prétexte la quête d'une sœur à sauver à Kandahar, le film fait de la narration de la route un expédient pour promener le spectateur dans les méandres de l'Afghanistan des Talibans. Sur cette route qui oriente vers les clivages entre hommes et femmes afghans, Nafas n'a de cesse d'enlever et de mettre son voile (burqa), donnant ainsi lieu de s'interroger sur la posture du dévoilement, au sens propre — enlever la burqa — comme au figuré — révéler au monde les conditions de vie des Afghans. Ce geste de dévoilement se veut symbole d'une liberté qui s'oppose aux canons du fondamentalisme religieux.

For English abstract, see end of article

À sa sortie au Festival de Cannes en 2001, *Kandahar* — film documentaire du réalisateur iranien Mohsen Makhmalbaf — remporte un succès fulgurant : Prix du Public (Cannes, 2001), Médaille d'Or Fellini (Unesco, 2001), Grand Prix du Jury International Œcuménique (Ocic-Interfilm, 2001) et bien d'autres. Kandahar est, comme le précise Nalofer Pazira (2001) [1] dans une interview, « une collection d'histoires sur la pauvreté et la tragédie causées par la guerre en Afghanistan ». L'histoire extradiégétique prise en charge ici par le médium cinéma est simple : Nalofer Pazira, jeune femme afghane réfugiée au Canada, reçoit « une lettre désespérée de son amie qui voulait se suicider à cause des conditions de vie trop rudes à Kandahar » (Haghighat 2001). Dans le rôle de cette jeune afghane, Nafas quitte le Canada en toute hâte pour aller trouver et secourir cette amie devenue sœur dans l'univers diégétique. Toute l'intrigue tient en la recherche de cette sœur à sauver, et la route devient lieu de quête, lieu de rencontres aussi. Rencontre d'abord d'une famille afghane de retour d'Iran, puis rencontre de Khak, un jeune Afghan de douze ans, réfugié — comme de nombreux figurants dans le film — avec sa mère à Niatak, un village à la frontière iranienne. Rencontre ensuite de Tahib Sahid, un Américain noir devenu médecin de village à Niatak. La boucle des rencontres importantes sera bouclée par celle de Hâyat, un Afghan qui fera avec Nafas la dernière tranche du parcours jusqu'à un poste de sécurité érigé par les Talibans.

En fixant le regard sur l'itinéraire de Nafas, sur ses moyens (technique et animal) de locomotion et sur les rencontres culturelles dans le film, je formule l'hypothèse que la route qu'emprunte Nafas contribue à faire de *Kandahar* un road movie interculturel. En effet, outre la forme de rencontre culturelle manifeste dans des séquences où des personnages de divers horizons culturels sont appelés à interagir, au moins deux éléments du film permettent de problématiser l'interculturel : une rencontre culturelle s'opère dans le personnage de Nafas, personnage à l'identité double qui assume sa culture afghane (orientale) et sa culture canadienne (occidentale). Un second élément, le plus important de ceux qui posent la rencontre culturelle comme l'un des enjeux qui traversent le film, est la question du voile. Le réalisateur joue en effet sur les images de voilement et de dévoilement pour atteindre l'un des objectifs explicites de ce voyage cinématographique : faire la lumière sur ce que cache le voile, ici la burqa [2], vêtement recouvrant entièrement certaines femmes afghanes. L'opposition entre voilement et dévoilement étant au cœur du périple de Nafas, je vais, avant de situer aux lecteurs les moyens cinématographiques mis en œuvre pour réaliser le conflit entre *hijâb* et *kashf* (entendre voilement-dévoilement), interroger l'interculturalité dans le film, tout en établissant en quoi cette dernière se rapporte au genre du road movie [3].

Des moments road movie dans *Kandahar*

Dans son article liminaire à ce numéro spécial de *Cinémas*, Walter Moser parcourt l'histoire du road movie américain et présente un certain nombre d'éléments qui lui sont constitutifs, tels que la combinaison cinéma-automobile, la route, la mobilité, l'arrachement à des espaces-temps fixes, la fugue, la re-nomadisation. Il circonscrit le noyau générique du road movie dans deux gestes essentiels qui sont : d'abord *to hit the road*, geste de libération qui implique rupture avec un ordre établi (le pouvoir paternel, par exemple) et signifie dégagement de la voie vers l'espace ouvert ; ensuite *to be on the road*, geste de jouissance de la liberté dans l'espace ouvert qu'est la route. Comment *Kandahar* entre-t-il dans ce schéma propre au road movie américain ?

« Un séjour au cœur de l'Afghanistan », tel est le sous-titre de *Kandahar* dont le scénario, intitulé *Safar e Ghandehar*, signifie d'ailleurs « Voyage à Kandahar ». La notion de voyage « implique la route[4], qui à son tour sous-entend l'espace[5] ». Pour parcourir l'espace, il faut un moyen de déplacement. Dans *Kandahar*, le spectateur est invité à faire le voyage par différents modes de locomotion. La présence de moyens de déplacement dans les œuvres catégorisées sous le genre du road movie est un consensus minimal qui transcende les difficultés inhérentes à une délimitation claire des frontières du genre[6]. Considéré tantôt comme cinéma sur le sujet de la voiture ou autres moyens de locomotion (Corrigan 1991, p. 143-146), tantôt comme cinéma sur roue (Williams 1982, p. 6), le road movie est « à l'image des individus qu'il présente, […] un vagabond qui erre dans le temps et les époques, présent d'un genre à un autre et sous différentes facettes[7] ». La narratrice de *Kandahar*, Nafas, va effectivement errer, empruntant différents moyens de déplacement pour nous faire parcourir un espace diversifié. On commencera à la voir à bord d'un hélicoptère de la Croix Rouge survolant le territoire iranien. On voit dès les premières minutes du film qu'en lieu et place de la voiture personnelle, lieu commun du road movie américain, un moyen de locomotion plus rapide est mis au service de ce voyage. On apprend dans une conversation avec le pilote que Nafas prend l'hélicoptère parce que les autorités consulaires de l'Iran, du Pakistan et du Tadjikistan ont refusé de lui octroyer un visa. Sa fonction de journaliste dénonçant les conditions humiliantes des femmes du Moyen-Orient en général et de l'Afghanistan en particulier a fait d'elle une *persona non grata*. C'est donc pour éviter le passage des frontières terrestres qu'elle a recours, dans un premier temps, à l'espace aérien. Le désir de se rendre à Kandahar est plus puissant que toutes les barrières érigées sur sa route. Aussi mobilise-t-elle tous les moyens disponibles pour arriver à destination. Elle est ensuite à bord d'un tricycle multicolore en compagnie d'une famille afghane. Cette famille fait avec elle un bout du chemin menant vers Kandahar avant de se faire voler des objets précieux et subtiliser le tricycle par les coupeurs de route. Plus tard, un autre *road mate* nommé Khak guidera Nafas, à pied, dans les dunes. Tahib Sahid, l'Américain noir, mettra à sa disposition son chariot, et Hâyat fera avec elle le reste du chemin, à pied.

Nafas monte à bord de l'hélicoptère non pas pour mieux contempler le sol en vue aérienne, mais pour contourner les murs terrestres représentés par le refus de visa. Si elle monte ensuite sur le chariot ou le tricycle, ce n'est pas non plus pour apprécier la splendeur des paysages. Ce sont les seuls moyens dont elle dispose pour se rendre à destination. Expérience pluriforme de la traversée des espaces qui donne envie de connecter *Kandahar* au cinéma de la route, au road movie. Le déplacement ainsi que les divers moyens de locomotion montrent que Nafas est *on the road*. Le chaînon manquant des deux gestes essentiels supposés constituer le noyau générique du road movie (Moser) est la déprise : *to hit the road*.

Être sur la route présuppose qu'on a pris une fois la route. Cela s'entend, mais la force du *to hit the road* réside dans la déprise, qui est un geste de rébellion caractérisé dans le *Bildungsroman*, le *road novel* et le road movie par le meurtre symbolique du père ou la rupture avec la famille. Contrairement à cette notion de déprise, le départ de Nafas du Canada n'exprime aucune rupture. La déprise, si elle existe quelque part dans *Kandahar*, je la localiserai dans le grief de Nafas contre la burqa, une pratique religieuse propre à l'Afghanistan. Ce

Tricycle pour Kandahar
© Seville Pictures

geste de Nafas contre la burqa peut être vu comme une rébellion contre une pratique qui a cours dans sa propre maison. Ainsi peut-on affirmer que dans *Kandahar*, la déprise a subi une modification majeure. Nafas prend la route non pas pour briser les amarres en fuyant cette pratique de voilement à laquelle elle s'est déjà soustraite. Elle ne prend pas le large pour respirer le vent de la liberté. Elle ne se dégage pas de ce qui retient, étouffe — *topos* essentiel du road movie classique. Au contraire, elle prend une route, dont la flèche directionnelle pointe vers Kandahar, pour aller affronter l'intégrisme taliban, donné dans le film comme dispositif contraignant ou barrière à fracasser. Tout se passe comme si l'on prenait la route pour aller à nouveau à la rencontre d'un adversaire que l'on a d'abord fui, et à qui l'on veut subtiliser des prisonniers restants. La quête de Nafas à la recherche de la sœur restée en Afghanistan suggère donc un projet ultime, qui verra cette sœur, symbolisant l'ensemble des prisonnières de la burqa, se déprendre du «rideau», de la cloison. Ainsi *Kandahar* présente-t-il dans sa structure, sous une forme modifiée à tout le moins, ce que Walter Moser appelle les unités minimales du road movie américain : prendre la route (*to hit the road*), être sur la route (*to be on the road*) et prendre la route à nouveau (*to hit the road again*). À cet égard, il est à considérer comme une variante du road movie.

Des éléments d'interculturalité dans *Kandahar*

En plus de participer au genre du road movie, le film tisse sa toile de fond sur un enjeu culturel. Déjà le titre *Kandahar* indique un lieu culturel précis vers lequel la route de Nafas est censée conduire. Le réalisateur est un Iranien[8] qui tourne son film à la frontière irano-afghane et y fait jouer des Afghans, des Iraniens, un Américain noir, une Canado-afghane, des Européens travaillant pour la Croix-Rouge. En somme, des représentants d'un florilège de cultures. D'où l'intérêt de convoquer ici l'interculturalité. Que la notion d'interculturalité n'aille pas de soi est un constat fait par Pascal Gin dans son article liminaire. Pour conjurer les confusions conceptuelles et minimiser la charge sémantique de l'interculturel, Gin a essayé de baliser l'aire référentielle de l'interculturel dont il est question dans ce numéro, à savoir cohésion ou perturbation des identités culturelles, asymétries de la production culturelle, acquiescement critique à une opacité du culturel, etc. Je veux m'en tenir à cette aire référentielle en la repréçisant par rapport à l'objet filmique qui nous occupe.

L'hypothèse d'une constitution du film comme road movie interculturel se vérifie d'abord par la construction du personnage de Nafas qui se réclame de l'Afghanistan, terre de ses aïeux, et du Canada, terre d'accueil. Nafas est certes Afghane, mais elle est devenue Canadienne. En tant que Canado-afghane, elle représente une véritable charnière entre deux espaces culturels. Qu'est donc l'*inter* de l'interculturel si ce n'est pas, entre autre chose, ce trait d'union entre une culture A et une culture B, trait représenté par ces personnes à double identité, culturellement hybrides, qui suivent ce qu'Irmela Schneider appelle la logique du *Sowohl-als-auch*, antipode de la logique monoculturelle *Entweder-oder* (Schneider 1997, p. 20). Par sa culture hybride, Nafas réalise dans son être le processus qui aboutit à ce que Fernando Ortiz a décrit sous le concept de transculture (Ortiz 1940), synthèse d'une perte culturelle (déculturation) et d'un gain culturel (néoculturation). Avant de se réfugier au Canada, Nafas a vécu sous le règne des Talibans. Elle a connu l'humiliation qui est le lot des femmes dans son pays natal régenté par la loi talibane qui taxe d'impure toute image, toute représentation visuelle. Au Canada, Nafas fait des expériences autres que celles qu'elle avait faites dans son pays natal. Elle redécouvre l'image sous un jour différent. L'image ne lui paraît plus impure. L'œil de la caméra se pose sur des réalités et les capte pour les conserver et les montrer. La représentation cinématographique sert ainsi de véhicule d'idées, de mémoire et d'archive. Or le cinéma se veut une alliance entre la technique photographique et « un système permettant d'enregistrer puis de restituer de façon satisfaisante l'analyse d'un mouvement réel » (*Le petit Larousse illustré*). Cette fonctionnalité de l'image que maîtrise Nafas, journaliste, elle va chercher à en faire profiter ses sœurs et frères afghans. Sa délicate position entre l'Afghanistan qu'elle a fui et le Canada qui est devenu sa maison fait d'elle le pion central du film, capable de déjouer ce qu'elle considère comme de l'intégrisme afghan, en jouant sur le code culturel qu'est le voile. D'ailleurs, le prénom afghan Nafas, explique le réalisateur Makhmalbaf, signifie « respiration ». Si la burqa empêche « la femme de respirer et d'être libre » (Haghighat 2001), Nafas vient lui apporter respiration et liberté. Nafas, quête de la liberté, motif essentiel du road movie. Le nom est tout un projet. Nafas, dit le réalisateur, c'est « le symbole de la femme afghane, qui connaît une situation meilleure au Canada ». Elle a fait l'expérience de l'altérité, expérience de l'ailleurs, et est supposée avoir un double regard par rapport à ses sœurs restées en Afghanistan. Elle peut, à l'occidentale, sortir de sa maison, parcourir le monde en hélicoptère, en tricycle à moteur, en chariot à traction animale, à pied… Elle peut, liant mobilité et émancipation, lever son voile et parler aux hommes en les regardant dans les yeux.

Une route de dévoilement : *hijâb* versus *kashf*

Mettre à l'écran ce qui empêche « la femme de respirer et d'être libre » est le projet que s'assigne le réalisateur pour, d'une part, révéler au monde les tribulations de la femme afghane et, d'autre part, apporter un peu de lumière à cette dernière à travers l'acte symbolique du dévoilement (lever son voile). Le *hijâb* (voile) désigne le linge qui couvre et évoque en Islam « la dissimulation des choses secrètes » (Chevalier 1977, p. 812-813). Symboliquement, il s'oppose à *kashf* (dévoilement), qui « est une révélation ». Le concept de « révélation » participe du débat hautement philosophique, je veux dire métaphysique, sur l'άλήθεια. Ce débat sur l'être de la vérité est ébauché par les présocratiques Parménide et Héraclite, continué par les socratiques Platon et Aristote, repris par les modernes Descartes, Kant, Nietzsche, et relancé par le philosophe contemporain Martin Heidegger, qui y a consacré son œuvre la plus connue, *Sein und Zeit* (1927). Pour Heidegger (1965, p. 219), la définition d'Aristote qui fait de l'essence de la vérité l'accord du jugement avec son objet (*adaequation intellectus et rei*) est vide. L'essence de la vérité résiderait dans le dévoilement, *Entdeckheit* (*Unverborgenheit*) (Heidegger 1967, p. 219) plutôt que dans une adéquation simple entre un énoncé et l'objet sur lequel il porte. Pour expliciter cette équation vérité = dévoilement, Heidegger a dû recourir au mot utilisé par les anciens Grecs pour designer la vérité : άλ ή θεια. « La vérité, en tant qu'άλ ή θεια, désigne ce qui a été soustrait (a-privatif) à l'occultation (à l'oubli : λ ή θη).'Αλ ή θεια signifie dévoilement » (Boutot 1989, p. 49). Ce concept traditionnel de la vérité présuppose, selon Heidegger, la non-vérité originaire, c'est-à-dire le mystère que la vérité révèle ou doit révéler. La vérité s'identifie donc, dans son essence, à la révélation, au dévoilement. « La vérité en tant que dé-voilement est intrinsèquement référée à la non-vérité, c'est-à-dire au voilement » (p. 49). Dévoiler, manifester, sortir de l'oubli, serait pour Heidegger l'essence de la vérité. Dans une conférence intitulée *De l'essence de la vérité* (*Vom Wesen der Wahrheit*, 1943), il complète son analyse et conclut avec le chiasme : l'essence de la vérité est la vérité de l'essence « *das Wesen der Wahrheit ist die Wahrheit des Wesens* » (Heidegger 1997, p. 29). Si l'essence de la vérité est le dévoilement, l'équation vérité = dévoilement devient dévoilement = essence, qui est la nature profonde de l'être. L'être est alors « dans le fond, dévoilement, ouverture, éclosion dans la présence » (Boutot 1989, p. 52). Heidegger fait ainsi du dévoilement une question essentielle et existentielle. Le voilé, c'est le mystère appartenant potentiellement à l'horizon de la vérité dans la mesure où il se rend disponible au dévoilement.

Voiler et dévoiler renvoient donc à un geste naturel (mettre et enlever le voile) ainsi qu'à une réalité de l'ordre du mystère (dissimuler et révéler). Voiler, dévoiler : deux actes apparemment

Nafas voilée
© Seville Pictures

Nafas se dévoilant
© Seville Pictures

anodins. Deux actes contraires à des enjeux impératifs dans une pratique du politique, du social et du religieux que d'aucuns qualifient de fondamentaliste[9]. Dévoiler ce qui est voilé, révéler donc, un acte délicat qui évoque aussi, sur un plan épistémologique, l'*Entdeckheit* de Heidegger, c'est-à-dire la manifestation de l'identité. Pour comprendre comment, dans le film, se joue le jeu de voiler-dévoiler pour rendre manifeste ce qui est voilé, intéressons-nous aux gestes de la protagoniste Nafas. Ses gestes, ajoutés à certaines narrations intradiégétiques et à quelques propos extradiégétiques (interviews), révèlent le fond politico-religieux du doublet voiler et dévoiler.

Les toutes premières images de *Kandahar* montrent Nafas au poste de sécurité irano-afghan. Un contrôleur l'interroge : « Comment t'appelles-tu ? » « Nafas », répond-elle après avoir soulevé sa burqa. « Qui es-tu ? » « La cousine de la mariée ». Après quoi elle remet sa burqa. Cette discussion a en fait lieu dans la séquence finale du film. Mise en abyme, elle annonce les couleurs du voyage, au cours duquel la route devient un alibi, un théâtre pour représenter le combat entre le voilement et le dévoilement. À la fin du film, l'échange entre le contrôleur et Nafas est immédiatement suivi d'un commentaire de la jeune femme qui fait la lumière sur le projet de son voyage. « Je m'étais toujours échappée des prisons de femmes d'Afghanistan, mais aujourd'hui, je suis prisonnière de chacune de ces prisons, seulement pour toi, ma sœur. » Qu'appelle-t-elle « prisons de femme », ici ? La principale, soit la burqa[10], est définie hors caméra comme un « vêtement recouvrant entièrement la femme afghane » et l'empêchant « de respirer et d'être libre » (Haghighat 2001).

Lors de la première escale, pendant une séance de photos de famille, Nafas considère toutes ces femmes voilées et se demande si le port de la burqa relève de la culture afghane ou s'il s'agit d'une décision gouvernementale. Cette interrogation se mue aussitôt en dénonciation de l'écart entre le traitement réservé à la femme et celui qui est accordé à l'homme :

> En Afghanistan, chaque ethnie a un nom et une image propres : Hazara, Ousbaks, Turkmènes, Tadjiks, Kirghiz, Nouristanis, Mongols, etc. Mais les femmes d'ici qui représentent la moitié de

la société n'ont pas de nom ni d'image, car elles sont voilées. C'est peut-être pour ça qu'on les nomme « siya sar », « têtes noires ».

En laissant entendre que toutes les ethnies ont un nom, une image, alors que les femmes n'en ont point, Nafas oppose « femme » à « ethnie ». Qu'elles soient de l'ethnie hazara, ousbak, turkmène, tadjik ou mongol, les femmes, contrairement aux hommes, n'ont qu'un nom, le même : « siya sar », « têtes noires ». L'image de leur visage est cachée derrière la burqa. Voilà pourquoi Nafas se drape elle-même d'une burqa pour procéder au dévoilement, au sens propre comme au sens figuré. Son accoutrement lui permet d'une part de se découvrir en ôtant sa burqa *ad libitum,* et d'autre part de pénétrer, sans contrariété, l'espace géographique dont elle veut révéler les pratiques et mœurs jugées par elle non conformes aux normes de sa logique.

Pour dénoncer la cruauté des seigneurs de la guerre, le réalisateur du film aménage une escale à Niatak, village à la frontière iranienne. L'escale est un lieu commun du road movie, où l'arrêt à des stations d'essence pour faire le plein de carburant, pour prendre un café, fumer une cigarette ou simplement contempler le paysage devient presque un *must.* L'intéressant titre d'Anja Herkenrath qui semble induire que, dans le road movie, l'on ne « doit jamais s'arrêter » (« "Niemals stillstehen" — Roadmovies [11] ») se révèle ici comme un trompe-l'œil. Nafas se plie à la règle des escales non pas pour des impératifs techniques — faire le plein d'essence, par exemple —, mais pour introduire le spectateur dans la vilenie de la guerre.

Lors de cette escale, Nafas assiste à la cérémonie du dernier jour d'école où les filles afghanes se préparent à retourner en Afghanistan. La monitrice, au milieu des enfants, leur explique comment éviter les mines antipersonnel. Elle leur montre de jolies poupées avec des habits multicolores. De très beaux jouets dans lesquels logent des mines. Ces poupées meurtrières avaient eu raison des jambes de la sœur de Nafas, comme le relate la *voix-je* :

> Dans ce voyage, la guerre est partout. Les chiens se battent, les oiseaux se battent, les humains se battent. Un combat de coqs m'a rappelé le jour où, après la mort de maman, papa s'est enfui d'Afghanistan avec nous. Tu te souviens, ce jour-là, on a vu un

combat de coqs. Les gens s'arrêtaient pour regarder. Papa et moi, on a été attirés par la foule mais toi, tu as vu une poupée dans le sable. Tu as couru vers elle, elle a explosé et tu as perdu tes jambes. Papa m'a confiée à une autre famille de réfugiés pour rester avec toi jusqu'à ta guérison. Mais tu n'as pas guéri. Papa est mort et tu es restée toute seule.

Faute d'effet flash-back — fondu enchaîné facilitant le glissement du présent au passé (Vernet 1980, p. 96) —, le réalisateur se sert de cet élément audio pour nous livrer une petite partie de la vie antérieure de Nafas en Afghanistan. Plus encore, il s'agit de nous renseigner sur le sort qu'a été celui de cette sœur symbolique que Nafas tente de sauver par tous les moyens, le sort finalement de ces enfants innocents dont la vie est à jamais brisée par des poupées-mines. Dans le film, la poupée n'est plus un jouet inoffensif, mais un engin de guerre. Ces mines camouflées ont causé la perte des jambes de nombreux Afghans. La caméra, depuis l'hélicoptère, capte le mouvement de ces hommes, femmes et enfants qui se bousculent pour des prothèses parachutées par la Croix Rouge. Des jambes pour marcher, voilà l'objet de la convoitise de ces estropiés. Les images de cette plongée mettent en branle les fibres émotives du spectateur.

À l'école coranique
© Seville Pictures

Une autre escale nous amène dans une école coranique. Le film donne à voir, dans une salle de classe, l'intrusion dans le sacré d'un ordre de violence. Le mollah fait réciter le Coran et interroge quelques enfants sur le fonctionnement des armes :

— Qu'est-ce qu'un sabre?
— Une arme qui exécute l'ordre de Dieu (Allah). Elle coupe la main du voleur et la nuque de l'assassin.
— C'est quoi la Kalachnikov?
— Une arme semi-automatique et mécanique avec poudre propulsive et ressort. Il tue les vivants et défigure tout corps déjà mort.

La clarté du son et la rapidité du rythme dans cette scène révèlent que les enfants sont parfaitement initiés aux idées guerrières en lieu et place de la religion. L'agencement des images de ces étudiants-guerriers donne lieu de croire qu'il y a, de la part du réalisateur, une volonté manifeste de mettre au pilori l'instrumentalisation des enfants sous le prétexte de la religion. Les enfants ne sont plus des naïfs, mais des guerriers potentiels qui doivent lutter pour survivre. Cette métaphore du meurtre de l'enfance que propage le film a une fonction de dévoilement, c'est-à-dire de dénonciation des conditions de misère dont sont spécialement victimes les femmes et les enfants. Et la narration filmique le dit : « Un jour, le monde *verra* votre situation et vous aidera. »

La situation dont il est question, le parcours de Khak constitue un cas exemplaire qui la met en relief. On le voit pour la première fois parmi les élèves de l'école coranique. Tandis que ses deux camarades récitent avec brio leur leçon sur les armes de guerre, Khak éprouve quelques difficultés à réciter son Coran. Il est renvoyé de l'école pour motif d'incapacité. Il lui faut se débrouiller pour trouver sa propre pitance et celle de sa mère, son père étant mort pendant la guerre. Nous le trouvons plus tard errant de cimetière en cimetière et récitant, à sa façon, le Coran pour gagner quelques sous. C'est dans l'un de ces cimetières que sa route croise celle de Nafas. Il accepte alors, moyennant une récompense pécuniaire, de lui servir de guide sur le chemin de Kandahar. Jusque-là, le film nous a dévoilé la débrouillardise plutôt louable de Khak. Mais en suivant la marche de Nafas et de son guide, après quelques kilomètres, on comprend l'enjeu que représente Khak dans le projet global du film. En effet, leur route bifurque. Khak propose de prendre la route la plus longue. Or, ce dont Nafas dispose le moins, c'est de temps. Elle a devant elle trop d'espace à parcourir pour rallonger inutilement le parcours. Malgré l'air désemparé de Nafas, Khak insiste. Selon lui, plus longue sera la route, plus il s'y trouvera des objets à prendre et à revendre. L'objectif de Khak devient alors plus clair : se servir de la route pour recycler des objets kitsch ou des bricoles et les revendre pour quelques sous. Devant l'insistance de Nafas à prendre le plus court chemin, Khak n'hésite pas, il l'abandonne. Il prend sa longue route. La caméra suit Nafas. Très vite, elle rebrousse chemin et part à la recherche de son jeune guide. La caméra continue à la suivre, puis un zoom nous entraîne, en même temps que Nafas, vers une découverte macabre : Khak accroupi sur un cadavre en décomposition dont il fouille les restes. Il y déniche une bague qu'il brandit en direction de Nafas qui, aussitôt, s'enfuit. Khak la poursuit avec la bague du cadavre pour la lui vendre. En tout cas, il obtiendra quelques dollars contre ce bijou, comme ce fut le cas pour une chanson. L'adversité a appris à Khak à monnayer tout ce qui lui tombe sous la main. En cet enfant, vrai picaro contemporain tatoué par la misère, la naïveté cède à la lutte pour la survie[12].

Après l'école coranique et la traversée du cimetière avec Khak, la route de Nafas nous conduit chez Tabib Sahid, le médecin de village. La mise en scène de cette escale pour consulter le médecin est l'occasion de montrer une pratique de la société afghane : la barrière érigée entre l'homme et la femme, afin que cette dernière demeure cachée aux regards des hommes. La matérialisation de la barrière se fait non plus avec le voile — puisque la patiente se dévoile en consultation —, mais par une barrière physique érigée comme un confessionnal entre le médecin et sa patiente, ne laissant qu'un trou suffisamment grand pour que le médecin puisse voir la bouche ouverte, l'œil ou l'oreille de sa patiente. Dans ce « confessionnal », la communication entre médecin et patiente n'est pas directe, elle passe par la médiation des enfants-traducteurs. Si le « transfert culturel est une sorte de traduction puisqu'il correspond au passage d'un code à un nouveau code » (Espagne 1999, p. 8), l'épisode de la consultation montre un transfert de code qui ressemble bien à une traduction, mais à une traduction sans changement de code. Lors d'une première consultation, on voit une petite fille nommée Nafasgul entre la patiente, sa mère et le

Au cabinet du médecin
© Seville Pictures

médecin. Le rôle de l'enfant : retransmettre fidèlement à sa mère ce que dit le médecin, et vice versa. Deuxième consultation : Nafas arrive avec son guide Khak. Elle a, en cours de route, bu l'eau du puits du village et a eu la diarrhée. Comme Nafasgul dans la consultation précédente, Khak occupe la place située entre la patiente Nafas et le médecin et joue le même rôle que la petite fille.

Les enfants-interprètes ont, du point de vue de la traduction, une valeur zéro, car ils n'ajoutent ni ne retranchent rien à ce que dit le médecin ; ils ne traduisent pas non plus dans une autre langue. En se contentant de répéter fidèlement les paroles du médecin, ils jouent néanmoins un rôle important dans le mécanisme du voiler-dévoiler, un rôle important pour l'entretien d'une pratique culturelle. Le médecin homme n'est pas autorisé à avoir un contact direct avec sa patiente qui se dévoile. La présence des enfants sert à conserver le voile de la femme dévoilée. *Kandahar* illustre ainsi une des fonctions [13] que Nadine Weibel attribue au voile, à savoir la fonction de séparation. Le voile, écrit Weibel (2000, p. 76), « sépare en cachant, protège ce qu'il cache d'éventuelles influences pernicieuses. Avant toute chose il sépare les femmes des hommes ».

L'évolution concomitante de ces deux contraires que sont voiler et dévoiler est permanente dans le film. On peut y voir une allégorisation du rôle que Nafas, en tant que journaliste, joue pour lever le voile sur la situation d'inégalité que vivent les femmes afghanes. D'ailleurs, l'objectif du voyage qui consiste à sauver la sœur participe de cette allégorisation. Montrer au monde la situation des femmes afghanes, voilées sous la burqa, confinées entre les quatre murs de leur maison, semble être l'un des projets de *Kandahar*. Le voile, concrètement barrière au regard visuel de l'homme, devient métaphoriquement le symbole de ce mur imaginaire qui sépare les femmes afghanes du monde extérieur.

Le dévoilement comme subversion

Prendre la route dans le road movie s'accompagne toujours, sinon presque toujours, du désir de rompre avec, de braver ou de renverser l'ordre établi. Mais peut-on changer un ordre socialement établi, des idées et valeurs reçues et intériorisées sans courir un certain risque ? La route de l'émancipation n'est pas sans embûches. Aussi l'attitude émancipatrice de Nafas vis-à-vis des hommes lors du tournage de *Kandahar* sera-t-elle vilipendée par une femme afghane, comme le rapporte Pazira (2001) dans le commentaire intégré extradiégétiquement au film : « Un jour, une vieille femme m'a crié devant tout un groupe d'hommes silencieux : "Retourne chez toi, femme impudique. N'as-tu pas d'honneur pour parler aux hommes de cette façon et travailler avec eux ainsi ?" » L'intervention de cette femme qui semble bien s'accommoder de sa situation de voilée, de sa vie derrière la burqa, nous introduit dans une logique opposée à celle représentée jusqu'ici par Nafas. Contrairement à la logique de Nafas qui prône le dévoilement du mystère (du voilé) pour actualiser sa valeur intrinsèque, la logique de la vieille femme pose la femme comme un mystère qui doit demeurer caché, voilé. Dans cette logique, la femme a une valeur certaine lorsqu'elle est voilée. Dévoilée devant un public masculin, elle devient « impudique », c'est-à-dire indécente, contraire à ce qui convient. Ce qui convient dans la logique de la vieille dame, c'est la sauvegarde du mystère, le voilement, la vie derrière la burqa, la vie sans image[14]. Il ne s'agit pas de l'image en soi « présente sans être représentée » (Liandrat-Guigues 2005, p. 24) dont parle Henri Bergson dans *Matière et mémoire*, mais d'image au sens de représentation, d'exposition à la vue, de présentation au regard. En somme, image au sens de soustrait à l'occultation. Occulter, c'est dissimuler, rendre moins apparent. Ce qui est apparent est visible, manifeste, c'est-à-dire évident et reconnu de tous. Vivre voilé, c'est finalement vivre méconnu de tous. Pazira arrive avec une équipe d'hommes, munie de caméras et d'un arsenal cinématographique, pour soustraire à l'occultation ce qui est dissimulé au regard, pour arracher de l'oubli ce qui est voilé. Elle est venue voilée pour faire

Nafas dévoilée
© Seville Pictures

tomber le voile, pour révéler au monde (*entdecken*) ce qui est voilé (*das Gedeckte*). Le malaise de la vieille dame devant l'attitude de Pazira, qui vient ainsi bousculer la tradition en introduisant la représentation d'images dans cette sphère anti-image, peut s'expliquer par sa croyance tenace aux pratiques religieuses et ancestrales. Du point de vue du réalisateur, l'altercation entre cette vieille femme, respectueuse de la tradition, et Pazira n'est pas à loger au compte du choc des cultures. Il s'agit d'une guerre de la culture contre l'inculture, une guerre contre le désespoir. Et le film le rend bien par l'entremise de la voix narratrice :

> J'ai donné mon âme à ce voyage, j'ai pris des chemins inexplorés pour te donner une raison de vivre. J'ai traversé le champ de pavot et j'ai rencontré des inconnus pour puiser de l'espoir pour toi dans leurs rêves. Aujourd'hui, je t'amène mille magnifiques raisons de vivre.

En effet, le film donne à voir les multiples facettes du désespoir. Un regard rétrospectif sur le parcours de Nafas permet de revoir cette route sur laquelle Hâyat a dû extorquer des jambes artificielles en inventant toutes sortes d'histoires pour les marchander afin de survivre ; cette route sur laquelle les enfants sont obligés d'avoir une place à l'école pour pouvoir manger ; cette route sur laquelle Khak est contraint de fouiller les restes d'un cadavre, de voler une bague et de la revendre. Un regard jeté sur la route de Nafas laisse voir qu'il y a bien des éléments dans ce film pour dire la misère lancinante du peuple afghan. Ainsi, bravant un des lieux communs du road movie, le réalisateur met sur la route une femme [15] pour explorer et narrer la misère de sa société. Il se convainc qu'il ne s'agit pas seulement d'une misère matérielle dont souffrirait le corps, mais aussi d'une misère culturelle, une misère devant laquelle une femme peut s'émouvoir et émouvoir les spectateurs. Pour lui, les bourreaux des Afghans, ce sont les Talibans, ces mollahs qui considèrent impur tout ce qui est du domaine de la représentation : image, son, éducation. Le livre, l'instrument de musique et le magnétophone confisqués dans la scène du poste de contrôle symbolisent ces interdictions. Pas de cinéma, pas de télévision, pas de musique.

Aussi le tournage du film dans le fief des Talibans prend-il l'allure d'une provocation frontale, car il se fait critique des Talibans qui ont dit non à toute forme de représentation par l'image et le son. Le cinéma comme production d'images mouvantes et de son se pose ici en refus du refus d'image. Dans le même ordre d'idées, la mise en scène du voyage fonctionne ici comme un refus du cantonnement dans l'espace, le réduit des villes sous le contrôle des Talibans. Le réduit du voile, antithèse de l'espace ouvert qu'est la route. Le voilement, caractéristique de la restriction des plaisirs visuels, devient l'élément sur lequel joue le réalisateur pour mener à bout sa provocation. Voilement (étouffoir) vs dévoilement (liberté). Binarité certes moraliste, mais pleinement assumée par la narration filmique. Plusieurs fois on verra Nafas enlever sa burqa dans le film. Il faut qu'elle montre son visage, qu'elle sorte de cet étouffoir qu'elle ne porte d'ailleurs que pour mieux l'enlever sous le feu des projecteurs.

Comme si autant de provocation ne suffisait pas, elle refuse de se séparer de son magnétophone, même en présence des contrôleurs talibans. La présence de ce petit appareil a une signification particulière, car ce dispositif technique permet l'enregistrement et l'archivage de certains moments clés du voyage. Nafas l'appelle «boîte noire», car l'appareil lui permet de transférer ce qu'elle dit ou entend sur bande sonore conservable. Comme dans un crash d'avion, la boîte noire est un témoin, celui qu'on interroge pour lire le déroulement du voyage, pour en tracer la carte. Elle est une mémoire du voyage, mais elle représente aussi la dernière source d'espoir que Nafas veut apporter à sa sœur. S'en séparer, c'est renoncer à l'essence même de son voyage, qui est avant tout témoignage. L'enregistrement, c'est la possibilité de témoigner. Plus de magnétophone signifie plus d'archives, plus de souvenirs. Le magnétophone allégorise ainsi la définition que Bédard (1990) donnait du cinéma, à savoir un dispositif technologique d'archivage et de saisie par l'image de l'histoire du monde.

La décision de tourner en Afghanistan est un acte qui consiste — j'emprunte ici les mots de Sharon Willis (Cohan et Hark 1997, p. 290) — à introduire le «déviant» dans le «normal». Dans la vision des Talibans, le cinéma est un déviant.

« Au moment où Mohsen Makhmalbaf commençait à tourner *Kandahar*, ceux qui allaient en être les vedettes n'avaient jamais entendu parler de cinéma » (Pazira 2001). À en croire Pazira, dans l'Afghanistan des Talibans, non seulement l'image était perçue comme quelque chose d'impur, mais toute l'industrie du cinéma ployait sous le joug d'une censure implacable, résultat d'une interprétation talibane de la Parole révélée. La normalité talibane, c'est l'absence d'images, c'est la femme cachée sous la burqa. La discussion entre Nafas et l'homme dont elle prétend être la quatrième femme est éloquente à ce sujet : l'homme tient à ce que Nafas porte le voile si elle veut se faire passer pour sa femme. « C'est une question d'honneur. Nous sommes religieux. Aucun homme ne doit voir ma femme. Les gens se moqueront de nous si ta burqa n'est pas mise correctement. La burqa n'est pas un ornement. C'est un voile pour couvrir. » C'est donc pour le monsieur une question d'honneur que de veiller à ce que toutes ses femmes soient complètement couvertes. Et ce respect serait légitimé par la religion. Le port du voile serait en effet une prescription dans les textes du Saint Coran et les Hadiths de Mahomet, l'envoyé d'Allah : « Prophète, prescris à tes épouses, à tes filles et aux femmes des croyants d'abaisser un voile sur leur visage. Il sera la marque de leur vertu et un frein contre les propos des hommes. Dieu est indulgent et miséricordieux » (Sourate XXXIII, v. 59). Le port du voile est donné pour marque de vertu et de pudeur. Comme impératif moral ancré dans le sur-moi collectif, il est perçu comme l'habillement féminin normal pour paraître immaculée devant Allah sans exciter l'appétit insatiable des hommes. Le « normal » chez cet Afghan moyen, c'est voiler le visage des femmes pour être en paix avec sa société et en accord avec sa conscience. Le réalisateur introduit la subversion [16] dans ce milieu qu'il explore avec sa caméra. La caméra sur la route vers Kandahar prend ainsi en charge le combat pour l'émancipation de la femme musulmane (Saadaoui 1982), combat qui dénonce l'instrumentalisation du religieux [17]. Cette subversion s'exprime dans la construction même du rôle de Nafas qui, par le voilement et le dévoilement, vient bousculer des tabous intériorisés. Et c'est sa situation entre deux cultures qui lui permet d'être aussi audacieuse pour braver les tabous.

Des incongruités du projet interculturel

Grâce à la bravoure et la prestation de Nafas dans *Kandahar*, le film a eu un bon accueil auprès du public (occidental surtout). Cet accueil est redevable aussi bien au sujet traité qu'à l'approche du réalisateur[18], une approche pragmatique qui met l'accent sur la démonstration à faire. « Dans ce genre d'approche, le risque est grand que celui que l'on filme devienne moins important que la démonstration qu'il permet de faire, et qu'il demeure de ce fait dans son étrangeté radicale » (Loiselle 2005, p. 9). *Kandahar* a-t-il été à l'abri de ce travers ? Rien n'est moins sûr.

L'amalgame entre arme de guerre et enseignement coranique induit un glissement du bellicisme vers le terrain religieux et vice versa. Ce glissement a pu être interprété comme une défiguration de l'islam qui serait assimilé ici à la violence. La débrouillardise de Khak donne de lui l'image d'un enfant prêt à tout, même à déterrer les cadavres pour avoir de l'argent. Si Nafas est le symbole de la respiration, ne peut-on pas voir dans son périple à la recherche de sa sœur une métaphore de la femme-lumière à la rescousse de ses sœurs qui baignent encore dans les ténèbres sans nécessairement le savoir ? Sa situation entre deux cultures la mettrait-elle un peu au-dessus des autres femmes afghanes ? L'objectif général de dévoilement (révélation) que s'assigne *Kandahar* n'est-il pas assimilable à la prétention du cinéma documentaire qui fait dire à Hitchcock ironiquement que « Dieu est l'auteur du documentaire » (Gaudreault et Marion 1994, p. 12) ? Ce n'est cependant pas pour ces raisons que le film, salué par de nombreux prix et acclamé par plusieurs journaux, est controversé.

Au centre des controverses se trouve le personnage de Tahib Sahid dans le rôle du médecin de village. Il entre en scène à la dixième séquence intitulée *Un étranger amical*. Cette séquence met en scène une multiplicité culturelle : Sahid, un Américain noir, Khak, un Afghan, Nafas, une Canado-afghane... Venu combattre dans l'armée russe, l'Américain noir, converti en chercheur de Dieu, est un personnage sympathique. Le soldat tueur d'hommes a troqué sa Kalachnikov contre un bistouri pour se transmuer en soigneur d'hommes depuis qu'il a rencontré, dans la misère absolue, deux petits enfants pachtoune et tadjik, deux ethnies qu'il a tour à tour combattues. C'est dans le service aux soins des hommes qu'il espère rencontrer le Dieu qu'il cherche. Une femme afghane, visiblement dans le besoin, vient voir le médecin, non pas pour consulter, mais pour lui vendre des poules. S'étant rendu compte que les poules sont malades, il lui donne de l'argent et lui conseille de ne pas vendre ni manger les poules. Lors de la consultation de Nafas, l'Américain prend la liberté d'exclure l'enfant-traducteur Khak pour discuter directement avec la patiente en anglais. Une exclusion masquée par quelques questions sporadiques lancées à Khak pour lui donner l'impression qu'il est toujours dans son rôle de traducteur. En tête-à-tête avec Nafas, l'Américain se renseigne sur l'identité du traducteur :

> — Qui est ce garçon ? Tu le connais ? [...]
> — Je ne le connais pas. C'est mon guide. Je l'ai rencontré dans un cimetière. C'est le seul qui ait accepté de m'amener à Kandahar.
> — C'est dangereux. [...] Il n'est pas fiable. Laisse-le partir. La misère fait faire n'importe quoi.

Le propos selon lequel Khak ne serait pas fiable frise le mépris de l'autre et suggère à Nafas de se méfier de l'Afghan Khak pour se fier plutôt à l'Américain Sahid, ce qu'elle fera d'ailleurs en se séparant de Khak pour confier son sort à Sahid. Celui-ci, dans la scène, est donné pour celui qui comprend bien le problème de Nafas et cherche à l'aider au mieux. Il tiendra sa promesse de faire avec elle un bout du chemin.

Sur la route, dans le chariot de Sahid, les voyageurs rencontrent un paysan du coin que l'Américain, malgré la méfiance redevable à la situation de guerre, accepte de conduire au centre de la Croix Rouge. Au centre, ils apprennent qu'un certain Hâyat est en route vers Kandahar. Ils se précipitent pour le joindre et lui demander d'y aller avec Nafas. Mais Hâyat est plus préoccupé par le fait de gagner sa vie que de se rendre à Kandahar. Il profite donc de la présence des étrangers pour marchander la paire de jambes artificielles qu'il vient de prendre à la Croix Rouge, où, en vrai mythomane, il a dû inventer histoires sur histoires pour se faire remettre des prothèses, lui qui a encore ses deux jambes.

Avant d'accepter de servir de guide à Nafas, il fait monter les enchères, présentant l'image d'une personne qui vendrait son âme au diable pour quelques sous. Alors que Hâyat, tout comme Khak, s'efforce de vendre ses services, l'Américain reste près de Nafas avec qui il discute de temps à autre en anglais, ce qui exclut évidemment Hâyat, comme ce fut le cas de Khak. Une complicité se développe rapidement entre l'Américain et la Canado-Afghane avec pour conséquence l'exclusion — sporadique à tout le moins — des Afghans qui inspireraient peu confiance. Alors que l'Afghan est peint sous son mauvais jour, l'Américain joue le rôle d'étranger amical. Enlevant sa fausse barbe, il dira à Nafas : « Moi aussi, je dois sortir de derrière le rideau. C'est une burqa pour homme, de la même façon que ce que tu portes est une barbe pour femme. [...] Peut-être un jour ils comprendront qu'il faut vraiment enlever ces rideaux. »

Sahid marque ainsi un changement dans le registre de la dénonciation. Ce n'est plus seulement les murs des femmes mais aussi ceux des hommes qui sont décriés, et Sahid est le porte-parole de cette élévation à l'échelle universelle du dévoilement qui s'accomplit avec le déplacement de Nafas. Ainsi, la rencontre des diverses cultures est mise à mal par ce déséquilibre[19] dans les rôles assignés selon qu'on vient de l'Amérique du Nord ou du Moyen-Orient. La posture de Sahid vis-à-vis de l'altérité renvoie beaucoup plus à une volonté d'inférioriser l'autre (Afghan), sinon à tout le moins de l'assimiler à une certaine conception occidentale (nord-américaine) qui associe le voile à la prison de la femme. Aussi la scène de rencontre culturelle reproduit-elle le schéma d'une acculturation plutôt qu'une rencontre culturelle féconde. En disant : « Moi aussi, je dois sortir de derrière le rideau », Sahid évolue dans une logique du rejet de la barbe et de la burqa. Ces dernières sont pour les Afghans, en tout cas pour les Talibans, des éléments religieux et culturels que Sahid assimile tout simplement au rideau (entendre cloison, écran qui cache). Dans ces propos cités ainsi que dans l'attitude générale de Sahid, on ne voit aucun signe qui montre une certaine attente de sa part par rapport à la culture afghane, la culture de l'altérité. Ce développement nous ramène à notre hypothèse de départ, à savoir si l'étiquette de film interculturel convient à *Kandahar*. Si l'interculturalité s'énonce comme une coprésence de cultures qui s'enrichissent mutuellement, l'une et l'autre acceptant les pertes compensées par les apports utiles de l'*alterculture*, on aura bien du mal à classer *Kandahar* comme un film interculturel. Seulement ce rapport fécond entre cultures est plutôt la transculturation à la Ortiz. *Kandahar* est un film qui met en présence plusieurs types de rencontres culturelles. À ce titre, on pourra le lire comme un film multiculturel [20], mais je le traite comme un document interculturel, en ce sens qu'il permet de problématiser l'interculturalité, énoncée ici comme cohésion mais aussi comme perturbation des identités culturelles.

Conclusion

Il s'est agi dans cet article d'analyser le film *Kandahar* sous un triple angle : celui de son appartenance au genre cinématographique du road movie ; celui de l'interculturalité qui est ici manifeste dans le hasard des rencontres culturelles et surtout dans la double identité de Nafas ; et enfin, celui théologico-philosophique avec la question de voile/dévoilement et les rapports humains entre sexes qui en découlent. En fin de parcours, on peut constater que la narration de la route dans *Kandahar* sert d'expédient pour promener le spectateur dans les méandres de l'Afghanistan des Talibans. Contrairement au road movie américain, qui reproduit le mythe de l'individualisme (Cohan et Hark 1997, p. 3), la route de Nafas nous oriente vers les clivages entre hommes et femmes afghans. La narration de la route révèle la misère orchestrée par des forces politico-religieuses. La route devient le lieu privilégié de révélation des dysfonctionnements sociaux. Plusieurs éléments incongrus de dévoilement décelés sur la route permettent de s'interroger sur l'attitude à adopter devant la misère lancinante de l'autre. La dénoncer ou y rester indifférent ? Si l'on n'est pas indifférent, quel regard poser sur l'autre pour que sa misère ne devienne pas un alibi pour faire du sensationnel ou pour dénigrer l'altérité ?

Nafas a, en tout cas, osé faire le pas de l'intrusion dans l'espace de l'autre. Son déplacement s'inscrit dans les éléments constitutifs du genre du road movie où le protagoniste se libère des cages sédentarisantes, avec la nuance ici que Nafas ne se met pas en route pour sa propre libération, mais pour libérer les autres. Et son itinéraire prend fin au poste de sécurité, à une frontière imaginaire que le spectateur ne peut identifier à Kandahar. Entrera-t-elle dans Kandahar? Sauvera-t-elle sa sœur? *Nemo sciit.* Le voyage s'interrompt. La même éclipse solaire qui a ouvert le film le termine. Le soleil disparaît sous l'ombre de la lune, indiquant peut-être que la lumière de Nafas n'arrivera pas au destinataire. Une fin au point de départ.

Université d'Ottawa

NOTES

1. Nalofer Pazira est d'origine afghane. À l'âge de seize ans, elle a fui la guerre en Afghanistan pour se réfugier au Canada, pays dont elle a obtenu la citoyenneté. Elle y a fait des études journalistiques et a exercé comme journaliste. Elle joue dans *Kandahar* le rôle de Nafas, narratrice à la *voix-je* (Vanoye et Goliot-Lété 1992, p. 36), car il s'agit en fait d'une mise en scène de sa propre vie. Propulsée dans le rôle du personnage principal, elle est au centre de la fiction et «*propose la lecture* de l'image et du spectacle filmique» (Vernet 1980a, p. 178).

2. Le voile est une toile légère qui couvre sans cacher complètement pour susciter l'envie de découvrir ce qu'il cache. Il est supposé entretenir un mystère qu'on a envie de découvrir. Or, la burqa cache complètement le visage. C'est un cas limite de voile.

3. Le cadre théorique étant élaboré dans l'introduction à ce numéro spécial de la revue *Cinémas* sur «Le road movie interculturel» par Walter Moser, en ce qui concerne la constitution générique du road movie (voir «Le road movie: un genre issu d'une constellation moderne de locomotion et de médiamotion»), et par Pascal Gin quant aux constituants interculturels du genre (voir «Les bifurcations culturelles du road movie contemporain»), je m'y référerai en le précisant pour le cas qui nous concerne.

4. Le mot français *route* partage avec son équivalent anglais *road* le sens de «voie carrossable, aménagée hors agglomération» pour les automobilistes, mais il évoque également le «trajet d'un avion ou d'un navire», en somme l'espace à parcourir ou l'«itinéraire à suivre pour aller d'un endroit à un autre» (*Le petit Larousse illustré*).

5. Stéphane Benaïm, «De l'errance au road movie dans l'œuvre de Jim Jarmusch», Mémoire de DEA de cinéma disponible en ligne à l'adresse suivante: < http://www.kino-road.com/articles.php >.

6. Voir Santiago García Ochoa, «*I Drive Therefore I Am*: Norteamérica y el automóvil», disponible en ligne à l'adresse suivante: < www.ucm.es/info/especulo/numero30/idrive.html >.

7. Stéphane Benaïm, *op. cit.*

8. En tant qu'Iranien, le réalisateur agit en position de sujet observant l'altérité culturelle à Kandahar. L'asymétrie de regard entre le sujet observant et l'objet observé n'est pas totalement absente du film. Je relèverai ultérieurement ces éléments incongrus qui nous montrent ce regard condescendant sur l'altérité. Pour l'instant, je

continue l'analyse des rencontres culturelles à partir de la position du réalisateur en m'appuyant sur les dialogues, les soliloques tirés du film ou encore sur des interviews accordées par le réalisateur et Pazira (Nafas). Ce positionnement permettra de minimiser les risques de la subjectivé inhérente à l'exercice d'interprétation.

9. Voir *Femmes voilées. Intégrismes démasqués* (Geadah 1996). On consultera aussi à ce sujet Abdelaziz Kacem (2004, p. 48) pour qui le voile «est une affaire essentiellement politique», un enjeu de pouvoir entre intégrisme chrétien qui cherche à barrer la route à l'intégration des minorités musulmanes et l'islamisme qui profite de cet ostracisme pour récupérer du terrain. Le voile, enjeu de pouvoir entre deux extrémismes qui se nourrissent l'un et l'autre, mais aussi enjeu politico-financier. Kacem signale en effet les propagandes télévisuelles en faveur du voile généreusement sponsorisées par *al-Mutahajjiba* (= la femme voilée), une entreprise spécialisée dans la confection et la commercialisation du voile. Et il conclut: «Au propre et au figuré, le voile constitue un fonds de commerce véritable» (p. 60).

10. Un voile est en principe assez léger pour permettre de respirer, de voir à travers et peut-être même de deviner ce qu'il cache. La burqa, telle que montrée dans *Kandahar*, ne répond à aucune de ces caractéristiques.

11. Disponible en ligne à l'adresse suivante: < http://www.xn--ldtke-kva.org/reisen/roadmovie.htm >.

12, Une survie qui paradoxalement met la vie de Khak en péril. Il est en effet la seule personne à accepter de faire cette portion de la route avec Nafas. Tous les adultes ont décliné l'offre, sachant que la route est partout semée de mines antipersonnel.

13. Nadine B. Weibel (2000, p. 75-84) attribue cinq fonctions au voile: 1) une fonction d'attestation de soumission. Le voile signe la soumission inconditionnelle de la femme croyante à Dieu; 2) une fonction de séparation. Le voile sépare pour protéger des possibles poussées de désir; 3) une fonction d'identification. Le voile marque la spécificité sexuelle, religieuse et culturelle; 4) une fonction de contestation. Le voile est signe du refus de l'assimilation en Occident; 5) une fonction d'instrumentalisation. Le voile est utilisé par les adolescentes soit pour tranquilliser les parents et échapper à une stricte surveillance, soit à des fins matrimoniales, partant du présupposé que les hommes s'amusent avec les filles «modernes» et épousent celles de «bonne moralité».

14. Plusieurs critiques du film *Kandahar* ont fait allusion à cet enjeu d'images. Je donne deux titres éloquents à ce sujet: «Kandahar ou les premières images d'un pays sans images» (Levieux 2001, p. 43) et «The Land Without Face» (Macnab 2001, p. 7).

15. La femme sur la route est un phénomène plutôt récent qui a fait l'objet de quelques études, dont celle d'Amelie Soyka, *Raum und Geschlecht. Frauen im Road Movie der 90er Jahre*. On notera que *Thelma and Louise* (1991) de Ridley Scott est l'un des premiers road movies où des femmes tiennent les rôles d'héroïnes.

16. Parlant des offensives cinématographiques contre les tabous sexuels et le puritanisme, Amos Vogel (1977) considère le cinéma comme un art subversif.

17. Juliette Minces fustige l'instrumentalisation de la religion pour maintenir la femme sous la domination de l'ordre phallocratique. Certaines prescriptions des livres saints, pense-t-elle, refléteraient «la réalité des rapports sociaux existant à l'époque de la Révélation» (Minces 990, p. 229). Dans le même ordre, Abdelaziz Kacem (2004, p. 55) estime que les deux sourates qui font allusion au voile (XXIV, v. 31 et XXXIII, v. 59) répondent à une «situation donnée, un événement particulier», d'où leur portée plutôt «transitoire». L'événement particulier auquel fait ici allusion Kacem et auquel la recommandation du Coran fait suite est le harcèlement que de jeunes désœuvrés, dans les rues de Médine, faisaient subir aux passantes qu'ils prenaient pour des esclaves bonnes à draguer (p. 52).

18. On ne perdra pas non plus de vue l'impulsion qu'a donnée au succès de ce film l'actualité de la guerre en Afghanistan.

19. Ce traitement déséquilibré explique pourquoi des voix se sont élevées contre l'homme qui joue le rôle de Sahid, dont on n'a pas hésité à fouiller la vie privée. En effet, l'homme serait soupçonné d'être sur la liste des meurtriers américains et dénoncé comme un terroriste dangereux. Lorsqu'on a interrogé le réalisateur sur la vie passée de cet acteur, il a répondu qu'il choisit ses acteurs parmi les gens ordinaires dont il ne questionne ni le passé ni l'avenir : « I am an artist, not a judge, or a policeman, or an FBI agent. » Il dit qu'il n'aurait d'ailleurs aucun regret s'il s'avérait que Hasan Tantai, dans le rôle de Tahib Sahid, était un meurtrier, car il aurait, le cas échéant, le mérite de « have turned an American murderer into a reformist who regrets violence » (Hamid Dabashi, « Mohsen Makhmalbaf's Perspective Concerning the Character of Tabib Sahid in *Kandahar* », disponible en ligne à l'adresse suivante : < http://www.makhmalbaf.com/articles.php?a=368 >).

20. Sur les articulations des cinématographies multiculturelles dans des espaces politiques multiculturels, on consultera *Tropical Multiculturalism : A Comparative History of Race in Brasilian Cinema and Culture* de Robert Stam (1997).

RÉFÉRENCES BIBLIOGRAPHIQUES

Bédard 1990 : Yves Bédard, « Images technologiques : ce qu'il advient de la mémoire », *Cinémas*, vol. 1, n° 3, 1990, p. 89-101.

Boutot 1989 : Alain Boutot, *Heidegger*, Paris, PUF, 1989.

Chevalier 1977 : Jean Chevalier (dir.), *Dictionnaire des symboles. Mythes, rêves, coutumes, gestes, formes, figures, couleurs, nombres*, Paris, Robert Laffont, 1977.

Cohan et Hark 1997 : Steven Cohan et Ina Rae Hark (dir.), *The Road Movie Book*, New York, Routledge, 1997.

Corrigan 1991 : Timothy Corrigan, *A Cinema Without Walls : Movies and Culture After Vietnam*, New Brunswick, Rutgers University Press, 1991.

Espagne 1999 : Michel Espagne, *Les transferts culturels franco-allemands*, Paris, PUF, 1999.

Gaudreault et Marion 1994 : André Gaudreault et Philippe Marion, « Dieu est l'auteur du documentaire… », *Cinémas*, vol. 4, n° 2, 1994, p. 11-26.

Geadah 1996 : Yolande Geadah, *Femmes voilées. Intégrismes démasqués*, Montréal, VLB, 1996.

Haghighat 2001 : Mamad Haghighat, « Entrevue avec Mohsen Makhmalbaf », livret à l'intérieur de la pochette de *Kandahar*, 2001.

Heidegger 1965 : Martin Heidegger, *L'Être et le Temps*, Paris, Gallimard, 1965.

Heidegger 1967 : Martin Heidegger, *Sein und Zeit*, Tübingen, Max Niemeyer Verlag, 1967.

Heidegger 1997 : Martin Heidegger, *Vom Wesen der Wahrheit*, Frankfurt am Main, Klostermann, [1943] 1997.

Kacem 2004 : Abdelaziz Kacem, *Le voile est-il islamique ?* Montpellier, Chèvre-Feuille étoilée, 2004.

Levieux 2001 : Michèle Levieux, « Kandahar ou les premières images d'un pays sans images », *Humanité hebdo*, 12 et 13 mai 2001, p. 43.

Liandrat-Guigues 2005 : Suzanne Liandrat-Guigues, *Esthétique du mouvement cinématographique*, Paris, Klincksieck, 2005.

Loiselle 2005: Marie-Claude Loiselle, « Filmer l'autre », *24 Images*, n° 121, 2005, p. 9.

Macnab 2001: Geoffrey Macnab, « The Land Without Face », *The Guardian*, 11 août 2001, p. 7.

Minces 1990: Juliette Minces, *La femme voilée. L'Islam au féminin*, Paris, Calmann-Lévy, 1990.

Ortiz 1940: Fernando Ortiz, *Contrapunteo cubano del tabaco y el azúcar*, Havana, Jesús Montero, 1940.

Pazira 2001: Nelofer Pazira, « Refuge in the Dust », livret à l'intérieur de la pochette de *Kandahar*, 2001.

Saadaoui 1982: Naoual el Saadaoui, *La face cachée d'Ève. Les femmes dans le monde arabe*, Paris, Éditions des femmes, 1982.

Schneider 1997: Irmela Schneider, « Von der Vielsprachigkeit zur Kunst der Hybridation. Diskurse des Hybriden », dans Irmela Schneider et Christian W. Thomsen (dir.), *Hybridkultur. Medien — Netze — Künste*, Köln, Wienand, 1997, p. 13-58.

Stam 1997: Robert Stam, *Tropical Multiculturalism: A Comparative History of Race in Brasilian Cinema and Culture*, Durban/London, Duke University Press, 1997.

Vanoye et Goliot-Lété 1992: Francis Vanoye et Anne Goliot-Lété, *Précis d'analyse filmique*, Paris, Nathan, 1992.

Vernet 1980: Marc Vernet, « Flash-back », dans Jean Collet, Michel Marie *et al.*, *Lectures du film*, Paris, Albatros, 1980, p. 96-99.

Vernet 1980a: Marc Vernet, « Personnage », dans Jean Collet, Michel Marie *et al.*, *Lectures du film*, Paris, Albatros, 1980, p. 177-180.

Vogel 1977: Amos Vogel, *Le cinéma. Art subversif*, Paris, Buchet-Chastel, 1977.

Weibel 2000: Nadine B. Weibel, *Par-delà le voile. Femmes d'islam en Europe*, Bruxelles, Complexe, 2000.

Williams 1982: Mark Williams, *Road Movies: The Complete Guide to Cinema on Wheels*, London, Proteus, 1982.

ABSTRACT

On the Road to *Kandahar*
Pierre Kadi Sossou

The Iranian filmmaker Mohsen Makhmalbaf's film *Kandahar* (2001), a sort of intercultural road movie, is built around journeys, cultural encounters and the dual identity of the character Nafas. Taking as its starting point the search for a sister who needs to be saved in Kandahar, the film uses travel narration as an expedient to lead the viewer through the nooks and crannies of the Taliban's Afghanistan. On this road of cleavages between Afghan men and women, Nafas is constantly raising and lowering her veil, or burka, giving rise to questions about the act of unveiling in both the strict sense of the term—removing the burka—and the figurative—revealing Afghans' living conditions to the world. This gesture of unveiling is the symbol of a freedom that is contrasted with the canons of religious fundamentalism.

Hors dossier/Miscellaneous

Le cinéma et les automates.
Inquiétante étrangeté, distraction et arts machiniques

Jean-Pierre Sirois-Trahan

RÉSUMÉ

Plusieurs auteurs, abordant le problème de l'ontologie du cinéma, ont construit des analogies entre le cinéma et des créatures fantastiques (la momie, le fantôme, le vampire, la créature de Frankenstein). L'hypothèse proposée dans cet article est celle d'une analogie entre ces deux arts machiniques, à la fois techniques et esthétiques, que sont les automates mécaniques et le cinématographe, afin de questionner le *topos* du « cinéma, art du mouvement et de la vie ». Ce questionnement conduit l'auteur à aborder le concept de l'« inquiétante étrangeté » de Freud et l'*épistémè* de ce que Villiers de L'Isle-Adam appelait le « positivisme énigmatique ». L'auteur établit également un lien entre le cinéma pensé comme automate et le problème esthétique de la « distraction », traité à la fois par Henri Bergson dans *Le rire* et Walter Benjamin dans son article « L'œuvre d'art à l'époque de sa reproductibilité technique ». À la lecture de ces deux auteurs, il appert qu'excès et absence de distraction forment les deux bornes fixées par la perception moderne. Le sujet de la modernité est clivé, partagé entre conscience et inconscience, entre liberté et automatisme — et ce sujet est aussi le sujet spectatoriel du cinéma. Par ailleurs, l'automate permet de comprendre en quoi le romantisme fantastique peut être l'*épistémè* du cinématographe. Le cinéma, comme l'automate, est le lieu d'un balancement, d'une incertitude. Aussi, l'automate sera-t-il au centre d'une définition possible de la modernité. Quant à l'image mouvante, elle traduirait, selon Benjamin, comment la modernité fut marquée par l'avènement d'une perception nouvelle.

For English abstract, see end of article

[Le cinéma] se confronte aux automates, non pas accidentellement, mais
essentiellement.

Gilles Deleuze, *L'image-temps*

Soulevant le problème de l'ontologie du cinéma, plusieurs auteurs ont fait appel à des analogies entre l'image cinématographique et diverses figures de l'entre-deux — entre la vie et la
mort, entre l'humain et l'inhumain — tirées généralement
d'une tératologie fantastique : la momie (Bazin 1994), la créature de Frankenstein (Burch 1991), le fantôme (Gorki 1993 et
Derrida 2001) ou le vampire (Leutrat 1992). L'image filmique
serait, dans son essence, un *mort-vivant*, un *monstre* qui littéralement apparaît sur la scène d'une monstration. Cet article voudrait proposer une autre analogie, pas très éloignée, celle des
automates mécaniques, pour penser ce choc qu'implique toute
image mouvante.

La façon la plus simple d'établir une correspondance entre les
automates et le cinéma, pour ainsi sortir par le haut du jeu des
métaphores, consiste à souligner l'évidence voilée que le cinéma
est un automate — la caméra et le projecteur cinématographiques le sont aussi bien qu'un avion, un androïde, une horloge ou une voiture. Automate vient du grec *automatos* : ce « qui
se meut de soi-même ». L'image mouvante est un automate car
elle est générée et restituée par deux automates qui lui correspondent et lui donnent vie et mouvement : la caméra et le projecteur. Si les automates trouvent leurs origines dans l'Antiquité
(dans la statuaire mortuaire égyptienne notamment), la tradition dont découlent les automates modernes et le cinématographe dérive de la révolution scientifique du XVIIᵉ siècle, mise
en place par Descartes et Galilée.

Descartes et les mécanistes du XVIIIᵉ siècle

Grâce à la méthode du doute systématique, la philosophie
cartésienne aboutit à un dualisme entre le corps, une pure
machine, et l'âme, siège de la faculté de penser, dont seule on ne
peut douter. Dans *Le traité de l'homme*, pour pouvoir réfléchir

sur le corps humain, Descartes invente le concept d'homme-machine, sorte de « statue ou machine de terre ». Ailleurs, dans la cinquième partie du *Discours de la méthode*, il discute de la différence entre l'animal et l'humain en comparant les animaux, dépourvus d'âme, à des « automates, ou machines mouvantes », machines faites de la main de Dieu. Poussant encore plus loin la logique cartésienne, mais dans une perspective radicalement matérialiste, Julien Offroy de La Mettrie aboutit, dans *L'homme-machine* (1748), à un monisme, puisque chez lui la pensée n'est plus qu'une propriété du corps. L'homme, semblable aux animaux, est une pure machine et l'âme est une chimère, puisque le corps et la pensée sont faits de la même pâte ; de La Mettrie pousse donc à la limite la métaphore du corps comme automate : « Le corps humain est une horloge. » Il décrit aussi le corps métaphoriquement comme une image du mouvement : « Le corps humain est une machine qui monte elle-même ses ressorts : vivante image du mouvement perpétuel. » Il est surprenant de voir ici décrite une *image du mouvement*, l'image étant par définition fixe à l'époque. Si le maître livre de La Mettrie, fit scandale en heurtant de front les croyances religieuses de son époque, dans un même temps, il s'intégra bien au paradigme mécaniste du XVIIIᵉ siècle. Depuis Newton, pour les physiciens, l'univers est un mécanisme, et l'horloge (avec ou sans Grand Horloger) est devenu le modèle conceptuel du paradigme dominant — paradigme que les romantiques remettront en question (comme on le verra plus loin).

Si l'on fait état dans la littérature d'automates légendaires (Albert le Grand, Léonard de Vinci et même Descartes passèrent pour en avoir construits), les automates n'entrèrent dans leur âge d'or qu'au XVIIIᵉ et au XIXᵉ siècles, alors qu'ils devinrent de véritables attractions populaires, tant pour les membres de la cour que parmi le peuple, et ce dans l'Europe entière. Selon Engélibert (2000), en séparant radicalement l'âme du corps devenu machine, Descartes a opéré une révolution métaphysique qui a abouti à de nouvelles représentations de l'humain. Ainsi, de célèbres mécaniciens des Lumières construisirent des androïdes (automates à forme humaine) dans le but avéré ou implicite de prouver les théories cartésiennes du corps-machine.

Non sans ironie, les célèbres constructeurs d'automates Jaquet-Droz père et fils mirent au point un dessinateur, une musicienne et, surtout, un écrivain qui traçait sur le papier sa propre version du *cogito* : « Je ne pense pas, ne serais-je donc point ? » Mystifiant toute l'Europe, le baron von Kempelen présenta un Turc joueur d'échecs qui remporta son lot de victoires contre les joueurs qui voulurent s'y mesurer. Vendu à Johann Maelzel, le Turc fascina le XIXe siècle jusqu'à ce que Robert Houdin, grand amateur d'automates et démystificateur prosélyte, expliquât son mécanisme en 1868 : un homme s'y cachait grâce à un habile système de tiroirs. Fasciné, Edgar Allen Poe (2000) écrivit quant à lui un article où il essaya de prouver que l'automate était truqué car, expliquait-il, une pure machine, par définition infaillible puisqu'elle ne pense pas, devrait toujours gagner (argument spécieux quant on sait que Deep Blue d'IBM n'a pas gagné au début contre Kasparov). *2001 : A Space Odyssey* de Kubrick aura justement comme enjeu la folie d'un automate cybernétique aux prises avec le *catch 22* de son infaillibilité.

Quoi qu'il en soit, il semble que l'attraction spectaculaire toute particulière générée par les grands automates des Lumières trouve son efficace dans cette incertitude, ce balancement entre l'illusion et le doute nécessaire ; sorte de réception paradoxale, entre croyance et incroyance, qui caractérise également celles du spectacle de magie et du cinéma naissant — il faut rappeler que Méliès, héritier de la collection d'automates de son maître, présentait alternativement lors de ses programmes des spectacles de magie, d'automates et de vues animées au théâtre Robert-Houdin. Cette incertitude quant à la nature de l'automate, proche de celle concernant le cinématographe, instaure une réception partagée venant de la confrontation entre la conscience de la nature illusoire de l'œuvre et le ravissement qu'entraîne malgré tout l'illusion.

Le plus célèbre, peut-être, de ces mécanistes du XVIIIe siècle fut Jacques de Vaucanson. Médecin et inventeur, il créa deux « hommes artificiels » dont on précisait qu'ils étaient de « grandeur naturelle » : le joueur de flûte et le joueur de tambourin. Il les accompagna d'un automate zoomorphe, un canard mécanique dont on pouvait voir les entrailles, faisant tout comme un

vrai canard : battant des ailes, avalant du grain et même défé-
quant[1] ! En voulant actualiser, et si je puis dire donner corps à la
théorie mécaniste devenue dominante, Vaucanson construisit des
« anatomies mouvantes » pour démontrer expérimentalement le
fonctionnement du corps. Avec le soutien de Louis XV, il aurait
essayé de construire un automate doté de vaisseaux permettant la
circulation du sang pour prouver les considérations cartésiennes
sur le sujet (dans la cinquième partie du *Discours de la méthode*),
sans que l'on sache aujourd'hui s'il réussit jamais à créer son
androïde. Le but de Vaucanson n'était donc pas de construire
seulement un simulacre parfait du corps humain, comme une
simple copie pour faire illusion, mais de prouver expérimentalement, au contraire, que le corps est un mécanisme automate et
que le mouvement autoreproducteur est au principe de la vie ;
non pas de hausser l'automate au niveau du vivant, mais de
démontrer du vivant le nécessaire principe mécanique. Ce *savoir*
scientiste n'empêchait pas une *croyance* en l'illusion, basée
paradoxalement sur la réception incertaine de l'attraction évoquée plus haut. Comme le rapporte Poe (2000, p. 311) dans son
article : « Le canard de Vaucanson était encore plus remarquable.
Il était de grosseur naturelle et imitait si parfaitement l'animal
vivant, que tous les spectateurs subissaient l'illusion. Il exécutait,
dit Brewster, toutes les attitudes et tous les gestes de la vie […]. »
Dans les discours des commentateurs sur les automates, comme
on le voit dans cet extrait d'un texte de Poe, on peut facilement
remplacer le nom de l'automate décrit par un nom d'appareil
cinématographique pour retrouver tels quels les discours de ceux
qui commentèrent les débuts du cinéma.

Concernant cette série de correspondances établies entre
cinéma et automate, on pourrait objecter qu'il s'agit de simples
analogies. Seulement, les nombreux points de rencontre entre les
deux démontrent que leur parenté n'est pas que métaphorique.
Comme le cinéma, l'automate est à la croisée de plusieurs
champs : science, art et spectacle populaire — sa légitimité sem-
blant plus ou moins grande selon qu'on l'envisage comme
mécanisme technologique ou objet artistique, tel le cinéma à ses
débuts. Dans une nouvelle intitulée « Les automates », Hoffmann
(2000, p. 43) décrit un Turc parlant, inspiré du Joueur d'échecs,

dans des termes qui rappellent les lieux communs du discours publicitaire sur le cinématographe naissant :

> Il est vrai que tout dans cet automate était si bien agencé que chacun, reconnaissant facilement la différence entre un pareil chef-d'œuvre et les bagatelles ordinaires de ce genre que l'on montre assez souvent dans les kermesses et fêtes foraines, se sentait forcément attiré vers lui.

Bien plus, et c'est le plus important, l'automate est une *technè* basée en son essence sur le mouvement et l'illusion de la vie, tout comme le cinéma. Comme un film ou une photographie, un automate est une œuvre mécanique, machinique, que l'on peut juger ou non comme esthétique suivant qu'on l'inscrit dans le champ artistique ou technique. Si l'on définit l'image cinématographique comme une icône visuelle en mouvement produite mécaniquement, il faut bien avouer que cette définition large convient parfaitement à l'automate. Un automate peut être de grandeur naturelle, ce qui lui assure sa qualité de trompe-l'œil — si tant est que l'on ajoute à cette préoccupation pour la taille, comme chez Vaucanson, un souci de réalisme absolu de la représentation, réalisme que plusieurs androïdes partagent avec ces autres simulacres, certes statiques, que sont les statues de cire — et donc le rapproche du cinéma des premiers temps[2] ; ou alors il peut être de grandeur variable, suivant l'agrandissement ou le rapetissement de sa dimension en tant qu'*image* — comme la Joueuse de tympanon de Kintzing et Roentgen, automate préféré de Marie-Antoinette, qui ne mesure que quelques centimètres —, ce qui le rapproche du cinéma institutionnel (où l'image, souvent agrandie par les gros plans, n'a que rarement la grandeur naturelle du référent représenté). Il faut aussi distinguer les automates qui n'ont pas en eux-mêmes de fonction représentative (un avion, une montre, une caméra cinématographique) des automates qui sont des images figuratives, plus précisément des représentations de la nature, comme les jacquemarts, les androïdes et les automates zoomorphes.

À cet égard, il est une catégorie particulière d'automates, oubliée aujourd'hui, qui semble bien près du cinéma : les tableaux mécaniques, dits aussi tableaux animés ou mouvants. Sur une toile peinte encadrée, représentant un paysage ou un intérieur, les figures et objets représentés sont animés mécaniquement. D'une grande variété, les tableaux animés ou mouvants — en anglais, n'appelait-on pas les premiers films des *animated* ou *moving pictures*? — furent appréciés des princes au XVIIIe siècle et se démocratisèrent dans la deuxième moitié du XIXe siècle, au moment même où le cinéma s'invente. Avec certains spectacles perfectionnés de lanterne magique, il s'est agi des premiers exemples d'images bidimensionnelles en mouvement, auxquelles il faut ajouter les « images » tridimensionnelles que sont les autres automates, avant que le cinéma ne prenne la relève de ce rêve ancien.

Un autre lien, plus subtil, peut être établi entre le cinéma et l'automate, si l'on se penche sur les conceptions de ces deux inventeurs que sont Vaucanson et Marey. Tous deux sont des physiologistes qui s'inscrivent dans la tradition mécaniste, leur invention respective n'est qu'une tentative pour représenter le corps-machine. À l'*analyse* du corps, de ses fonctions et de ses mouvements chez Vaucanson, dont les automates ne sont que la *synthèse* censée démontrer le bien-fondé de la théorie, correspond l'analyse de ce même corps en mouvement chez Marey grâce à la reproduction photographique, analyse à la synthèse de laquelle Marey ne s'est pas vraiment intéressé, comme si apporter une preuve était superfétatoire ; cette synthèse, d'autres auront cependant la bonne idée de la réaliser. Les deux anatomistes ont également peu de goût pour le spectacle et leur invention est avant tout scientifique, aussi laissent-ils à d'autres le soin d'en exploiter les résultats. La principale différence entre les deux hommes est que Vaucanson veut rendre ce mouvement du corps de l'intérieur, alors que Marey n'en capte principalement que le rendu extérieur. Que ces inventeurs aient joué un rôle dans l'avènement de l'automatisation qui caractérise la société moderne n'est certainement pas dû au hasard. En plus de nombreuses machines, Vaucanson est l'un des inventeurs du métier à tisser automatique qui pavera la voie de la révolution industrielle au tournant du XIXe siècle, alors que les travaux de Marey sur l'analyse graphique des mouvements humains, en plus de servir de modèles aux artistes attirés par le machinique tels que Marcel Duchamp, « ouvrent la voie au taylorisme » (Burch 1991, p. 18), méthode qui permettra d'analyser, de segmenter et de spécialiser le travail humain, sur l'horizon toujours plus réduit du temps mécanique, pour en décupler le rendement. De la révolution industrielle chez Vaucanson à la révolution tayloriste, en passant par Marey, la conception de l'humain que l'on peut suivre dans l'évolution de la figure mythique de l'automate se transforme : alors que l'androïde aristocratique des XVIII° et XIX° siècles est rêvé comme une copie singulière du vivant, ce sont les ouvriers du XX° (des *Temps modernes*, dirait Chaplin) qui seront bientôt transformés en masse de robots standardisés, perdant leur humanité au profit d'une productivité mécanisée. Et le robot-automate Hel de *Metropolis*, inspiré de miss Hadaly de *L'Ève future* de Villiers de L'Isle-Adam, est justement à la charnière de ces deux conceptions : il aurait dû être dupliqué pour remplacer à plus ou moins long terme les ouvriers, selon le projet humaniste de son inventeur fou, libérant de ce fait l'humanité de l'esclavage, mais il devint un ange du mal brûlé sur le bûcher de la lutte des classes…

L'inquiétante familiarité de l'automate

Nouvelle technologie s'inscrivant dans le paysage médiatique de la fin du XIX° siècle, le cinématographe, « art du mouvement et de la vie », suscite chez ses premiers commentateurs un discours particulier que j'ai appelé le mythe de la Mort vaincue :

> […] tout à coup l'image s'anime et devient vivante. C'est la vie même, c'est le mouvement pris sur le vif […]. Lorsque ces appareils seront livrés au public, lorsque tous pourront photographier les êtres qui leur sont chers non plus dans leur forme immobile mais dans leur mouvement, dans leur action, dans leurs gestes familiers, avec la parole au bout des lèvres, la mort cessera d'être absolue (Anonyme 1965).

Ce *topos* est fréquemment repris jusque dans les années 1910 : « Le jour où [couplé au cinématographe] le phonographe reproduira sans altération les diverses valeurs phoniques, la vie intégrale sera reconstituée. Ce jour-là point ne sera besoin, pour nous, de faire nous-mêmes nos communications : nous pourrons les faire quoique morts. C'est alors que nous serons véritablement immortels » (Coissac 1911). Cette vision du cinématographe comme *technè* préservant de la mort suscite un autre rapprochement, peut-être plus difficile à percevoir, entre cinéma et automate. L'image de cinéma, comme l'automate, est littéralement un revenant, une figure de l'entre-deux se tenant à la frontière entre vie et mort, entre animé et inanimé.

Dans un article célèbre de 1919, Freud se penche sur un concept intraduisible en français : « das unheimlich » (littéralement : le non-familier). Sa traduction par Marie Bonaparte en « l'inquiétante étrangeté » a le mérite d'en conserver la connotation, teintée d'inquiétude et de peur. Le poète et théoricien Jean-Luc Steinmetz (1990) lui préfère « l'inquiétante familiarité », non sans culot. Selon Freud (1986, p. 215), l'*unheimlich* est « cette variété particulière de l'effrayant qui remonte au depuis longtemps connu, au depuis longtemps familier. » Il ajoute plus loin : « Serait *unheimlich* tout ce qui devait rester secret, dans l'ombre, et qui en est sorti » (p. 222). De fait, est étranger ce familier qui fut refoulé jadis : « […] ce qui n'appartient pas à la maison et pourtant y demeure » (p. 7). Après une étude philologique qui concerne surtout l'allemand, Freud se penche sur les cas avérés qui provoquent un sentiment de familiarité inquiétante. Dans sa logique argumentative, il commence par une citation dont il se sert comme d'un levier :

> E. Jentsch a mis en avant comme cas privilégié la situation où l'on « doute qu'un être apparemment vivant ait une âme, ou bien à l'inverse, si un objet non vivant n'aurait pas par hasard une âme » ; et il se réfère à ce propos à l'impression que produisent des personnages de cire, des poupées artificielles et des automates. Il met sur le même plan l'étrangement inquiétant provoqué par la crise épileptique ou les manifestations de la folie, parce qu'elles éveillent chez leur spectateur les pressentiments de processus automatiques — mécaniques —, qui se cachent peut-être derrière l'image habituelle que nous nous faisons d'un être animé (p. 224).

Ces « pressentiments de processus automatiques — mécaniques » qui ne correspondent pas à ce que l'on s'attendrait d'un « être animé », à son « image habituelle », accompagnent le trouble provoqué par la révélation que le corps et, plus perturbant encore, l'âme (l'esprit) relèvent de processus automatiques. Les automates ont justement la possibilité de nous montrer que notre âme n'est pas maîtresse dans sa propre maison, une maison rendue de ce fait *unheimlich*. Citant Jentsch plus directement, Freud (p. 224) tient à préciser le stratagème utilisé par les écrivains pour créer l'effet recherché :

> L'un des stratagèmes les plus sûrs pour provoquer aisément par des récits des effets d'inquiétante étrangeté, écrit Jentsch, consiste donc à laisser le lecteur dans le flou quant à savoir s'il a affaire, à propos d'un personnage déterminé, à une personne ou par exemple à un automate, et ce de telle sorte que cette incertitude ne s'inscrive pas directement au foyer de son attention, afin qu'il ne soit pas amené à examiner et à tirer la chose aussitôt au clair, vu que, comme nous l'avons déjà dit, cela peut aisément compromettre l'effet affectif spécifique. Dans ses pièces fantastiques, E. T. A. Hoffmann a plusieurs fois réussi à tirer parti de cette manœuvre psychologique.

La référence au maître du romantisme fantastique vaut surtout pour le récit « L'homme au sable », tiré des *Contes nocturnes*. Non seulement Freud affirme n'être pas pleinement convaincu par le raisonnement de Jentsch, mais en ce qui concerne la poupée-automate Olympia dont le héros Nathanaël tombe éperdument amoureux sans se douter de sa nature, il juge que ce n'est ni le seul ni le principal motif auquel on doit le sentiment d'inquiétante étrangeté du récit. C'est plutôt cet « homme au sable » qui arrache les yeux des enfants, provoquant l'angoisse de castration, qui est pour lui le motif le plus inquiétant.

Malgré ce faux départ rhétorique qui lui permet surtout d'embrayer sur ses propres idées sur la castration, Freud reviendra sur le motif par deux fois pour souligner la nature fortement inquiétante des automates. Plus loin dans l'article, il rappelle que Jentsch voit une condition de l'inquiétante étrangeté dans l'« incertitude intellectuelle quant à savoir si quelque chose est animé ou inanimé, et [le fait] que l'inanimé pousse trop loin sa ressemblance avec le vivant » (Freud 1986, p. 234). Selon Freud, ce sentiment d'*unheimlich* prendrait sa source dans une croyance infantile, refoulée par l'adulte, puisque « l'enfant ne fait généralement pas de distinction nette entre l'animé et l'inanimé, et qu'il éprouve une prédilection particulière à traiter sa poupée comme un être vivant » (p. 234). Un seul regard suffit à l'enfant pour rendre la poupée vivante. Vers la fin de l'article, Freud y va d'une affirmation qui contredit ses réserves du début : « Nous avons vu qu'il se produit un puissant effet d'inquiétante étrangeté quand des choses, des images, des poupées inanimées s'animent » (p. 254). Bizarrement, il n'est aucunement question d'« *images* » bidimensionnelles qui s'animent dans le reste de l'article, mais il est possible que Freud eût le cinématographe en tête au moment où il écrivait cette phrase — en effet, quelles autres images que celles générées par le cinématographe s'animent ?

Parmi les autres motifs *unheimlich*, plusieurs sont assez proches de l'automate en ce qu'ils inquiètent par le fait qu'ils rappellent aux vivants cet *entre-deux* qui sépare vie et mort, comme si cet entre-deux évoquait le fait d'être enterré en état de léthargie. L'auteur rappelle que ce qui est « au plus haut point étrangement inquiétant à beaucoup de personnes est ce qui se rattache à la mort, aux cadavres et au retour des morts, aux esprits et aux fantômes » (Freud 1986, p. 246). Il y a aussi le motif du double, englobant l'automate et le cinéma, qui n'en sont que des espèces particulières, comme le miroir, les jumeaux, le *doppelganger* et l'ombre portée. Freud affirme que l'âme immortelle peut être considérée comme la première représentation d'un double du corps ; ce qui expliquerait les pratiques funéraires des anciens Égyptiens.

Il est certain que notre logique cartésienne a tendance à considérer comme fantaisistes les récits littéraires ou mythiques où un personnage, prenant soudain conscience qu'un automate peut être doté d'une vie ou d'une âme, est plongé dans l'horreur. Il suffit cependant d'examiner les réactions des curieux devant un robot actuel (ASIMO de Honda, par exemple) pour voir que l'inanimé devenant animé cause toujours un ébranlement intérieur, sinon de la frayeur. Frayeur occidentale, certes, car selon Machiko Kusahura, professeure à l'Université Waseda, les Japonais et les Asiatiques, en général, souffriraient moins de la nature *unheimlich* des robots :

> La relation entre les êtres humains et les autres créatures est différente principalement à cause du bagage historique religieux. Il n'y a absolument aucune différence entre la vie des êtres

humains et des autres animaux dans les théories bouddhistes, qui forment la base de la mentalité japonaise. […] J'ai des étudiants américains. Ils sentent qu'en Amérique, les gens continuent de voir les créatures virtuelles et les robots comme quelque chose d'étrange. Il n'y a pas que le réel et le non-réel. Il y a quelque chose entre les deux (cité dans Gagnon 2003, p. 7).

Peut-être faut-il voir la différence entre, d'une part, les religions animistes asiatiques (pour lesquels les choses et les animaux ont une âme) et, d'autre part, la religion judéo-chrétienne et son avatar cartésien (pour lesquels les animaux-machines n'ont aucune âme), comme la principale raison de la différence dans les réactions que suscitent les automates.

Du rire chez Bergson

On a vu que, pour Freud, est étrangement inquiétant, entre autres, tout ce qui rappelle qu'un être vivant puisse être mécanique (ou le contraire : ce qui se révèle vivant dans une mécanique). Il est curieux que, pour Bergson (1940, p. 22-23), tel qu'il le soutient dans son étude sur *Le rire*, il s'agisse précisément de la source du comique : « Les attitudes, gestes et mouvements du corps humain sont risibles dans l'exacte mesure où ce corps nous fait penser à une simple mécanique. » Passant en revue toutes les définitions du comique, il en revient toujours à cette idée : « *Du mécanique plaqué sur du vivant*, voilà une croix où il faut s'arrêter, image centrale d'où l'imagination rayonne dans toutes les directions » (p. 29) [3]. Il note qu'un dessin fait rire lorsque celui-ci « nous fait voir dans l'homme un pantin articulé » (p. 23). Il souligne plusieurs fois cette analogie entre le corps et le mécanique : « L'être vivant dont il s'agissait ici était un être humain, une personne. Le dispositif mécanique est au contraire une chose. Ce qui faisait donc rire, c'était la transfiguration momentanée d'une personne en chose, si l'on veut regarder l'image de ce biais » (p. 44). Pour lui, le contraire du rire serait la liberté et la grâce, puisque nous fait rire « une certaine *raideur de mécanique* là où l'on voudrait trouver la souplesse attentive et la vivante flexibilité d'une personne » (p. 8) ; « le mécanisme raide que nous surprenons de temps à autre, comme un intrus, dans la vivante continuité des choses humaines, a pour nous un intérêt tout particulier, parce qu'il est comme une *distraction* de la vie » (p. 66). Cette « distraction » du corps est aussi celle de l'âme, Bergson montrant que celle-ci peut être tout aussi sujette à l'automatisme : « Raideur, automatisme, distraction, insociabilité, tout cela se pénètre, et c'est tout cela qui fait le comique de caractère » (p. 113). Cas de figure, l'idée de réglementer administrativement la vie est fort répandue, et correspond à un comportement de marionnettes :

> Leur mobilité se règle sur l'immobilité d'une formule. C'est de l'automatisme. Mais l'automatisme parfait sera, par exemple, celui du fonctionnaire fonctionnant comme une simple machine, ou encore l'inconscience d'un règlement administratif s'appliquant avec une fatalité inexorable et se prenant pour une loi de la nature. [...] Un mécanisme inséré dans la nature, une réglementation automatique de la société, voilà, en somme, les deux types d'effets amusants où nous aboutissons (p. 35-36).

Pour le philosophe, le rire a une signification sociale : il s'agit d'un châtiment infligé par la société pour corriger la raideur mécanique et la distraction. Lecteur de Freud, Bergson (1940, p. 32) voit dans le rire un phénomène connexe au rêve et sa définition semble pouvoir s'appliquer au cinéma : « C'est quelque chose comme la logique du rêve, mais d'un rêve qui ne serait pas abandonné au caprice de la fantaisie individuelle, étant le rêve rêvé par la société entière[4]. » Quand le personnage comique agit automatiquement, il agit comme s'il rêvait (p. 149). Si la loi police les comportements, le rire en préviendrait les dérives individuelles en moquant les rigidités et l'automatisme. Dans la vivante continuité des choses, le mécanisme raide est comme une *distraction* de la vie (le distrait est d'ailleurs l'un des personnages comiques les plus courants), distraction suspecte pour la société. Le rire souligne et réprime cette trop grande distraction du vivant par rapport à ce qui l'entoure (p. 66-67). Il le fait en mettant dans « une espèce de *cadre* » (p. 135) les comportements comiques qui nuisent à la sociabilité (par exemple, ceux associés aux particularités d'une profession qui crée un cadre distinct, qu'il faut réprimer pour ne pas que l'individu les ayant adoptés s'isole trop). Le rire crée donc de l'ouvert, du hors-champ dans ce qui menace de se refermer, de se distraire de l'ensemble.

La distraction chez Benjamin

Pour Walter Benjamin, c'est précisément cette distraction (au sens d'inattention, d'absence aux événements, d'attention flottante et dispersée, mais aussi au sens de divertissement qu'apporte le spectacle) devant le choc qui serait le propre de la modernité — ce qui fait du cinéma le dispositif le plus apte à traduire cette nouvelle perception distraite ayant remplacé le recueillement et la contemplation propres aux arts cultuels :

> Le film est la forme d'art qui correspond à la vie de plus en plus dangereuse à laquelle doit faire face l'homme d'aujourd'hui. Le besoin de s'exposer à des effets de choc est une adaptation des hommes aux périls qui les menacent. Le cinéma correspond à des modifications profondes de l'appareil perceptif, celles mêmes que vivent aujourd'hui, à l'échelle de la vie privée, le premier passant venu dans une rue de grande ville, à l'échelle de l'histoire, n'importe quel citoyen d'un État contemporain (Benjamin 2000, p. 309).

Le cinéma répond donc au mal par le mal, habituant les masses à la vie moderne par une série de chocs variés qui les immunisent en quelque sorte. L'homme de la foule, ce passant de la grande ville qui se joint à ses semblables se pressant en masse aux séances de cinéma, Benjamin l'oppose au flâneur baudelairien, dandy oisif et snob qui fuit la foule autant qu'elle l'attire, encore dans la contemplation mais déjà dans la distraction. Cette foule des cités modernes est décrite par Edgar Poe dans le conte « L'homme des foules », prisé par Baudelaire (1951, p. 879), comme une masse d'automates. Selon Benjamin (2000a, p. 363) : « Les passants qu'il décrit se conduisent comme des êtres qui, adaptés aux automatismes, n'ont plus, pour s'exprimer, que des gestes d'automates. Leur conduite n'est qu'une série de réactions à des chocs. » Citant *Le capital* de Marx, Benjamin affirme que c'est l'automatisation industrielle qui a engendré cet homme nouveau : « Par la fréquentation de la machine, les ouvriers apprennent à adapter "leurs mouvements au mouvement continu et uniforme de l'automate" » (p. 362).

La contradiction entre le concept de distraction chez Bergson et celui de Benjamin n'est qu'apparente. Si, pour Bergson, la société sanctionne la distraction de l'homme automatisé en la châtiant par le rire, pour Benjamin, inspiré par Freud et son écran anti-stimulus, la distraction est le mécanisme de défense que la société prescrit à la foule pour parer aux chocs possiblement mortels de la vie moderne. D'une certaine façon, la distraction fixe les deux bornes que notre perception moderne met en place : les gestes automatiques permettent de se mouvoir au milieu des chocs sans que la conscience ne soit agressée outre mesure (par exemple, de se déplacer dans la foule distraitement, comme un automate, sans réfléchir, ce qui tranche avec la peur panique ressentie par un paysan récemment arrivé en ville), mais ces gestes automatiques ne doivent pas être trop exagérés ou réifiés — sous peine d'être punis par le rire —, puisqu'ils empêcheraient alors la fluidité des relations sociales ; ils ne doivent témoigner ni d'une absence de distraction, ni d'un excès. Le sujet moderne est un sujet clivé, passant constamment de l'inconscience à la conscience, de l'automatisme à la liberté consciente. C'est au fond toute la contradiction du capitalisme moderne, dont les dirigeants essaient de synchroniser les automates-consommateurs avec une offre monopolisée tout en prêchant, à l'inverse, un non-conformisme et une liberté qui permettent l'invention continuelle de nouvelles modes et de nouveaux besoins. Ce sujet moderne, à la fois passif et actif, sera le spectateur modèle du cinéma institutionnel. On pourrait dire qu'il est encore trop actif dans les débuts du cinéma.

Rire et frayeur

Dans un autre ordre d'idées, comment un même motif (le vivant devenu mécanique) peut-il être à la fois ce qui nous effraie (Freud) et ce qui nous fait rire (Bergson) ? Encore là, il n'y a contradiction qu'en apparence. Pour Freud, si le mot d'esprit est le fruit du ça, l'humour serait la contribution du surmoi (autorité parentale de l'inconscient) au comique. Le surmoi traduit par l'humour l'invulnérabilité du moi narcissique devant la souffrance et la peur, de la même façon qu'un parent s'amuse de l'inanité et de la futilité des peurs de *son* enfant : « Il veut dire : "Regarde, voilà donc le monde qui paraît si dangereux. Un jeu d'enfant, tout juste bon à faire l'objet d'une plaisanterie !" » (Freud 1986a, p. 328). Freud donne l'exemple d'un condamné, amené à la potence un lundi matin, qui se dit : « Eh bien, la semaine commence bien. » Cette autorité parentale peut être incarnée par l'auteur face à ses personnages ou par le surmoi dans sa relation au moi. L'humour serait donc, en partie du moins, l'envers de l'inquiétante étrangeté et de l'horreur ; une défense contre celles-ci. L'humour et l'inquiétante étrangeté : les deux faces d'une même médaille. En effet, de quoi rit-on en général, sinon de ce qui fait peur : les puissants, les étrangers, le sexe, l'absurde, la mort — bref, l'Autre en général. Devant un film d'horreur, pour prendre un exemple clair, on voit généralement dans le public les deux attitudes de la peur et du rire. Souvent, subséquemment : les spectateurs crient d'horreur et puis rient de leur peur. Dans la littérature qui met en scène des automates, ce double affect est très souvent décrit, comme c'est le cas dans la nouvelle « Les automates » de Hoffmann (2000, p. 43-69), l'un des premiers exemples de représentation d'automates en littérature : le personnage de Louis est saisi d'horreur et ressent un profond malaise devant les automates et autres figures de cire, alors que ses compagnons n'y voient que matière à plaisanterie, avant que leurs rires s'étranglent à leur tour. Dans « L'homme au sable », Nathanaël raconte une histoire de son enfance liée à l'automate Olympia :

> Au moment de commencer, je te vois rire, et j'entends Clara qui dit : — Ce sont de véritables enfantillages ! — Riez, je vous en prie, riez-vous de moi du fond de votre cœur ! — Je vous en supplie ! — Mais, Dieu du ciel !… mes cheveux se hérissent, et il me semble que je vous conjure de vous moquer de moi, dans le délire du désespoir, comme Franz Moor conjurait Daniel (Hoffmann 2000a, p. 72).

N'est-on pas frappé par la ressemblance de ce double affect avec celui qui caractérise la réception des vues du cinéma des premiers temps ? La ressemblance avec cette peur du train qui entre en gare, peur se transformant en rires jaunes après le passage de la locomotive ? La plupart des films attractionnels *des premiers temps* jouent sur l'un ou l'autre de ses sentiments, la frayeur et le rire, et souvent sur les deux, comme dans les vues magiques de Méliès qui créent un choc ludique grâce à l'horreur transformée en rire (entre autres, avec toutes ces têtes coupées, par exemple dans *Le bourreau turc*, une vue Méliès, de 1903). C'est ce jeu de l'indécision, du balancement entre la raison, le rire et la frayeur qui définit la réception du fantastique.

Le romantisme fantastique comme *épistémè* du cinéma

Freud montre que l'inquiétante *familiarité* n'est effective que dans le paradigme fantastique. Qu'un automate ou une poupée parle dans une fable ou dans un conte merveilleux (*Pinocchio*, par exemple) ne distille aucune peur, car ces genres sont trop éloignés de la réalité. Pour que l'inquiétude s'installe, il faut la dimension du familier et du quotidien propre au genre fantastique. Devant une vue de Méliès, qui oscille toujours entre la magie (réalisme fantastique) et la féerie (merveilleux), la réception est souvent ambiguë. L'automate comme thème littéraire prend sa source dans la réaction romantique (en Allemagne et en Angleterre) contre le désenchantement du monde insufflé par la Raison des Lumières ainsi que dans le contrecoup de la Terreur (et de son culte de la Raison), qui ont entraîné un désenchantement face aux rêves révolutionnaires. Selon Caillois (cité dans Steinmetz 1990, p. 12), le «fantastique est partout postérieur à l'image d'un monde sans miracle, soumis à une causalité rigoureuse». Dans un monde raisonnable débarrassé des brumes de l'occultisme, des légendes et de la superstition, le fantastique crée une rupture qui vient ébranler les assises de la Raison. Pour Pierre-Georges Castex (cité dans Steinmetz 1990, p. 11), le fantastique se caractérise par «une intrusion brutale du mystère dans le cadre de la vie réelle». L'automate, figure emblématique de la philosophie mécaniste des Lumières, est retourné comme un gant par les romantiques (Hoffmann en Allemagne avec l'automate mécanique, Mary Shelley en Angleterre avec l'automate biologique, etc.) : il devient l'incarnation de l'irrationnel, de l'occulte et du Mystère. De ce point de vue, le personnage de l'automate est contemporain des spectacles de fantasmagorie, autre invention hautement fantastique et ancêtre du cinéma. Selon cette filiation romantique, le cinéma se caractérise par son ambiguïté, en ceci qu'il appartient à l'*épistémè* scientifique tout en étant générateur d'irrationnel. Pour emprunter les termes de Villiers de L'Isle-Adam (1992, p. 23), on pourrait dire qu'il s'inscrit dans un « positivisme énigmatique ». Aussi le cinéma, du moins à son berceau, se rapproche-t-il de l'automate par une même filiation romantique. C'est cette incertitude toute romantique que Gunning (2003, p. 86) pointe dans l'illusion cinématographique :

> Dès lors, le pouvoir du cinéma (ou un de ses pouvoirs ; pourquoi n'y en aurait-il qu'un seul ?) ne reposerait-il pas précisément sur cette perte de certitude, sur l'indécidabilité qu'il suscite, sur le caractère ludique, et non pas totalisant, de son illusion, sur le questionnement qu'il soulève à propos de la nature inquiétante de la perception (« ai-je réellement vu ça ? »), plutôt que sur la révélation religieuse ou sur la certitude scientifique ? Bien que le but d'une recherche historique sur le dispositif cinématographique et sur sa relation avec la culture optique ne consiste pas à définir la nature constitutive de ce même dispositif, nous voyons à la fois dans sa généalogie, dans le début de son histoire, dans ses procédés récurrents et — si nous voulions étendre l'analyse au-delà du cinéma des premiers temps — dans ses genres et ses effets spéciaux, une fascination irrépressible et continuelle pour l'incertitude visuelle et l'indécidabilité, pour le vacillement de l'illusion.

Je serais parfaitement d'accord avec la réflexion de Gunning si le caractère ludique du cinéma n'était pas la conséquence d'un dispositif clairement naturalisé, apprivoisé ; au contraire, son caractère nouveau et inquiétant au début a souvent créé une impression de frayeur ou de stupeur chez ses premiers spectateurs.

Les rencontres entre automates et images animées n'ont pas cessé depuis les débuts du cinéma. D'un point de vue figuratif, depuis plus d'un siècle, les films ont fait de l'automate, devenu entre-temps robot ou cyborg, l'une de leurs créatures de prédilection : de la satanique Hel de *Metropolis*, dont l'iconologie est directement héritée de Hadaly, aux cyborgs des *Terminator* en passant par les *replicans* de *Blade Runner* ; du sympathique robot de *Forbidden Planet* à ceux tout aussi sympathiques de *Star Wars*[5]. On peut également penser aux personnages, comme ceux de Rohmer ou les « modèles » de Bresson, qui ont, selon Deleuze, des comportements de marionnettes, d'automates. Par ailleurs, des manières d'automate de la prostituée d'*Alphaville* jusqu'à la grâce *anime* de la Major de *Ghost in the Shell*, en passant par toutes les intelligences artificielles (dont Hal, de *2001*, est la plus connue), on peut dire que, figurativement, il se passe toujours quelque chose entre le cinéma, de par sa propension à privilégier les figures en mouvement, et ces corps parfois patauds, le plus souvent cinétiques, que sont les automates. L'une des plus belles scènes à cet égard est peut-être celle de *Casanova* (Fellini, 1977) où le séducteur danse avec une femme automate, moment où le narcissisme du personnage rejoint celui du jeune lord Ewald de Villiers de L'Isle-Adam et celui du Nathanaël de Hoffman. Il y a là toute une histoire à faire dont l'intertexte est foisonnant : a-t-on remarqué qu'entre les noms de la rebelle Hel, hystérique, et du brutal Hal, paranoïaque, il n'y a qu'une lettre de différence (et que tous deux dérivent de miss Hadaly Hadal, l'automate de *L'Ève future*) ? A-t-on remarqué qu'il s'agit de deux personnages sans nom de famille — puisque leur souhait est d'être un prénom seul —, en rupture avec leur genèse humaine (la créature de Frankenstein, quant à elle, est sans nom et sans prénom) ?

Fruit, dans sa forme moderne, de la révolution cartésienne — révolution métaphysique et scientifique —, l'automate est au centre d'une définition possible de la modernité. Les grands automates du XVIIIe siècle sont les figures paradigmatiques du corps-machine remonté par le Grand Horloger. Repris par les romantiques, le motif de l'automate fut détourné et devint la figure du Mystère et de l'irrationnel. Attraction populaire, l'automate crée une incertitude entre illusion et doute nécessaire. Comme l'image de cinéma, il se situe à la croisée de la science, des arts et des spectacles populaires. Le propre du cinéma et de l'automate est de donner, de manière automatique, l'apparence absolue du mouvement et l'illusion de la vie. Comme la magie et la fantasmagorie, le cinéma et l'automate créent une « perte de certitude » (Gunning 2003), qui n'est plus la Vérité de la révélation religieuse ni la certitude scientifique, et qui définit l'*épistémè* fantastique. Plus largement, ces deux « arts techniques » furent l'un des terrains où s'affrontèrent la Vérité (religieuse), les vérités (scientifiques) et le Mystère (fantastique), dans un combat dont l'enjeu fut la définition même de la modernité en marche.

Université Laval

NOTES

1. Mécanisme dont le descendant putatif serait le déjà fameux *Cloaca* de Wim Delvoye, une œuvre ayant la capacité de produire vraiment de la matière fécale, ironisant ainsi sur le jugement réactionnaire voulant que l'art contemporain produise surtout de la m…

2. Le cinéma des premiers temps représente le plus souvent les acteurs grandeur nature, ce qui s'explique par le fait que celle-ci est la principale caractéristique de la représentation en trompe-l'œil, mode de représentation privilégié aux débuts du cinéma.

3. C'est Bergson qui souligne; c'est également lui qui souligne dans les citations qui suivent, le cas échéant. Le rire est le regroupement de trois articles publiés dans la *Revue de Paris*, le 1ᵉʳ et le 15 février, ainsi que le 1ᵉʳ mars 1899.

4. Il ajoute (p. 142) que «l'absurdité comique est de même nature que celle des rêves».

5. Avec leurs mouvements saccadés et décomposés, plusieurs automates du cinéma (C3PO de *Star Wars*, par exemple) semblent reproduire les différentes phases de l'analyse cinématographique d'un mouvement. C'est d'ailleurs comme cela que tout un chacun mime un robot. En fait, cette gestuelle tire son origine du mouvement saccadé des automates populaires du XIXᵉ siècle: automates et cinématographe doivent analyser les mouvements humains pour ensuite en reproduire la synthèse.

RÉFÉRENCES BIBLIOGRAPHIQUES

Anonyme 1965: Anonyme, *La Poste*, 30 décembre 1895, cité dans René Jeanne, *Cinéma 1900*, Paris, Flammarion, 1965.

Baudelaire 1951: Charles Baudelaire, «Le peintre de la vie moderne», *Œuvres complètes*, Paris, Gallimard, 1951.

Bazin 1994: André Bazin, «Ontologie de l'image photographique», *Qu'est-ce que le cinéma?*, Paris, Les Éditions du Cerf, 1994, p. 9-17.

Benjamin 2000: Walter Benjamin, «L'œuvre d'art à l'époque de sa reproductibilité technique» [dernière version de 1939], *Œuvres III*, Paris, Gallimard, 2000, p. 269-328.

Benjamin 2000a: Walter Benjamin, «Sur quelques thèmes baudelairiens», *Œuvres III*, Paris, Gallimard, 2000, p. 329-390.

Bergson 1940: Henri Bergson, *Le rire. Essai sur la signification du comique*, Paris, PUF, 1940.

Burch 1991: Noël Burch, *La lucarne de l'infini. Naissance du langage cinématographique*, Paris, Nathan Université, 1991.

Coissac 1911: Georges Coissac, *Ciné-Journal*, 7 janvier 1911, cité dans Isabelle Raynauld, «Le cinématographe comme nouvelle technologie: opacité et transparence», *Cinémas*, vol. 14, n° 1, 2003.

Derrida 2001: Jacques Derrida [entretiens avec], «Le cinéma et ses fantômes», *Cahiers du cinéma*, n° 556, 2001, p. 74-85.

Engélibert 2000: Jean-Paul Engélibert (éd.), *L'homme fabriqué. Récits de la création de l'homme par l'homme*, Paris, Garnier, 2000.

Freud 1986: Sigmund Freud, «L'inquiétante étrangeté» [1919], *L'inquiétante étrangeté et autres essais*, Paris, Gallimard, 1986, p. 7 et p. 213-263.

Freud 1986a: Sigmund Freud, «L'humour» [1927], *L'inquiétante étrangeté et autres essais*, Paris, Gallimard, 1986, p. 321-328.

Gagnon 2003: Marie-Julie Gagnon, «Nos amis les robots», *La Presse*, Montréal, 12 octobre 2003.

Gorki 1993: Maxime Gorki, article paru à l'origine dans le quotidien *Nijegorodskilistok* [4 juillet 1896], dans Jérôme Prieur, *Le spectateur nocturne. Les écrivains au cinéma, une anthologie*, Paris, Les cahiers du cinéma, 1993, p. 30-33.

Gunning 2003: Tom Gunning, «Fantasmagoric et fabrication de l'illusion: pour une culture optique du dispositif cinématographique», *Cinémas*, vol. 14, n° 1, 2003, p. 67-89.

Hoffmann 2000: Ernst T. A. Hoffmann, «Les automates» [1814], dans Engélibert 2000, p. 43-69.

Hoffmann 2000a: Ernst T. A. Hoffmann, «L'homme au sable» [1816], dans Engélibert 2000, p. 71-100.

Leutrat 1992: Jean-Louis Leutrat, «Modernité. Modernité?», *Conférences du Collège de l'art cinématographique*, Paris, Cinémathèque française/Musée du cinéma, 1992, p. 123-135.

Poe 2000: Edgar Allen Poe, «Le joueur d'échecs de Maelzel» [1836], dans Engélibert 2000, p. 309-332.

Steinmetz 1990: Jean-Luc Steinmetz, *La littérature fantastique*, Paris, PUF, 1990.

Villiers de L'Isle-Adam 1992: Villiers de L'Isle-Adam, *L'Ève future* [1886], Paris, POL, 1992.

ABSTRACT

Automatons and the Cinema: The Uncanny, Distraction and Mechanical Arts
Jean-Pierre Sirois-Trahan

Several authors, in their discussions of the problem of the ontology of the cinema, have drawn analogies between the cinema and fantastic creatures (mummies, ghosts, vampires, Frankenstein's creature). The hypothesis of the present article is that an analogy can be drawn between the two mechanical arts the automaton and the cinematograph, arts which are both technological and aesthetic, as a way of examining the topos "cinema, art of movement and life." This analysis leads the author to address Freud's concept of the "uncanny" and the episteme of what Villiers de L'Isle-Adam called "enigmatic positivism." The author also establishes a link between the cinema, seen as an automaton, and the aesthetic problem of "distraction" as discussed both by Henri Bergson in *Laughter* and Walter Benjamin in his article "The Work of Art in the Age of its Technological Reproducibility." Reading these texts, it appears that an excess and an absence of distraction form the two boundaries fixed by modern perception. The subject of modernity is cleaved, divided between the conscious and the unconscious, between freedom and automatism—and this subject is also the spectatorial subject of the cinema. In addition, the automaton enables us to see how fantastic Romanticism may be the episteme of the cinematograph. The cinema, like the automaton, is the site of a balancing, of uncertainty. The automaton may also be at the centre of a possible definition of modernity, in the same way that the moving image, for Benjamin, conveys the emergence of the new forms of perception associated with it.

A Madison for Outcasts: Dance and Critical Displacements in Jean-Luc Godard's *Band of Outsiders*

Svea Becker and Bruce Williams

ABSTRACT

In light of Timothy Corrigan's discussion of the cult film as "adopted child," Godard's *Band of Outsiders* (*Bande à part*) can be viewed as a film which has transcended its original destiny and opened doors to diverse critical and spectatorial receptions. Drawing upon pulp fiction and the "B movie" genre, Godard's original intent was to make a mainstream film. But it was precisely the film's homage to the American mainstream that soon led to its cult status in non-mainstream cinema. Based on a pulp fiction novel by Delores Hitchens, *Band of Outsiders* celebrates dance and movement from American popular culture and, in particular, American jazz dance as popularized in Europe in the early 1960s. In one sequence, the protagonists break into the Madison, a line dance that quickly moved from the African-American community to the white mainstream through such television shows as *American Bandstand* and to Europe through the work of such performers/teachers as Harold Nicholas. The freedom of movement within a structured environment, which defines the Madison, recalls the director's own approach to filmmaking as well as his high regard for the physical dexterity of his actors. Inasmuch as each dancer dances the Madison "solo," the dance allows individual characters to articulate through movement their mental and emotional states. At the same time, it permits the three protagonists to function as a synchronized group, a "band of outsiders." The Madison sequence, moreover, presents a microcosm of many of the ideological and aesthetic premises of the *Nouvelle Vague* and is particularly reflective of Godard's love of Americana. This dance, itself synonymous with the film, is the sequence that generates the most intricate intertextual references as well as the most divergent critical response. The Madison has thus become the vehicle through which *Band of Outsiders* has come to stand in for non-mainstream cinema at large.

Voir le résumé français à la fin de l'article

215

Timothy Corrigan (1986, p. 91) defines a cult film as an "adopted child," a work which has been uprooted from its original destiny. Although the definition of a cult film as deployed by Corrigan embraces such films as *The Rocky Horror Picture Show* (1975) and *The Road Warrior* (1981), an examination of the reception of other works not traditionally considered cult films reveals that Corrigan's words have a much broader application. A case in point is Jean-Luc Godard's 1964 *Band of Outsiders* (*Bande à part*), a film which (perhaps surprisingly) was originally intended for a broad, commercial audience, yet which can be deemed a critical *mise en abyme* of the aesthetic discourse of the *Nouvelle Vague.*

Band of Outsiders is an homage to America, and specifically to the America of grade "B" gangster films that, as James Monaco (1976, p. 147) has articulated, "motivated Godard in the first place." Based upon Delores Hitchens's 1958 novel *Fool's Gold*, a pulp fiction piece published by Doubleday for its Crime Club and published by the French *série noire* under the title *Pigeon vole* the same year as its American release, the film is, according to Monaco, "suffused with a gentle, lyrical quality and a nostalgia for the American movies of [Godard's] youth" (p. 147). *Band of Outsiders* moves between reality and the mythos of the cinema, between the underbelly of Paris and the realm of daydream. The characters play-act Pat Garrett and Billy the Kid and navigate through a world of Jack London, trashy American novels and *film noir*. Integral to the film is a discourse of movement, which defines the protagonists' games and dances and blurs the distinction between the quotidian and reverie. At one point, Anna Karina, Samy Frey and Claude Brasseur break into the Madison, an American line dance fad from the late 1950s and early 1960s. This number, mistakenly referred to by James Monaco as "a Bob Fosse dance" (p. 147), has become the most frequently mentioned sequence of *Band of Outsiders* in critical discourse, and is integral to the film's celebration of Americana. Moreover, Godard, who has always valued the physical dexterity of his actors (Jousse 1990, p. 16), contextualizes the dance sequence within an array of physical stunts and playful gestures that evoke American pop culture, a process in line with a great deal of the aesthetic discourse of the *Nouvelle Vague*. If *Band of Outsiders* itself embodies the theoretical and aesthetic tenets of the *Nouvelle Vague*, then the Madison sequence becomes the core of this self-reflective study. Moreover, inasmuch as *Band of Outsiders* is in and of itself an "adopted child," the Madison is the centrepiece of the ensuing cult phenomenon.

Have Gun Will Fumble

Pauline Kael (1968, p. 173), in a seminal 1966 article originally published in *The New Republic*, describes Godard's recoupment of tawdry American gangster movies as "the urban poetry of speed and no afterthoughts." For her, "it's as if a French poet took an ordinary banal American crime novel and told it to us in terms of the romance and beauty he read between the lines" (p. 170). And this poetry is, to use an unfortunate cliché, poetry in motion. Like the often slapstick movements in *Band of Outsiders*, Godard's films, as Kael (1968, p. 177) asserts, "become playful gestures, games in which you succeed or fail with a shrug." Godard himself feels that the fluidity of the film allows us "to feel existence like physical matter" (quoted in Narboni and Milne 1972, p. 211). For him, "it is not the people who are important, but the atmosphere between them" (pp. 211-212). Describing the importance of play-acting in the film, Kael (1968, p. 70) argues that when the protagonists of *Band of Outsiders* attempt to turn their games into reality, "we watch, apprehensive and puzzled as the three of them *act out* the robbery they're committing as if it were something going on in a movie—or a fairy tale" (emphasis ours). Kael continues by stressing: "The crime does not fit the daydreamers nor their milieu—*Band of Outsiders* is like a reverie of a gangster movie as students in an espresso bar might remember it or plan it—a mixture of the gangster film virtues (loyalty, daring) with innocence, amorality, lack of equilibrium" (p. 170).

What were Godard's original intentions in making the film? Kael reminds us that while the director intended to make "a film about a girl and a gun... A sure fire story which [would] sell a lot of tickets," what actually resulted was a film that sold less tickets than ever. We can deem *Band of Outsiders* a playful gesture which, like the botched robbery it depicts, derailed from Godard's agenda. The director actually mocks his purported commercial goals in a cameo appearance in the film. Sitting in on the English class the three protagonists attend, Godard asks the teacher, herself enamoured with Shakespeare more than with language instruction, how to say in English "one big million dollar picture." But money was not the director's sole goal. On an aesthetic level, Godard desired to "recreate the populist, poetic climate of the pre-war period" (Collet 1972, p. 40). Although he cites as his sources German classicism, English Romanticism, Queneau, Bernanos and Cocteau (Godard 1964), the film's overt Americanism betrays the director's youthful passion for the caper film.

The film's story is simple. Three young Parisians, Odile, Arthur and Franz, meet in an English class and decide to steal a seemingly immeasurable sum of money hidden in the villa where Odile lives. Arthur and Franz are gangster wannabes, and Odile is a romantic young woman seeking acceptance and romance. Over the course of three days, the trio dances, runs through the Louvre in nine minutes and 43 seconds, plays in shooting arcades, and meanders through Paris as they await the appointed hour of their heist which, due to their own incompetence as thieves, must be attempted twice. When the robbery is finally committed, the bounty is far less than expected. Arthur dies in a shootout, and Odile and Franz elope to Argentina. Of particular consequence is that the U.S. setting of *Fool's Gold* is transplanted to France, although the original American context is continually evoked by references particular to the grade B crime genre to which Hitchens's novel belongs.

Yankee Doodle Discourse

Band of Outsiders is comprised of highly textured references to American culture, as evidenced from the opening sequences of the film. As we catch sight of the sign for "Loui's School," where Franz and Arthur meet Odile, the image is juxtaposed with a brief snippet of New Orleans jazz on the soundtrack. The name "Loui" thus evokes Louis Armstrong, and the school where one can learn English, German, Spanish and typing recalls a *film noir* speakeasy with an intimidating doorman to control entrance. Arthur self-reflexively relates the trio's actions to American cinema; he reminds his co-conspirators that they must wait until after nightfall to undertake their heist in keeping with the norms of B movies. The final sequence of *Band of Outsiders*, moreover, pays homage to such popular trash. As Odile and Franz embrace on a boat bound for Brazil, the voice-over narration promises a sequel which will relate their adventures in South America. We then see a spinning globe recalling the Universal Pictures logo, and the narrator informs us that the new film will be in Cinemascope and Technicolor.

Franz, who of the three characters is most enamoured with the United States, dreams of buying a race car and participating in the Indianapolis 500. And racing with America is indeed a motif in the film. When the trio runs through the Louvre in a matter of minutes, they beat by several seconds the record set by an American, Jimmy Johnson of San Francisco. Yet the discourse of Americana in *Band of Outsiders* is not limited to lowbrow culture. Franz, who owns a large collection of American books, has a particular fascination with Jack London. At one point in the film, he recounts the plotline of London's short story, "Nam-Bok the Unvoracious," published in 1902 in the author's third book, *Children of the Frost*. Franz's love affair with the Great American North matches Odile's romanticism and explains in part the young woman's eventual preference for Franz over Arthur.

Kinesthetics American Style

In his direction, Godard sought a great deal of spontaneity on the part of the actors. Writing dialogue at the last minute so that the performers would not have the time to prepare and hence would give more of themselves, the director allowed only one or two takes with little rehearsal for most scenes (Collet 1972, p. 42). Such spontaneity helped foster the atmosphere of improvisation and play-acting which characterizes *Band of Outsiders*. At the same time, it is in part through such spontaneity that Godard makes his most overt references to American pop culture. In a playful movement sequence, Franz and Arthur enact the shooting of Billy the Kid. Despite the frolicsome and lighthearted nature of this sequence, a closer examination reveals that well-focused intent was involved in its references to American dance. As Arthur draws, Franz beats him, whirling downward into a deadly, efficient shooting crouch. After taking the hit, Arthur leans backward into a Grahamesque hinge position, where the body is straight from knee to shoulder, then crumples to the ground. As a fallen gunfighter, Arthur rolls onto his side, where he wheels around his stationary head and shoulder by using the sides of his feet to scoot in half a circle. As Franz starts the Simca, Arthur scrambles through the door, timing his entrance for the last possible minute. The play-acting is then over. Arthur's mock death anticipates a later sequence which, although not a play-acting scene, is equally imbued with a feeling of spontaneity; playing dead foretells his ultimate demise in a real shootout. The backfall resembles the death of gunfighters in American westerns and recalls Richard Boone's *Have Gun Will Travel.* (Boone studied dance with modern dance pioneer Martha Graham.) Such a movement, moreover, has become an integral motif in American culture. For instance, in *All That Jazz,* a 1978 film about the life of Bob Fosse and directed by Fosse himself, Roy Scheider performs the kneeling back hinge, which can be viewed as a metaphor for death. (The direction back-deep from the body centre is at once physically difficult to accomplish in a controlled manner and reflects the natural human fear of falling, particularly backwards.) The lighthearted, slapstick Billy the Kid sequence is thus a direct citation of American dance culture, one example of a seemingly improvised movement sequence in *Band of Outsiders* which is clearly rooted in formal dance technique.

Godard's movement dynamics are similarly evidenced in a scene in which Anna Karina runs to meet her two co-conspirators at a factory; the fluidity and ongoing-ness of her movements make the sequence play as if she were running to meet her lover in a romantic-era ballet based on a Victor Hugo novel. She must temper her momentum in order to overcome obstacles encountered while taking a challenging shortcut; Karina climbs a ladder to a higher level of ground, pulls a boat to her side of a stream, steps onboard, floats on the current to the opposite side, and then feeds a circus tiger with meat brought specially from her guardian's refrigerator in a net shopping bag. This sequence reveals much about her character; she is resourceful, feminine and generous, yet is bent on meeting Arthur, the man who, at this time, she thinks she loves. In this sequence, there is no separation between movement and the character's inner state. In this respect, it reflects the dynamics of the famed Madison sequence.

Referring to his Madison, Godard states: "We invented the steps" (quoted in Collet 1972, p. 42). This is in keeping with the spirit of the dance, which was first performed by African-American teenagers who were adept at improvising and creating many variations of the original steps to rock and roll dances (Love 1993). Godard stresses: "On the other hand, for the dance scene in the café, we rehearsed for two weeks, three times each week. Samy and Claude didn't know how to dance... It's an original dance, and we had to perfect it. It's a dance with an open, line figure. It's a parade. They dance for the camera, for the audience" (quoted in Collet 1972, pp. 42-43). Godard himself evokes the importance of the dance in an early character sketch for Arthur. He writes:

> [...] he is a boy for whom the mystery of life is not necessarily hidden in a distant Forest but very possibly on the motorway to the East, where he roars to and fro straining his old Simca. Possibly, too, behind the counter of an unfashionable café, where he dances an imaginary Madison to recapture the lost time of Annabella and Préjean, on a 14th of July, beneath the roofs of Paris (Godard 1964).

Thus, according to Godard, the Madison was already a part of the early stages of the film's development, although it appeared in the director's mind considerably different from the final product. Where the dance appeared in the conceptualization of *Band of Outsiders* notwithstanding, it is without a doubt the most discussed and cited sequence of the film. It is the sequence which is recalled when other details have been forgotten. And the scene's notoriety extends beyond five decades of critical discourse on Godard and has come to be associated with non-mainstream film at large. A case in point is a currently active website providing up-to-date information on festivals and recent films. Describing itself as a "film and culture blog with a focus on non-mainstream topics," the site is titled "Like Anna Karina's Sweater."[1] This is a direct reference to a parenthetical comment made by the seemingly omniscient voice-over narrator during the Madison sequence in which we learn that Odile is wondering if the two men are noticing the movements of her breasts underneath her sweater. Albeit named in reference to a *Nouvelle Vague* film, "Like Anna Karina's Sweater" spans the broader scope of contemporary cinema. Focusing on non-mainstream film, it expresses its commentaries with a great deal of lightheartedness and sense of fun. In this way, it underscores the sense of spontaneity of Godard's film. At the same time, "Like Anna Karina's Sweater" reveals the extent to which *Band of Outsiders* has transcended Godard's original intentions and come to embody so much of the aesthetic project of the *Nouvelle Vague*. The sweater Anna Karina sports as she dances the Madison, which was the willing object of a voyeuristic gaze, has become a metaphor for an entire spectatorial project which extends far beyond the confines of *Band of Outsiders*.

Jazzin' It Up

The Madison came with the first wave of rock and roll dances that were popularized by *American Bandstand* when it moved to television in 1957 (Stearns and Stearns 1968, p. 4). Like the Birdland, the Stroll and the Cha-Cha-Cha, the Madison was a group dance performed in a line or circle formation. The steps could be performed solo or with a partner. Offering a retrospective look at the dance, Leroy Green and his colleagues, as middle-aged adults, demonstrated variations of the Madison and the Cha-Cha-Cha line dances at the Twenty-Seventh Annual Festival of American Folklife, sponsored by the U.S. Department of the Interior and held outdoors in Washington, D.C., in 1993. In Sam Love's documentary, which focuses on the festival, Green states that these were the same dances he and his friends had performed as teenagers in the Washington, D.C., high schools in 1961-1962. Green demonstrates the basic six-count step of the Madison and stresses that each high school had their own version of the dance, which they performed simultaneously on the same gym floor in competition with representatives from other schools. It is important to note that, although most of the steps of the Madison are four or eight counts, a six-count movement against a 4/4 rhythm is characteristic of black dance. While Green and company dance vigorously and freely in bermudas and sundresses, Soum Sokhon, a Cambodian immigrant to the U.S., and his compatriots perform the choreography with contained movement, garbed in formal evening dress and accompanied by Cambodian music.

White teenagers who attended integrated high schools were able to copy the dances performed by their black peers. Consequently, the public unfairly credited the movements to white individuals who appeared on *American Bandstand* in Philadelphia (Jackson 1997, pp. 208-210) and the *Buddy Deane Show* in Baltimore instead of to the African-American originators. In fact, to attract white consumers, the name "rock and roll" was substituted for "rhythm and blues."

It was common marketing practice for television producers to connect a dance craze with a specific recording (Jackson 1997, p. 211). Record sales were promoted by the fact that real teenagers, unschooled in dance, were viewed performing with confidence. Accessibility was enhanced by the lack of formal expectations concerning leading/following as are required in traditional social dancing. An uneven number of men and women could actively participate in a line dance. Furthermore the men would not need to maintain a frame with and supportive of their partner because the Madison could be performed in two lines with partners facing in an open position, as opposed to the more intimate closed dance position of, for instance, the waltz; there was thus no danger of pelvic contact in a line dance (Jackson 1997, p. 217). Another advantage that line dancing possesses for non-dancers over traditional social dancing is that everyone performs the same steps, which move forward, back and side-to-side in a moderate tempo to a 4/4 time signature (Banks 1999, p. 98). The distinctive feature of a line dance is that by making four quarter-turns, the choreography is repeated facing each wall of the room.

The black tradition in jazz, tap and line dance allows inter-personal competition, an ingredient very appropriate to a dance scene with one female and two heterosexual male characters. These were most likely practical considerations for Godard when choosing a dance to be performed by actors, two out of three of them not having any prior experience in dance. The Madison thus was a dance which blended structure and impro-visation, at the same time constituting a popular art form, one which allowed for individual expression, but placed emphasis on the collective formation of the line dance.

How might the Madison have reached the cultural space of the French *Nouvelle Vague* and of Godard in particular? African-American dancer Harold Nicholas credits himself with having brought the Madison to France. Nicholas argues: "I was the American dancer, and I taught the French how to do certain dances. It started with the Cha Cha, then the Madison" (quoted in Hill 2000, p. 242). In 1956, the Nicholas Brothers dance team went to Europe, with Fayard returning home in 1958 and Harold remaining in Paris.[2] The brothers were separated for seven years and later reunited on the *Hollywood Palace* television show in July, 1964. During this interim period, Harold Nicholas significantly impacted the dance scene in France and Scandinavia, the latter where he felt particularly welcome (p. 243). Harold was very successful in Europe and was even recognized as a singer, performing a solo nightclub act in casi-nos. Other highlights of his career abroad included co-starring with Josephine Baker at the Olympia Theatre in Paris in 1959, starring in *Free and Easy* in Amsterdam, and appearing with Eddie Constantine in the French film *L'empire de la nuit* (1963). Nicholas had thus attained a high artistic profile in Europe, was a recognized authority on jazz and tap, and would have been able to recruit as students top artistic figures.

It is clear that the Madison had considerable impact in France. In fact, it became mainstream enough to be included in French instructional dance literature, which was subsequently disseminat-ed throughout parts of the Francophone world. Indeed, Soum Sokhon stresses in Love's film that he perfected the dance by studying a French social dance manual in Phnom Penh in 1964.

The original steps—Basic, Boss Turn, the M and the I movements—accompanied the first recording entitled "The Madison" (Love 1993). The second hit tune, called "The Madison Time," incorporated additional movements, including, among others, the Jackie Gleason and Wilt Chamberlain steps.[3] (John Waters's *Hairspray* offers the same steps to "The Madison Time" in a theatrically choreographed version based on an instructional segment from a teenage dance show.)

The particular nature of Godard's Madison reflects Anna Karina's adhesion to the dance style of Nicholas and other African-American dancers. Her performance style in the film is different from that of the white teenagers on television—the stance appears more natural and grounded. Legs are bent in *demi-plié* and torsos move slightly away from the vertical dimension. In addition, Anna, and sometimes Franz, incorporate hip and shoulder isolation movements into the dance steps. The Nicholas Brothers' home movies of their performances at the Cotton Club in the fall of 1938 show that they had incorporated subtle isolations of the hips and shoulders into the choreography performed to "Congo Conga" played by the Locares Orchestra dance band, booked as part of the current fad for Afro-Cuban dancing (cha-cha-cha, rhumba, conga) (Hill 2000, p. 140). Referring to white kids trying to imitate black kids' dancing, but omitting the hip movements, Hank Ballard's voice-over in *The Twist* critiques: "It just ain't happening."

Bad Boys Don't Dance, But Good Girls Lead

In order to understand the significance of Godard's use of the Madison within the context of both the film's celebration of Americana and its broader reflection on the aesthetics of the *Nouvelle Vague*, an analysis of the dance sequence of *Band of Outsiders* and its context within the film is helpful. Brechtian distanciation and intertextual layering provide the framework for Godard's dance sequence. Such devices thus prepare the spectator to view the Madison through the lens of citation and critical distance. In order to discuss the timing of their caper, the three protagonists visit a working-class café. This is direct reference to American gangster films in which crimes are plotted in coffee shops or diners. In line with Godard's future reference in *Masculine-Feminine* (*Masculin-féminin*, 1966) to "the children of Marx and Coca-Cola," Odile orders a Coke. Arthur, in the meantime, orders liquor, which he subsequently uses to slip her a Mickey Finn, again a citation of American film. As Odile walks to the ladies' room we hear (from a jukebox) Catherine Deneuve singing two songs from Jacques Demy's *The Umbrellas of Cherbourg* (*Les parapluies de Cherbourg*), composed, of course, by *Band of Outsiders* composer Michel Legrand, whose music appears "for the last time on the screen," according to Godard's opening titles. The latter song starts and stops abruptly, unmotivated by the film's diegesis. Odile, moreover, descends the staircase to the restroom; returning to the restaurant, her fingers linger on the handrail, evoking Deneuve in the earlier film. Upon her return, Odile looks at a gadget with liquid which is supposed to flow from one side to the other if the man holding the other side is in love with her. The gadget is obviously accurate; Arthur does not love her. In the final sequence of *Band of Outsiders*, the same device will confirm Franz's love for Odile. (Such a gadget was a common product sold through American women's magazines in the 1950s and early 1960s.) Unsure as to what to do next, Franz proposes a moment of silence. Not only are the characters' voices silenced, but moreover, the soundtrack is squelched altogether as artificially as the starting and stopping of Deneuve's voice. This heightens the discomfort of both characters and spectator and distances the spectator from the narrative.

Franz breaks the silence with "That's enough. I'll play a record." Arthur retorts: "Want to dance?"

Through individual movement patterns, Arthur and Odile manipulate their fingers in a prelude to the Madison. Her fingers clearly perform a "side-close-side-kick" movement on the table. Arthur responds with a finger dance in which he mixes up kicking and stepping so that there is no distinguishable pattern. This anticipates his dance style in the upcoming sequence and moreover reflects his psychological confusion. Whereas, Odile's precise finger movements suggest the clarity of her desires and the greater precision with which she will soon dance.

As we segue to the Madison, it is a black hat that catches one's attention for two reasons—as a dramatic prop and as a symbol of Franz's current feelings towards Odile. (In the car scene earlier, when Odile dons Franz's hat, re-adjusting the mirror for primping, Franz quickly retrieves both hat and mirror.) As Odile and Arthur prepare to dance, Franz tenderly places it on her head, indicating a growing affection for her. Franz joins them, side by side in a line formation, woman in the centre. The trio of conspirators fall into the pulsating beat of the music by bouncing from the knees and snapping their fingers.

In the Madison as performed in *Band of Outsiders*, Odile, Franz and Arthur violate the accepted format of a line dance where identical choreography is performed prior to each quarter-turn. The first movement is Odile's finger dance performed for real, the sidestep.[4] This configuration appears before the first quarter-turn phrase.[5] Rather than repeating the side-step, the actors perform a diagonal movement prior to the repeat of the quarter-turn phrase. Of course, it is impossible to determine if this irregularity was the result of a mistake on the part of the performers. The steps in *Band of Outsiders* do not look much like the movements preserved in the television clip that director Mann incorporated in *The Twist* or which were recreated in *Hairspray*, nor are they exactly as described in *The Encyclopedia of Social Dance* (Butler and Butler 1975, pp. 242-244). Inasmuch as Godard has claimed that they invented the steps, it can be said that the director's innovative spirit carries on the tradition of the African-American teenagers and of the American social dances, which are living art forms (Love 1993). No choreographer is listed in the credits for *Band of Outsiders*. It is possible that Anna Karina's dance training made her the natural leader in the creative dance process.

"While the body in classical Western dance (and the white teenager's version of the Madison) is distinguished by its verticality, the body of the black dancer is distinguished by its diagonality" (Hill 2000, p. 200). The divided front where the lower body faces one direction and the upper body rotates to face another direction is a characteristic of jazz dance (Mahoney 1976, p. 15). There is in fact a diagonal movement in Godard's

Madison. It occurs on the finger snap which follows the first quarter-turn; the diagonal is the alternate movement prior to the second turn. When the torso twists in opposite direction from the lower body, the result is a disconnected appearance (LaPointe-Crump and Staley 1992, p. 85). This three-dimensional movement is often called a spiral by modern dancers or a corkscrew in show business. Such a spiral is also used by Godard in his non-dance movement strategies. For instance, Franz changes from standing to a low shooting stance by means of a spiral in the Billy the Kid sequence.

Despite the cropping of the actors' bodies, the viewer nonetheless is aware of the spatial relationship of the head, shoulders and arms. Space around the body has volume that can be projected on the flat screen by diagonal movement or design as mentioned earlier. This theoretical spatial configuration conveys a sense of immediacy to the film audience. It is as if each person performs in a cube with an imaginary diagonal line connecting opposite corners to form a diagonal cross of axes intersecting through the centre of the body (Bartenieff 1980, p. 32). During the accent on count two of the diagonal movement, the performers, in suit with the black tradition, involve their upper bodies in the dance. As the fingers emphasize count two with a snap, a rotation of the upper spine results in a diagonal line formed by the shoulders, forward arm and kicking leg that connects from deep-right-forward to high-left-backward.

This diagonal dynamic reflects other movement sequences of *Band of Outsiders*. For instance, in the beginning of the film when the men are driving to meet Odile for information that will abet their criminal intentions, the camera is placed so that Franz appears to drive his automobile along a diagonal pathway on the cinema screen. The diagonal motif is recurrent in Godard's film and seems to lend a sense of anticipation to the audience. Given the fact that Godard expects tremendous athletic dexterity on the part of his actors, we must recall the importance of diagonal planes of motion in sports. From a historical perspective, we can think back to the 1920s when white audiences seemed to feel that black jazz dance evoked great freedom of movement. Consequently, they tried to imitate the steps; in the Charleston, for instance, the torso twists and tilts forward and backward towards the floor as if the performer were taking a chance in life by drinking illegal liquor and jazz dancing in a speakeasy. As LaPointe-Crump and Staley (1992, p. 58) argue, "the spectrum of energy in jazz dance is probably the most important element." (In France, the Charleston was immortalized by American Josephine Baker.)

In Godard's film, it is the diagonal movement that renders this version of the Madison distinct. The stepping for the diagonal movement consists of half of a Jazz Square floor pattern.[6] Godard's reference to the Jazz Square is in and of itself a citation of American pop culture. Indeed, the complete Jazz Square, in which the dancer makes a series of four steps that form the corners of a square floor pattern, has become fairly mainstream in American dance culture; for instance, it is part of choreography for the non-dancing role of sleazy lawyer Billy Flynn in the Broadway show *Chicago* and is an important part of vocabulary in jazz dance textbooks.[7]

Each performer in *Band of Outsiders* dances the Madison solo. There is no partnering. The men leave the dance; first Franz, then Arthur. Odile continues alone until the music ends. She exits the dance by turning. The revolving action is consistent with the continuity of her seamless transitions between movements. Odile's body undulates as she transfers her weight; free flow effort is a dominant characteristic. She completes each gesture fully; the expression is genuine and authentic as is her character in the film. She sustains the diagonal arm gesture with lyricism. Although Odile participates enthusiastically in the Madison, it is the men who emphasize making very loud sounds by forcefully exerting the weight of the entire body. As LaPointe-Crump and Staley (1992, p. 157) reminds us, "most emotional states like anger, happiness etc. are communicated non-verbally through the amount of energy exerted. Dancers call this 'attack.'"

The loud accents of feet pounding, punching and thrusting against the dance floor communicate aggressive physicality that anticipates the forthcoming crime.[8] This brings to mind a prior incident when Franz body-slams Arthur sideways along the banquette. In the Madison sequence, the men's behaviour is inappropriate to the café setting and to the performance of a line dance. The stamping sounds are too loud for even a tap dance, where the performer withholds the full weight of the body to crisply pat the floor.[9] Jazz tap should only be sprinkled with loud stomps for accent.

In praise of line dancing in general, it has been said: "Just dance as the spirit—or music—moves you" (Banks 1999, p. 98). This comment is at once evocative of Godard's Madison and of the broader American cultural sphere he references. Dance as a venue for inner expression is not new to American popular entertainment. Godard surely hoped for the Madison to achieve this purpose. A voiceover during the dance clues the audience to the director's intention and describes the characters' feelings at the moment of the dance. In this respect, in the Madison sequence, Godard is essentially following suit with Agnes DeMille, who used dance as a means to disclose the thoughts and feelings of a character in a Broadway show.[10]

When the voiceover informs the audience that it is time for another digression ("a second parenthesis," in French) to describe the sentiments of the characters, the viewer becomes cognizant of the relationship between the individual dance styles of the characters and their mental/emotional state at the moment. Arthur, the narrator stresses, "continually looks at his feet, yet is thinking of Odile's mouth, of her romantic kisses." As mentioned before, Odile wonders if the two men notice the movement of her breasts under her sweater. And lastly, Franz "thinks of nothing and everything, wondering if the world is becoming a dream or a dream is becoming the world." From this moment on, Franz's attitude towards Odile begins to change. He is more protective of her and appears to sense a growing affection for her. In the dance, he looks at her and attempts to synchronize his movements with hers. In sum, she leads and he follows. Arthur, on the other hand, indeed looks at his feet and seems disconnected from his companions. His movements, moreover, seem detached. His arms remain flat and fail to work accurately in the diagonal. On occasion, he is some-what behind the count. Arthur, thus, is clearly not focusing either on the moment or on the dance. The dance mirrors the dynamics of the film in which the relationship between Odile and Franz deepens and Arthur grows more aggressively critical of her, particularly during the robbery attempts. His disconnectedness from the dance also foreshadows his gradual withdrawal from Odile and his ultimate demise.

Godard's Madison is clearly distinct from its American forerunner. Yet it follows the same spirit of self-expression of individuals within a group, and therein lies the parallel with American culture. As Thorpe (1989, p. 13) foregrounds:

> Whereas the dances of the white races are so often concerned with conveying grace, dignity, pride, or elegance, with Black dance, the concern is not with the self conscious presentation of something "beautiful" for the onlooker to observe, but almost wholly with what is felt, what emotion is being experienced by the dancer himself. The beauty of Black dance lies in its total lack of inhibition.

And like other movements in *Band of Outsiders*, it recontextualizes movements from American pop culture. In many respects, the freedom and creativity fostered by the Madison recalls Godard's own way of creating. The Madison, which establishes a basic structure setting the parameters in which improvisation can take place, reflects the director's comments on his artistic process. "I always like to impose restraints upon myself. The freer I am, the more I feel I must force certain basic conditions and rules upon myself" (Collet 1972, p. 42). The structured pattern of the choreography contrasts with the many digressions in the plot of the film. It also allows the performers freedom to dance as the spirit or music moves them. The dance provides emotional satisfaction to the audience because it allows the leading characters to exist as a harmonious and synchronized group—a *Band of Outsiders*.

On a broader level, Godard's Madison embodies a good number of the ideological and aesthetic premises of the *Nouvelle Vague*. Its discourse of improvisation reflects in a microcosm the freshness and innovation of the movement's creative process. The freedom of movement permitted by this line dance, moreover, is in keeping with the heightened freedom of camera movement which served to contribute to the *Nouvelle Vague*'s originality. Of equal importance is that the dance permitted the direct communication of individual emotions, which recalls the movement's intent to posit the viewing experience as an intimate conversation between filmmakers and film viewers (Monaco 1976, p. 8). Indeed, it was in the structured pattern of an American rock and roll line dance that Godard himself found his freedom to imbue a story drawn from a B novel with the dynamics and spontaneity of the *Nouvelle Vague*.

If we expand on Corrigan's examination of the cult film as adopted child, we see that Godard's *Band of Outsiders* and, in particular, its Madison sequence, are the products of a number of displacements. First of all, the setting of Hitchens's novel is displaced from the United States to France, although the U.S. is forever present through the main characters' fascination with American culture. The film is thus a "mid-Atlantic" project in which the *Nouvelle Vague* is once again infused with healthy doses of Americana. Prior to its appearance in Godard's film, the Madison, as a cultural phenomenon, itself passed through a series of displacements, traveling from its origins among African-American teenagers in Washington, D.C., to its recoupment by white teenagers on *American Bandstand*, and finally to its popularity abroad. And in this process, the Madison went from spontaneity to "it just ain't happenin'," and onward to a multiplicity of cultural discourses. With regard to the dance's presence in *Band of Outsiders*, the manner in which the sequence has been read and re-read over the course of the past five decades is especially complex. The emphasis the sequence places on both freedom and structure, individualism and group dynamics, speaks to Godard's own style of direction, to his melding of spontaneity and constraint. But moreover, the dance has come to embody the very aesthetics of the *Nouvelle Vague* at large and, more importantly, to *transcend* this context. Godard, whose intent was to make a "big million-dollar picture," essentially gave his film up for adoption. This is due largely to the Madison sequence, which itself has become synonymous with the film, all the while opening doors to expanded audiences and reception contexts. The Internet blog "Like Anna Karina's Sweater" allows the Madison to stand in for the broader context of non-mainstream film and for lively critical debate on issues of cinema and reception. As Joshua Clover quips in the booklet accompanying the Criterion Collection DVD release of *Band of Outsiders*, "blame it on the Madison."

William Paterson University

NOTES

1. < http://filmbrain.typepad.com/>

2. Constance Valdis Hill provides a list of Harold Nicholas's films prior to his trip to France. These include *Kid Million* (1935), *The Big Broadcast of 1936* (1936), *The Great American Broadcast* (1941), *Sun Valley Serenade* (1941) and *Cabin in the Sky* (1943).

3. Such a variant can be viewed in "Lesson 3: 'The Madison'" performed to "The Madison Time" in Mann's documentary, *The Twist* (1993).

4. A description of the movement is as follows: (1) step on the right foot to the right side; (2) step closed on the left foot; (3) step on the right foot to the right side; (4) kick the left leg across front as the hands clap loudly. The movement to the left side of the body is then repeated on counts 5-8. With the exception of the kick, this step is the same as The Big "M" described in *The Encyclopedia of Social Dance* (Butler and Butler 1975, p. 243). On count 4, Butler directs the mover to "touch the left foot together with the right."

5. Such a turn occurs on counts 5, 6 of the following eight-count dance phrase, which can be summed up as follows: (1,2) step forward on the right foot and a hop on it; (3,4) step forward on the left foot, hop on it; (5,6) step on the right foot, jump landing on both feet; (7) weight on the balls of the feet, drop both heels loudly; (8) repeat heel drop. One must ask, however, if counts 7 and 8 are not, in essence, two more jumps. The director does not film the entire body; therefore, the viewer is hard pressed to decide. It is essential to note that the Cross in Front movement has hops and Making a "T" movement has two jumps (Butler and Butler 1975, pp. 242-243).

6. The diagonal movement stepping in half of a Jazz Square can be described as: (1) Step in place on the left foot; (2) kick the right leg diagonally front with the same arm reaching as the fingers snap; (3) step across in front on the right foot; (4) step back on the left foot. The "crossing in front, then stepping back" in *Band of Outsiders* resembles half of the Jazz Square movement of American Jazz Dance (LaPointe-Crump and Staley 1992, p. 119).

7. The traditional "complete" Jazz Square consists of: (1) Beginning on the right foot, step across to the left side; (2) step backwards on the left foot; (3) on the right foot, step open to the right side; and (4) step forward on the left foot (LaPointe-Crump and Staley 1992, p. 119).

8. According to movement theorist Rudolf Laban: "Effort is an outward manifestation of inner attitude" (quoted in Bartenieff 1980, p. 51). The motion factors time, weight and space are continuums, each having polar opposites. One end of the continuum resists the motion factor and is a fighting effort element; the other end of the continuum goes along with the motion factor and is an indulging effort element. The performance described emphasizes a combination of fighting effort elements called

"punching action drive": accelerated time, strong weight or pressure, and single focus or direct space.

9. A tap sound uses the less violent dabbing action drive: accelerated time, light weight and direct space efforts (Bartenieff 1980, p. 58).

10. Although performed by accomplished dancers rather than singer/actors, Agnes DeMille's dream ballet in *Oklahoma!* can be deemed a benchmark for this process.

BIBLIOGRAPHICAL REFERENCES

Banks 1999: John Amos Banks, *Dancing Guide: Basic Art of the Dance*, Panama, Jordan Book Company, 1999.

Bartenieff 1980: Irmgard Bartenieff, *Body Movement: Coping with the Environment*, New York, Gordon and Breach publishers, 1980.

Butler and Butler 1975: Albert Butler and Josephine Butler, *Encyclopedia of Social Dancing*, New York, AB Ballroom Dance, 1975.

Collet 1972: Jean Collet, "No Questions Asked: Conversation with Jean-Luc Godard on *Bande à part*," in Royal S. Brown (ed.), *Focus on Godard*, Englewood Cliffs, Prentice Hall, 1972, pp. 40-45.

Clover 2003: Joshua Clover, "Get Your Madison," in *Band of Outsiders*, DVD booklet, Criterion Collection, 2003.

Corrigan 1986: Timothy Corrigan, "Films and the Culture of Cult," *Wide Angle*, Vol. 8, nos. 3-4, 1986, pp. 91-99.

Godard 1964: Jean-Luc Godard, Band of Outsiders *Press Book*, Paris, Unifrance/ Gaumont, 1964.

Hill 2000: Constance Valdis Hill, *Brotherhood in Rhythm: The Jazz Tap Dancing of the Nicholas Brothers*, New York, Oxford University Press, 2000.

Hitchens 1958: Delores Hitchens, *Fool's Gold*, Garden City, Doubleday, 1958.

Jackson 1997: John A. Jackson, *The American Bandstand: Dick Clark and the Making of a Rock n' Roll Empire*, New York, Oxford University Press, 1997.

Jousse 1990: Thierry Jousse, "Entretien avec Anna Karina," *Cahiers du cinéma*, "Numéro spécial Jean-Luc Godard," 1990, pp. 17-21.

Kael 1968: Pauline Kael, "Godard Among the Gangsters," in Toby Mussman (ed.), *Jean-Luc Godard: A Critical Anthology*, New York, E.P. Dutton, 1968.

LaPointe-Crump and Staley 1992: Janice LaPointe-Crump and Kimberly Staley, *Discovering Jazz Dance: America's Energy and Soul*, Dubuque, Brown & Benchmark, 1992.

London 1920: Jack London, "Nam-Bok the Unvoracious," in Jack London, *Children of the Frost*, New York, MacMillan, 1920.

Love 1993: Sam Love (ed.), *Festival of American Folklife*, Washington, Moving Image of the Public Production Group and the Smithsonian Institute, 1993.

Mahoney 1976: Billie Mahoney, "Labanotation in the Jazz Dance Class," in Roderyk Lange (ed.), *Dance Studies Series*, Vol. 1, Jersey, Channel Islands Dance Centre, 1976, pp. 15-18.

Monaco 1976: James Monaco, *The New Wave: Truffaut, Godard, Chabrol, Rohmer, Rivette*, New York, Oxford University Press, 1976.

Narboni and Milne 1972: Jean Narboni and Tom Milne (eds.), *Godard on Godard: Critical Writings by Jean-Luc Godard*, New York, Viking, 1972.

Stearns and Stearns 1968: Marshall Stearns and Jean Stearns, *Jazz Dance: The Story of American Vernacular Dance*, New York, MacMillan, 1968.

Thorpe 1989: Edward Thorpe, *Black Dance*, Woodstock, Overload, 1989.

RÉSUMÉ

Un Madison pour les exclus : danse et déplacements critiques dans *Bande à part* de Jean-Luc Godard

Svea Becker et Bruce Williams

Dans la perspective de Timothy Corrigan, qui définit le film-culte comme un « enfant adopté », *Bande à part* de Jean-Luc Godard peut être pensé comme un film ayant transcendé sa vocation initiale et ouvert la voie à différentes réceptions critiques et spectatorielles. Attiré par la littérature de gare et les films de série B, Godard avait comme intention première de faire un film grand-public. C'est précisément parce que *Bande à part* rend hommage au cinéma populaire américain qu'il est devenu un film-culte du cinéma marginal. Adaptation d'un roman de gare de Delores Hitchens, *Bande à part* rend hommage à la danse populaire américaine, et en particulier à la danse jazz, popularisée en Europe au début des années 1960. Dans une séquence du film, les protagonistes exécutent un Madison, une danse en ligne d'abord populaire au sein de la communauté afro-américaine, mais que les Blancs se sont rapidement accaparé par le truchement d'émissions de télévision comme *American Bandstand* et, en Europe, grâce au travail d'interprètes/enseignants comme Harold Nicholas. Cette liberté de mouvement au sein d'un environnement structuré, qui est propre au Madison, on la retrouve également dans la démarche de Godard, notamment dans l'importance qu'il accorde à l'agilité physique de ses acteurs. Dans la mesure où chaque personnage de la séquence du Madison danse « en solo », on peut dire que cette danse leur permet d'exprimer leurs émotions et états d'âmes respectifs. Mais le Madison leur permet aussi de s'affirmer en tant que groupe, et de faire en quelque sorte « bande à part ». Par ailleurs, cette séquence offre une synthèse de ce que représente la Nouvelle Vague, tant sur le plan esthétique que sur le plan idéologique, et est particulièrement représentative de la grande estime qu'a Godard pour la culture américaine. En termes de références intertextuelles, la séquence du Madison est la plus chargée du film, et c'est par ailleurs celle qui a suscité les réactions les plus variées chez la critique. Le Madison peut donc être considéré comme le véhicule grâce auquel *Bande à part* a pu devenir un archétype du cinéma marginal.

Compte rendu/Book Review

Caroline Zéau, *L'Office national du film et le cinéma canadien (1939-2003). Éloge de la frugalité*, Bruxelles, Peter Lang, 2006, 463 p.

L'ouvrage de Caroline Zéau sur l'Office national du film du Canada (ONF)/National Film Board of Canada (NFB) a pour objectif de mettre en valeur l'esthétique propre aux films de cet organisme qu'elle tient à mettre en rapport non pas avec sa fonction publique, mais bien avec les cinéastes qui œuvraient en son sein. Rien n'annonçait en effet une telle réussite lorsque l'ONF fut créé en 1939, dans un paysage cinématographique canadien désertique. Mis sur pied pour servir les fins propagandistes du gouvernement fédéral pendant la Seconde Guerre mondiale, l'ONF diversifia rapidement ses productions pour répondre aux besoins des divers ministères du gouvernement et de leur clientèle, comme à ceux des écoles et, dans les années 1950 et 1960, de la télévision. Une telle institution aurait dû péricliter rapidement dans un contexte nord-américain peu ouvert aux entreprises étatiques productives. Et c'est un fait que l'ONF connut bon nombre d'attaques de la part de parlementaires et d'entrepreneurs qui lui reprochaient de répondre à une demande de services que le privé pouvait — mais surtout « devait », au nom de la défense du libéralisme — prendre en charge. L'ONF sut cependant tirer son épingle du jeu en arguant de sa mission de recherche et d'expérimentation qu'elle seule pouvait assumer dans les secteurs marginaux de la production cinématographique, à savoir le documentaire et le cinéma d'animation. C'est en fait la définition de cette mission qui permit l'engagement de personnalités remarquables comme McLaren. L'histoire institutionnelle de l'Office, notamment celle de l'organisation de son secteur de production, a aussi permis de créer — dans un environnement exempt de tout autre lieu de formation — une véritable pépinière pour toute une génération de cinéastes. Ceux-ci se formèrent d'une part à travers la réalisation de films de commande et d'autre part, à travers l'expérimentation technique, tant en animation que du côté des appareillages. Le fonctionnement collégial des équipes et des studios faisait aussi passer les cinéastes par la direction de production ou par l'assistance technique et artistique sur les films de leurs collègues, ce qui ne manquait pas de créer des synergies particulièrement créatives entre les secteurs de production dont plus d'un film témoigne [1].

Ce parcours historique réalisé à l'aide d'une exploration des archives de l'ONF, d'entretiens avec les principaux protagonistes de cette histoire, ainsi que d'une relation systématique de la littérature historique sur l'Office se présente donc comme une enquête sur les origines de la « force créatrice » du cinéma canadien issu de cette institution : « Comment cet organe de propagande est-il devenu un haut lieu du renouveau esthétique dans les domaines de l'animation, et le creuset créatif du cinéma canadien ? » (p. 17). Cette force créatrice proviendrait, comme le sous-titre du livre l'indique, d'une pratique de la « frugalité » que Caroline Zéau associe aux travaux de McLaren. L'« économie créatrice » que prônait ce dernier impliquait une approche « artistique de la technique », une « conception artisanale de la production » (p. 451) qui limitait les intermédiaires entre le créateur et son œuvre et qui trouva à s'épanouir en épousant le mode de fonctionnement « économique » de l'Office. Pourquoi contredire un zèle créateur qui ne grugeait pas le budget général de production de l'ONF et qui permettait d'accumuler un capital symbolique non négligeable sur la scène internationale [2] ? Selon l'auteure, cette pratique aurait aussi contribué au « passage à la modernité » du documentaire canadien que représente le cinéma direct. Elle aurait rendu possible l'expression du « désir de cinéma » des cinéastes québécois qui en étaient les principaux maîtres d'œuvre.

L'ouvrage de Caroline Zéau est divisé en trois parties. La première partie retrace l'histoire de l'ONF de ses origines à nos jours et relate la maturation du cinéma canadien, de la pépinière griersonnienne à l'implantation d'une industrie canadienne du cinéma, en passant par les étapes de l'émancipation des cinéastes au sein de l'Office en plusieurs étapes. La deuxième insiste sur les liens entre le secteur de l'animation et le secteur du documentaire ; la troisième traite de tous les facteurs annonçant la fin de l'Office et le déplacement de la créativité cinématographique canadienne vers le long métrage de fiction. Cette vision téléologique a le mérite de la clarté narrative, mais aboutit à un diagnostic plutôt sévère quant au devenir de l'ONF dans le paysage canadien. Son rôle fut historique ; l'avenir appartiendrait désormais à l'industrie du cinéma et aux nombreux mécanismes décentralisés de son financement. Outre le fait que bon nombre de documentaristes canadiens et québécois se sont déjà insurgés à plusieurs reprises contre ce type d'analyse, il conviendrait de souligner que la vitalité actuelle de l'ONF — sa recherche de nouveaux mandats sur le territoire de la construction de nouvelles formes de citoyenneté médiatique et cinématographique — vient contredire les conclusions un peu hâtives de Caroline Zéau : hâtives, mais aussi inévitables au regard de sa démarche consistant à reconstruire une histoire de l'art cinématographique canadien selon des principes germinaux et unitaires quelque peu dépassés. La question de l'art est une question résolue pour elle : l'art est tout au plus une idée vague mais forte qui motive le geste des cinéastes au-delà des objectifs utilitaires des films, et tout au moins un ensemble de pratiques singulières qui instaurent une tradition, en l'occurrence pour l'ONF, une tradition de recherche et d'innovation inaugurée par Grierson, entretenue par McLaren et reconduite par Gilles Groulx.

L'évocation récurrente d'un « désir de cinéma » chez les cinéastes québécois artisans du direct permet en fait à Caroline Zéau d'évacuer toute dimension politique à la pratique artistique et d'éluder sa dimension sociologique. Or, il s'avère précisément que ce parti pris est problématique à plus d'un égard. Certes, on peut supposer que les cinéastes qui œuvraient à l'ONF fonctionnaient en vase clos et n'avaient en tête que la qualité artistique de leur production ; mais cette hypothèse ne tient pas la route pour la bonne et simple raison que les cinéastes qui ont éclos à la fin des années 1950 — de Perrault à Groulx en passant par Brault, Dansereau et Bulbulian —

avaient le souci — avant-gardiste! — de la place de l'artiste dans la communauté. Une communauté qui, soit dit en passant, connaissait alors de profonds bouleversements cachés pudiquement sous le vocable oxymorique de « Révolution tranquille ». Aussi, il n'est guère prudent de balayer d'un revers de main, comme le fit Grierson en son temps, ce qui se tramait autour du programme *Société nouvelle/Challenge for Change* et qui dépassait largement les intérêts politiques qui lui avaient permis d'exister. Grierson reprochait aux cinéastes qui y œuvraient de confondre le geste documentaire comme mise en forme créatrice de la réalité avec un geste de médiation et de solidarisation envers les communautés filmées. La réponse des cinéastes fut d'arrimer l'expérience esthétique à l'expérimentation sociale. Il s'agissait de produire une communauté de créateurs entre les filmeurs, les filmés et leur public autour d'une œuvre commune et grâce à celle-ci, ce qui ne devait pas dépouiller pour autant les films de toute valeur esthétique. Faire et voir un film enclenchait un geste créatif qui débordait sur le social.

Caroline Zéau dit avoir voulu écarter la dimension nationale de la production onéfienne, ce qui est tout à son honneur puisque, effectivement, c'est la voie classique par laquelle on aborde ces films — et tout particulièrement les films québécois de la période 1960-1975. Mais l'autonomie de l'art, du point de vue de la motivation des artistes comme de la fonction des œuvres, est-elle la seule voie d'accès à l'analyse esthétique de ces films ? Et pourquoi mesurer la valeur artistique des œuvres à l'aide de critères strictement apolitiques et asociaux (ce que fait Caroline Zéau en nous parlant de la « valeur éternelle » des « chefs-d'œuvre » de Pierre Perrault) ? C'est finalement autour de cette conception quelque peu naïve de l'art que repose l'argumentaire de l'auteure, une conception qui transparaît justement dans son modèle germinal de l'histoire du cinéma canadien :

> Ainsi, sur le plan de l'innovation technique et artistique, l'ONF est devenu ce que les cinéastes, techniciens et réalisateurs, mus par le désir de cinéma, en ont fait, le plus souvent avec la complicité des producteurs. C'est pourquoi la genèse du cinéma canadien né à l'Office peut être décrite sous la forme d'une pyramide inversée : elle est initiée par les cinéastes d'animation

(McLaren, Jodoin, Hébert) qui individuellement posent et perpétuent ses fondements esthétiques ; elle s'élargit avec l'afflux de films (ceux du Candid Eyes, ceux de l'équipe française) qui, réalisés collectivement, concrétisent puis consolident l'émergence d'un jeune cinéma ; et enfin, elle s'évase en dessinant ses grandes composantes distinctives (fiction issue du direct, documentaire social et politique, formats spéciaux). Ce dernier mouvement est synonyme d'éclatement, de passage de relais, et ultimement d'affaiblissement de l'ONF, au gré d'une floraison d'initiatives extérieures résultant du désir d'indépendance de ses cinéastes, et qui eut pour conséquence l'émergence des premières fondations d'une industrie privée. Dès lors, l'institution qui avait pallié le manque dans le domaine de l'activité cinématographique, et incubé les germes de cette éclosion, se trouvait démunie de sa plus vitale raison d'être (p. 452).

Mis à part cette objection de fond sur l'art et la manière de faire l'histoire du cinéma canadien, il n'en reste pas moins que le travail de Caroline Zéau est fort bien documenté et a su produire un beau récit qui en retrace l'essentiel et qui en relate avec une attention toute particulière un aspect peu étudié, à savoir le lien synergique entre le cinéma d'animation et le cinéma documentaire au sein de l'Office. À mettre donc entre les mains de ceux qui voudraient êtres initiés au cinéma canadien, mais avec les précautions d'usage concernant l'angle de vue et le parti pris de l'auteure.

Marion Froger   Université de Montréal

NOTES

1. Notamment *Universe* (1960) de Roman Kroitor et Colin Low.

2. Les films de McLaren remportèrent de nombreux prix, dont un Oscar pour *Neighbours/Voisins* (1952) et une Palme d'or du court métrage pour *Blinkity Blank* (1955).

Notes sur les collaborateurs

SVEA BECKER est professeure associée à William Paterson University. Auteure de plusieurs articles sur la danse jazz et spécialiste en notation Laban, elle s'intéresse surtout à l'analyse stylistique de la danse. Ses recherches actuelles portent sur la danse et le cinéma. Elle a présenté de nombreuses communications à la Society of Dance History Scholars, à la National Dance Association, au Laban/Bartenieff Institute of Movement Studies et à l'American Popular Culture Association.

LUDMILA BRANDÃO est architecte et historienne, docteure en Communication et Sémiotique par la PUC/São Paulo, avec un post-doctorat réalisé à la Chaire de recherche du Canada en transferts littéraires et culturels (Université d'Ottawa ; 2004-2005). Elle est coordinatrice du programme d'études supérieures en Études de culture contemporaine à Universidade Federal do Mato Grosso (Brésil) et du Groupe d'études du contemporain (UFMT/CNPQ). Elle a publié *A catedral e a cidade* (1995) et *A casa subjetiva : matérias, afectos e espaços domésticos* (2002).

ADAMA COULIBALY est enseignant-chercheur au Département de lettres modernes à l'Université de Cocody-Abidjan et spécialiste du roman d'Afrique noire francophone, sujet sur lequel il a publié plusieurs articles. Un stage postdoctoral à la Chaire de recherche du Canada en transferts littéraires et culturels lui a permis, en tant qu'enseignant invité à l'Université d'Ottawa (2004-2005), d'étendre son champ d'intérêt aux rapports roman africain/cinéma ainsi qu'aux problèmes de recyclages culturels et littéraires, et de mettre en chantier un projet de recherche sur le postmodernisme dans le roman de l'Afrique noire francophone, projet qu'il vient de terminer en vue de l'obtention de son doctorat d'État.

WALID EL KHACHAB est professeur adjoint en Études arabes au Département des langues, littératures et linguistique de York

University. Auteur d'une thèse sur le mélodrame, il s'intéresse au panthéisme et au mysticisme au cinéma.

UTE FENDLER est titulaire de la Chaire d'études romanes et comparatistes à Universität Bayreuth (Allemagne) depuis octobre 2006. Elle détient un doctorat en Études romanes (*Interculturalité dans l'œuvre romanesque de Maryse Condé*, 1992). Elle a enseigné à l'Université de Ouagadougou (Burkina Faso) comme professeure adjointe du DAAD (Office allemand d'échanges académiques) et à la Chaire d'études culturelles romanes et de communication interculturelle de Universität des Saarlandes (Allemagne).

RYAN FRASER est professeur adjoint à l'École de traduction et d'interprétation de l'Université d'Ottawa et membre de la Chaire de recherche du Canada en transferts littéraires et culturels à la même université. Ses intérêts pour la poésie, la sémiotique structuraliste et la musique ont orienté ses recherches vers la théorie de la traduction et plus précisément vers le domaine de la traduction audiovisuelle et sonore. Il a notamment publié des articles sur la traduction de poésie et de chansons. Il travaille présentement à la publication de son premier livre tiré de sa thèse de doctorat *Sound Translation : Poetic and Cinematic Practices*.

MARION FROGER est professeure adjointe au Département d'histoire de l'art et d'études cinématographiques de l'Université de Montréal. Elle a assumé pendant plusieurs années la coordination scientifique du Centre de recherche sur l'intermédialité (CRI) de cette même université. Ses domaines de recherche sont : la socialité du cinéma, l'esthétique communautaire et l'intermédialité. Elle a travaillé sur la dimension communautaire du cinéma québécois, la relation de don par l'intermédiaire du film et les gestes de médiation dans l'audiovisuel. Elle a codirigé deux ouvrages collectifs sur les enjeux sociaux et les enjeux épistémologiques de l'intermédialité.

PASCAL GIN est professeur adjoint à Carleton University (Department of French). Titulaire d'un doctorat en littérature comparée (2004, Université de Montréal), il se consacre à l'étude des rapports entre littérature et mondialisation ainsi qu'à la figure de la traduction dans l'interdiscours contemporain. Ses activités de recherche et publications récentes portent sur la littérature canadienne, les imaginaires transmédiatiques et les phénomènes de mondialisation culturelle.

PIERRE KADI SOSSOU est coordonnateur de la Chaire de recherche du Canada en transferts littéraires et culturels à l'Université d'Ottawa, où il est professeur de langue et littérature allemandes. Il a travaillé sur le projet posdoctoral « Transferts et altérités » (CRSH) et poursuit des recherches sur les mythes de la mobilité. Spécialiste de Kleist (*Römisch-germanische Doppelgängerschaft. Eine palimpsestuöse Lektüre von Kleists Hermansschlacht*, 2003), il a aussi publié des articles sur Goethe, Senghor et Kourouma. Il est auteur de *Rencontre des altérités* (2005) et a codirigé l'ouvrage collectif *Un donsomana pour Kourouma* (2007).

WALTER MOSER est titulaire de la Chaire de recherche du Canada en transferts littéraires et culturels à l'Université d'Ottawa. De 1974 à 2002, il était professeur de littérature comparée et allemande à l'Université de Montréal où il a dirigé, de 1992 à 2001, le groupe de recherche sur les Recyclages culturels. En 2001, il a coédité *Résurgences baroques* et, en 2004, *Esthétique et recyclages culturels*. Ses recherches actuelles portent sur diverses formes de mobilité culturelle.

JEAN-PIERRE SIROIS-TRAHAN est professeur adjoint au Département des littératures de l'Université Laval. Il a obtenu un double doctorat en cotutelle à l'Université de Montréal et à l'Université de Paris III-Sorbonne nouvelle. Il a codirigé un numéro de la revue *Cinémas* sur le dispositif cinématographique. En outre, il a publié plusieurs articles et corédigé deux ouvrages sur le cinéma des débuts : *Au pays des ennemis du cinéma… Pour une nouvelle histoire des débuts du cinéma au Québec* (1996) et *La vie ou du moins ses apparences. Émergence du cinéma dans la presse de la Belle Époque* (2002).

Bruce Williams est professeur au Department of Languages and Cultures de William Paterson University. Ses recherches portent sur les discours nationaux au cinéma et l'intertextualité dans le cinéma narratif. Ses articles sont parus, entre autres, dans *Film History*, *The Quarterly Review of Film and Video*, *La revue canadienne d'études cinématographiques* et *The New Review of Film and Television Studies*. Il enseigne à la Marubi Film and Multimedia School et prépare actuellement un livre sur la sociolinguistique du cinéma.

Parutions récentes/ Recently Published

BIASIN, Enrico, Roy MENARINI et Federico ZECCA (dir.), *Le età del cinema. The Ages of Cinema*, Udine, Forum, 2008, 446 p.

BIMBENET, Jérôme, *Film et histoire*, Paris, Armand Colin, 2007, 296 p.

BOILLAT, Alain, *Du bonimenteur à la voix-over. Voix-attraction et voix-narration au cinéma*, Lausanne, Éditions Antipodes, 2007, 539 p.

COOK, Pam (dir.), *The Cinema Book. Expanded*, Third edition, London, BFI, 2007, 450 p.

CHERCHI USAI, Paolo (dir.), *The Griffith Project. Volume 11. Selected Writings of D. W Griffith. Indexes and Corrections to Volumes 1-10*, London/Pordenone, BFI/Le Giornate del Cinema Muto, 2007, 340 p.

DAGRADA, Elena, Elena MOSCONI et Silvia PAOLI (dir.), *Moltiplicare l'istante. Beltrami, Comerio e Pacchioni tra fotografia e cinema*, Milano, Il Castoro, 2007, 233 p.

DUMONT, Hervé, et Maria TORTAJADA (dir.), *Histoire du cinéma suisse. 1966-2000*, 2 tomes, Lausanne/Hauterive, Cinémathèque suisse/Éditions Gilles Attinger, 2007, 1540 p.

GARÇON, François, *La distribution cinématographique en France. 1907-1957*, Paris, CNRS Éditions, 2006, 296 p.

JULLIER, Laurent, *Interdit aux moins de 18 ans. Morale, sexe et violence au cinéma*, Paris, Armand Colin, 2008, 253 p.

LAURICHESSE, Hélène, *Quel marketing du cinéma?*, Paris, CNRS Éditions, 2006, 183 p.

LEUTRAT, Jean-Louis, Suzanne LIANDRAT-GUIGUES et Philippe MET (dir.), *Les aventures de Harry Dickinson. Scénario de Frédéric de Towarnicki pour un film (non réalisé) par Alain Resnais*, Nantes, Capricci, 2007, 372 p.

NARBONI, Jean, En présence d'un clown *de Ingmar Bergman: voyage d'hiver*, Paris, Yellow Now, 2008, 108 p.

PLASSERAUD, Emmanuel, *Cinéma et imaginaire baroque*, Villeneuve d'Ascq, Presses universitaires du Septentrion, 2007, 271 p.

RODOWICK, David N., *The Virtual Life of Film*, Cambridge/
London, Harvard University Press, 2007, 193 p.
RUSSELL, Patrick, *100 British Documentaries*, London, BFI,
2007, 288 p.
VIGNAUX, Valérie, *Jean Benoît-Lévy ou le corps comme utopie.
Une histoire du cinéma éducateur dans l'entre-deux-guerres en
France*, Paris, AFRHC, 2007, 253 p.

LITTÉRATURE QUÉBÉCOISE

voixetimages

+ + +

La seule revue universitaire exclusivement consacrée au domaine littéraire québécois. Trois fois par an : des entrevues avec des écrivains du Québec ; des analyses approfondies et variées sur la production ancienne et contemporaine ; des chroniques sur l'actualité.

+

ABONNEMENT

(INCLUANT LES TAXES ET/OU LES FRAIS DE PORT ET DE MANUTENTION)

QUÉBEC/CANADA

1 AN (3 NUMÉROS) : étudiant **29 $** ; individu **45 $** ; institution **90 $**

ÉTRANGER

1 AN (3 NUMÉROS) : étudiant **35 $** ; individu **55 $** ; institution **95 $**

LE NUMÉRO : **19 $** (TAXES INCLUSES)

+

* LES CHÈQUES OU MANDATS DOIVENT ÊTRE FAITS À L'ORDRE DE : **PRESSES DE L'UNIVERSITÉ DU QUÉBEC, SERVICE DES ABONNEMENTS, ÉDIFICE LE DELTA I, BUREAU 450, 2875, BOUL. LAURIER, SAINTE-FOY (QUÉBEC), G1V 2M2,** TÉLÉPHONE : 418.657.4075 POSTE 226, COURRIEL : REVUES@PUQ.UQUÉBEC.CA

CANADIAN JOURNAL OF FILM STUDIES
REVUE CANADIENNE D'ÉTUDES CINÉMATOGRAPHIQUES

Scholarly articles in English and French on theory, history and criticism of film and television; book reviews; rare and archival research documents.

VOLUME 17 NO. 1   SPRING • PRINTEMPS 2008

A SPECIAL ISSUE ON FILM AND DISABILITY

SUBSCRIPTIONS:
Individuals $35 (CAD) in Canada, $35 (US) in all other countries.
Institutions, $45 (CAD) in Canada and $45 (US) in all other countries. Payment to the
Canadian Journal of Film Studies,
Department of Film Studies
Queen's University
160 Stuart Street
Kingston, ON K7L 3N6
Canada
Fax: (613) 533-2063
E-Mail: cjfs@post.queensu.ca
Website: www.filmstudies.ca/cjfs.html

CJFS • RCEC
is published biannually by the
Film Studies Association of Canada
Association canadienne d'études cinématographiques

questions de communication 12 • 2007

Crises rhétoriques, crises démocratiques
Dossier coordonné et présenté
par Emmanuelle Danblon

Échanges

Notes de recherche

Notes de lecture

Livres reçus

Abstracts

PRIX AU NUMÉRO	20 euros (frais de port de 3,25 euros en sus)
ABONNEMENT (1 an, 2 numéros)	32 euros (frais de port de 6,50 euros en sus)

Presses universitaires de Nancy • pun@univ-nancy2.fr

Revue publiée avec le concours du Centre de recherche sur les médiations (université Paul Verlaine-Metz)
et le soutien du Conseil Régional de Lorraine du Centre National du Livre et du CNRS

intermédialités

HISTOIRE ET THÉORIE DES ARTS, DES LETTRES ET DES TECHNIQUE

Disparaître

sous la direction de
George Varsos et Valeria Wagner

Intermédialités, CRI, Université de Montréal C.P. 6128 succursale Centre-Ville, Montréal (Québec) Canada H3C 3J
Tél. : (514) 343-2438 ; Téléc. : (514) 343-2393 Courriel : intermedialites@umontreal.ca Site : http://www.intermedialites.c

ORIENTATION DE LA REVUE

CiNéMAS est une revue spécialisée consacrée d'abord aux études cinématographiques et aux travaux théoriques ou analytiques propres à stimuler une réflexion issue de la rencontre de différentes approches, méthodes et disciplines (esthétique, sémiotique, histoire, communication, sciences humaines, histoire de l'art, etc.). Une attention particulière est accordée aux recherches sur les mutations en cours, tant au sein des pratiques créatrices que des discours théoriques.

À ce titre, **CiNéMAS** est à l'écoute des nouveaux courants de pensée qui émergent du champ des études cinématographiques et milite en faveur d'un éclatement des disciplines ou, à tout le moins, d'un dépassement des bornes disciplinaires traditionnelles. D'où sa grande ouverture aux réflexions transdisciplinaires, aux nouveaux objets et aux nouvelles approches.

POLITIQUE ÉDITORIALE

Les numéros de la revue **CiNéMAS** sont généralement thématiques et comportent des sections « Hors dossier » et « Compte rendu ». D'abord francophone, la revue publie aussi un certain nombre d'articles en anglais et des traductions. Chaque article publié est accompagné d'un résumé en anglais et en français. La revue publie trois numéros par année (généralement un numéro simple et un numéro double).

Les propositions de numéro soumises au Comité de direction doivent présenter clairement le thème choisi, ses objectifs de même que sa pertinence par rapport au développement actuel des connaissances en études cinématographiques. Elles doivent être accompagnées de la liste des collaborateurs pressentis, du titre et d'un résumé d'une page de chacun des articles. Le(s) proposeur(s) dont le projet de numéro est accepté par le Comité de direction s'engage (nt), vis-à-vis de la revue, à produire les documents pour la date convenue entre le(s) proposeur(s) et le comité. Ces derniers ainsi que les auteurs sont priés de respecter le protocole de rédaction de la revue.

Les textes publiés dans **CiNéMAS** doivent être inédits. Les articles publiés par **CiNéMAS** font l'objet d'une première évaluation anonyme par deux membres compétents du Comité de lecture. Une seconde évaluation anonyme est effectuée par les membres *ad hoc* du Comité de rédaction. L'acceptation ou le rejet d'un article demeure la responsabilité finale du Comité de direction. Les auteurs sont avisés de la décision de publication ou des éventuelles modifications à apporter à leur texte dans les trois mois suivant la réception de leur article. Dans le cas d'un refus, l'avis est accompagné des raisons qui l'ont motivé.

PROTOCOLE DE RÉDACTION

Les auteurs sont priés :

1. de faire parvenir une copie de leur texte par courrier électronique à l'adresse suivante : cinemas@histart.umontreal.ca ;

2. d'inscrire sur la première page de leur texte le titre de l'article, leur nom et le nom de leur institution ;

3. de fournir une notice biobibliographique (environ 75 mots) précisant leur statut professionnel et leurs principales publications ;

4. de soumettre un résumé de leur article (entre 250 et 300 mots), en vue d'une traduction en anglais ou en français ;

5. de présenter leur texte à double interligne, en Times 14 points, justifié à gauche et à droite, à l'exception des citations qui doivent être placées en retrait et des notes qui devront être présentées à simple interligne, numérotées consécutivement à la fin de l'article ;

6. de présenter les éléments bibliographiques et les références textuelles au fur et à mesure, dans le corps du texte, selon le modèle adopté par la revue ;

7. de limiter leur texte à un maximum de 20 pages (soit environ 7 000 mots sans les notes). Vous pouvez demander une version détaillée du protocole de rédaction à l'adresse suivante : cinemas@histart.umontreal.ca.

CiNéMAS is a scholarly journal dedicated to film studies, with a special interest in research concerning current mutations in creative practices and theoretical discourses. Each issue of **CiNéMAS** assembles, in general, articles approaching the same subject from different angles, followed by a section of varied articles and book reviews as well. The journal accepts manuscripts in English. **CiNéMAS** publishes three issues a year.

CiNéMAS

PROCHAIN NUMÉRO

Volume 19, numéro 1
Les transformations du cinéma
Ce numéro est consacré à trois transformations du cinéma. La projection, par laquelle le cinéma fabrique de l'identité ou de l'histoire (québécoises) à partir d'événements sociopolitiques ou de tendances culturelles. L'adaptation, par laquelle le cinéma reconfigure des formes d'écriture et emboîte des moyens de représentation. La multiplication, par laquelle le dispositif du cinéma change en s'ouvrant de l'intérieur à tous ses possibles ou en continuant de hanter les techniques qui devaient le remplacer. Ces trois transformations n'ont jamais cessé d'animer les recherches du cofondateur de la revue auquel ce numéro est dédié : Michel Larouche.

Abonnements et distribution
au Canada et à l'étranger

Revue CiNéMAS
Université de Montréal
C.P. 6128, succursale Centre-ville
Montréal (Québec) H3C 3J7
Tél. : (514) 343-6111, poste 3684
Téléc. : (514) 343-2393
cinemas@histart.umontreal.ca
www.revue-cinemas.umontreal.ca

Pour toute information au sujet des abonnements
Service d'abonnement de la SODEP
Tél. : (514) 397-8670

Points de vente au Québec

MONTRÉAL
Coop UQAM
405, rue Sainte-Catherine Est
Tél. : (514) 987-3333

Librairie Concordia
1400, boulevard de Maisonneuve Ouest
Tél. : (514) 848-2424, poste 3623

Librairie L'Écume des jours
125, rue Saint-Viateur Ouest
Tél. . (514) 278-4523

Librairie Olivieri
5219, chemin de la Côte-des-Neiges
Tél. : (514) 739 3639

Librairie Renaud-Bray Champigny
4380, rue Saint-Denis
Tél. : (514) 844-2587

Librairie Renaud-Bray Côte-des-Neiges
5252, chemin de la Côte-des-Neiges
Tél. : (514) 342-1515

Librairie Renaud-Bray du Parc
5117, avenue du Parc
Tél. : (514) 276-7651

Librairie de l'Université de Montréal
3200, rue Jean-Brillant
Tél. : (514) 343-2420

Librairie Zone libre
262, rue Sainte-Catherine Est
Tél. : (514) 844-0756

QUÉBEC
Librairie Zone
Université Laval
Pavillon Maurice-Pollack
Tél. : (418) 656-2600, poste 8453

Points de vente en Europe

FRANCE
Librairie Ciné-Reflet
14, rue Monsieur Le Prince
75006 Paris
Tél. : 01.40.46.02.72

Librairie Palimpseste
16, rue de Santeuil
75005 Paris
Tél. : 01.45.35.04.54

Librairie Contacts
24, rue du Colisée
75008 Paris
Tél. : 01.43.59.17.71

Librairie Tekhné
7, rue des Carmes
75005 Paris
Tél. : 01.43.54.70.84

Librairie Scaramouche
161, rue Saint-Martin
75003 Paris
Tél. : 01.48.87.78.58

Librairie de la Cinémathèque française
51, rue de Bercy
75012 Paris
Tél. : 01.71.19.33.33

BELGIQUE
Librairie Filigranes
39, avenue des Arts
1040 Bruxelles
Tél. : 02.511.90.15

Librairie Tropismes
11, rue Galerie des Princes
1000 Bruxelles
Tél. : 02.512.88.52

Librairie Agora
11, rue Agora
1348 Louvain-la-Neuve
Tél. : 10.45.05.66

SUISSE
La Librairie du cinéma
9, rue de la Terrassière
1207 Genève
Tél. : 022.736.88.88

Librairie Basta ! Dorigny
L'Anthropole
Université de Lausanne
1015 Lausanne
Tél. : 021.691.39.37

**Librairie du Musée d'art moderne et
contemporain**
10, rue des Vieux-Grenadiers
1250 Genève
Tél. : 022.320.61.22

Abonnement annuel

	Canada	Autres pays
Étudiant*	20 $ CAN	25 $ CAN
Individuel	30 $ CAN	35 $ CAN
Institutionnel	65 $ CAN	75 $ CAN

Prix unitaire

	Canada	Autres pays
Numéro simple	14 $ CAN	18 $ CAN
Numéro double	21 $ CAN	25 $ CAN

Exemplaires disponibles au siège de la revue CiNéMAS.

* Joindre photocopie d'une pièce justificative.

BULLETIN D'ABONNEMENT

1 an/3 numéros

Veuillez m'abonner à **CiNéMAS** pour une année à partir du volume .... numéro.................
Ci-joint un chèque, mandat-poste ou traite (tiré sur une banque canadienne, exprimé en dollars canadiens) à l'ordre de **CiNéMAS**, ou le formulaire de paiement par carte de crédit (Visa ou Mastercard) pour un montant de...............$

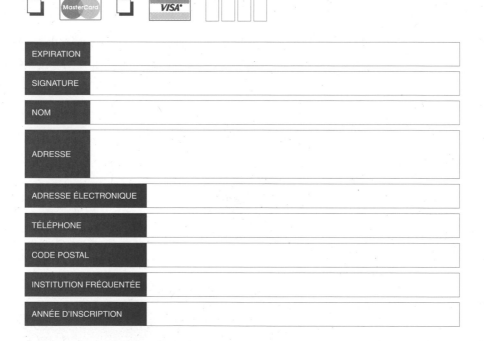

EXPIRATION	
SIGNATURE	
NOM	
ADRESSE	
ADRESSE ÉLECTRONIQUE	
TÉLÉPHONE	
CODE POSTAL	
INSTITUTION FRÉQUENTÉE	
ANNÉE D'INSCRIPTION	

À retourner à : Revue **CiNéMAS**, Université de Montréal, C.P. 6128, succursale Centre-ville, Montréal, Québec, Canada H3C 3J7